エリック・シンガー＝編著　鳥見真生＝訳

オリバー・ストーン&ピーター・カズニック

語られなかったアメリカ史

3 人類史上もっとも危険な瞬間

THE UNTOLD HISTORY OF THE UNITED STATES

あすなろ書房

語られなかったアメリカ史

❸人類史上もっとも危険な瞬間

第3部
戦争好きな体質

第4部
世界をアメリカ化せよ

第5部

人類史上もっとも危険な瞬間

妻レイチェルと娘イーヴィに捧げる

エリック・シンガー

The Untold History of the United States
Young Readers Edition, Volume 2, 1945–1962

Written by Oliver Stone and Peter Kuznick
Adapted Eric Singer

Published by arrangement with Atheneum Books for Young Readers,
an Imprint of Simon & Schuster Children's Publishing Division
through Japan UNI Agency, Inc., Tokyo

本シリーズに寄せて

D・ワトキンス

歴史なんか嫌いだ。ずっとそう思ってきた。

学校で教えられる歴史にはうんざりさせられてきた。ところが、私と同じくアメリカの子どもの多くもまた、歴史なんか嫌いだと思っているのだ。歴史は、嫌いになるように教えられている。

私は黒人だ。アメリカ東海岸のボルチモアで育った。ボルチモアは黒人の街だ。私は黒人専用の学校へ通った。黒人専用の学校でも、すべてのアメリカ人の歴史は正しく教えられていなかったし、正しく認識されてもいなかった。

たとえば、黒人の歴史はこんなふうに教えられた――私たちは奴隷《どれい》として出発しましたが、リンカーン大統領が解放してくれました。それから公民権運動家の黒人ローザ・パークスが「白人専用」のバスの席に座ったために逮捕されて、キング牧師が抗議のデモ行進をしました。その後、マイケル・ジャクソンがテレビでムーンウォークを披露《ひろう》し、マイケル・ジョーダンがフリースローダンクを豪快に決めてから、人種差別はなくなりました……。

一二年間の学校教育では、黒人の歴史的功績については、ほんの少ししか触《ふ》れられない。最優先で教えるべきことは、勇敢な冒険家クリストファー・コロンブスが初めてアメリカを発見し（そこにはすでに人が住んでいたにもかかわらず）、勇気ある入植者がイギリスから渡ってきて、偉大な建国の父たちがこの国を作ったのです、というシナリオだと決まっているからだ。こうした詭弁《きべん》を受け入れて、かなり愛国的に育っていく子どももいる。その大きな原因は、アメリカの教師が、彼らの尊敬する建国の父たちがひどい人種差別主義者だったことには、けっして言及しないからだ。もしも有色人種に対する建国の父たちの差別的な考えを教えられていたら、歴史の授業はもっと興味深いものになっていただろう。以下に彼らの発言を示してみよう。

「インディアンとオオカミは姿かたちは違っていても、両方とも肉食獣である」初代大統領ジョージ・ワシントン

「黒人はひどい臭《にお》いがするし、見かけも醜《みにく》い。少ししか眠らず、ろくに会話もできず、悲しみという感情を理解できず、臆病《おくびょう》なくせになんでも疑ってかかる。黒人は本質的に違う人種なのか、時と環境によって違うものになったのかは不明だが、心身ともに授けられているものが、白人に比べて著しく劣《おと》っているのだ」第三代大統領トーマス・ジェファーソン

「黒人は白人市民に隷従《れいじゅう》することしかできないため、本質的に劣等《れっとう》な奴隷《どれい》である。よって、人間の五分の三とみなすべきである」第四代大統領ジェームズ・マディソン

現行の社会体制や文化の中では、建国の父たちは当然、英雄と考えられているし、公立学校の多くが歴史を掘り下げて考えようとする気概《きがい》に欠けていたため、実はジェファーソンやマディソンのような人間が有害な人種差別者であることを、私は学校で学べなかった。また、奴隷《どれい》にされたアフリカ人やアフリカ系アメリカ人が、建国の父たちより（はるかに、とは言わないまでも）、社会的により重要な存在になっていくということも教えられなかった。黒人はこの国に多大な貢献をしてきたのに、教科書の一番後ろに短く補足されているだけだ。こうした理由で、自分たちは重要ではないのだと多くの黒人が思いこまされてきた。しかし幸いにも、ラップという音楽スタイルが確立されて登場したマルコムX、アンジェラ・デイヴィス、アサータ・シャクールのような英雄的な黒人ラッパーたち、あるいは黒人の自営組織ブラック・パンサー党が、アメリカが本当はどんな国なのかを自分で調べて自ら学べ、と鼓舞《こぶ》してくれたのである。

本シリーズ『語られなかったアメリカ史』は、タイトルからわかるように、「教えられない」歴史だけでなく、多くの「語られない」歴史に触《ふ》れている。アメリカの教育機関は妙なことに、この国の発展にかかわる枢要《すうよう》部分、つまり全アメリカ市民と将来アメリカ市民になると見込まれる人々が知っておくべき、歴史上の重要な人物や出来事を隠そうとしているのだ。子どもの時にこのシリーズを読んでいたら、どれほど多くのことを学べただろう。自分の国がどうやって生まれ、現在どのように機能しているかを、もっと深く理解できていたはずだ。私の幼年期にはこんな本は一冊もなかった。だが、ありがたいことに、本シリーズは次世代へと読み継《つ》いでいくことができる。

子どもの時にこのような歴史書を読んでいたら、黒人なしには現在のアメリカは存在せず、解放奴隷《どれい》の労働なしにはここまで強大になれなかったことに気づくことができたかもしれない。あるいは、現代医学の発展の多くが、人体実験に使われた黒人の犠牲《ぎせい》に依拠《いきょ》していることも学べただろう。また、週末、お気に入りの黒人選手がタッチダウンしたり、ダンクシュートを決めたりする姿を興奮しながらテレビで観戦している人々の多くが、抑圧されてきた黒人の歴史を未《いま》だにほぼ知らないか、気にかけたこともないという事実に驚かされる場合もあるかもしれない。

アメリカには私のような黒人が必要だったのだ――それは思いもかけない考えだった。後年、歴史について深く学んでから初めて気づいた。黒人がいなければ、エルヴィス・プレスリーもビートルズも、ビーチ・ボーイズも存在しなかった。彼らは黒人の音楽を盗用《とうよう》してまねただけなのだ。同様に、信号機もポテトチップスも、ガスマスクも郵便箱も、血液銀行も電球の炭素フィラメントも、心臓ペースメーカーも耐火《たいか》金庫も、電信も家庭用ビデオゲーム機も、レントゲン装置も可動式冷蔵庫も、エレベーターも掃除用モップも、年鑑も自動車電話も、アイスクリームも芝刈《しばか》り機も、消火器もアイロン台も、エアコンでさえ、アフリカ系アメリカ人がいなければ実在しなかった。このリストはいくらでも続けられる。隠されていた事実を知った時、私の意識は変わった。歴史を嫌ってはならない。なぜなら、そこには自分も含まれているからだ。黒人は歴史に参加しているのである。

イギリスの政治家ウィンストン・チャーチルは言った。「歴史は勝者によって書かれるものだ」と。彼のような権力をもった勝者たちが、きわめて長い間、黒人の歴史を抹殺《まっさつ》してきたのだ。本シリーズでは、そうした権力者たちの隠《かく》されてきた真実が語られる。さらに、抑圧的な国家政策と世の風潮に翻弄《ほんろう》されてきた普通の国民の暮らしに、多くのページが割《さ》かれているのだ。本シリーズは、脅威に満ちた不安定な現代において、歴史はどう描かれるべきかのモデルである。

D・ワトキンスは「アット・ラージ・フォー・サロン」の責任編集者であり、ボルチモア大学教授、「BMORE Writers」プロジェクトの創設者である。著作にニューヨーク・タイムズ・ベストセラーの『ザ・ビースト・サイド』、『ザ・クック・アップ』ほかがある。

はじめに

一九四五年、世界は劇的に変貌《へんぼう》した。人類史上もっとも血なまぐさい第二次世界大戦が終結すると、人々はまったく新しい現実世界に直面することになった。この大戦では、少なくとも六〇〇〇万人が死亡し、ヨーロッパとアジアの多くが廃墟《はいきょ》と化して、諸国間の勢力均衡《きんこう》は大幅に変更された。ソビエト連邦だけでも二七〇〇万人が命を落とし、中国でも一〇〇〇万人をゆうに上回る人々が死んだのだ。ヨーロッパとアジアの人々ががれきの下から這《は》い上がり、言語を絶する物理的、社会的な損害、そして深い心の痛手から立ち直ろうともがきはじめた頃、アメリカ合衆国はアメリカ軍兵士四一万五〇〇〇人の埋葬《まいそう》をおわらせた。そして、世界の超大国としての新しい役割に思いをめぐらせた。超大国という地位に伴《ともな》う重大な責任を、アメリカはどう果たしていくべきか。また、史上初めて核兵器を使用した国であるという重荷と、どう向き合っていけばいいのだろう。

戦後世界においてアメリカが担うべき役割について、当時のアメリカ人の意見は、根本的に異なる二つのビジョンに分かれていた。アメリカが覇権《ヘゲモニー》を握るべきだ、つまり、世界をリードし支配するのはアメリカである、と唱える人々がいた。タイム誌やライフ誌などアメリカを代表する雑誌の発行人である出版王ヘンリー・ルースは、覇権《はけん》主義を標榜《ひょうぼう》するアメリカ人の筆頭だった。二〇世紀は「アメリカの世紀」であると、彼は高唱した。一九四一年、ルースは書いている。「我々は、世界でもっとも強大で重要な国であるがゆえに課せられた責務とその立場を、真摯《しんし》に受け止めねばならない。すなわち、我々が是《ぜ》とする目的達成のため、我々が是とする手段をもって、我々のもつ圧倒的な影響力を全世界へ行使していくべきである」

第三二代大統領フランクリン・ローズヴェルト政権の副大統領であり、第三三代大統領ハリー・トルーマン政権の商務長官を務めるヘンリー・ウォレスは、ルースとは反対の考えをもっていた。一九四二年、ウォレスはルースの国家主義的なビジョンに対し、声を荒らげて異議を唱えた。「他国から搾取《さくしゅ》する権利を賦与《ふよ》された国など存在しない。軍事的にも経済的にも、帝国主義は許されてはならないのだ」

多数のアメリカ人がウォレスに賛同した。ウォレスの掲《かか》げる「市井《しせい》の人々の世紀」という理想主義的ビジョンに共鳴したのだ。一国による世界支配が望ましいとは、彼らは思わなかった。国籍に関係なく、すべての人間は自由・平等であり、独立していながらも平和的に共存することは可能だと信じていた。また核兵器については、それを管理する国際団体が設立されてただちに廃棄されるはずだから、二度と使用されないだろうと考えていた。

一九四五年九月二日、東京湾に浮かぶアメリカ艦船ミズーリ号の甲板《かんぱん》で、日本は連合軍に対して正式に降伏した。アメリカ人は日本の降伏に歓声を上げた。新聞各紙も喜びに沸《わ》き、ノースカロライナ州のシャーロット・オブザーバー紙は「平和だ！　おわった！」と叫び、海兵隊の新聞サイパン・ビーコン紙は「日本軍《ジャップ》降伏。戦争終結！」と報じた。アメリカの各都市の大通りには、色とりどりの紙テープを手にした人々が繰《く》り出し、祝福の鐘が鳴り、人々は音楽に合わせて街頭で踊った。

ニューヨークのタイムズスクエアの真ん中では、感きわまった一人の水兵が、白衣の若い看護婦に抱きついて熱烈《ねつれつ》な「勝利のキス」をした。「軍人さんの気持ちはよくわかりましたよ」キスされた看護婦イーディス・シェインは、六〇年後に語っている。「あの人たちは喜びのあまり興奮していました。だからあの水兵さんは、知りもしない私を引き寄せてキスしたのです。抵抗なんかしませんでしたよ、祖国のために戦ってくれたのですもの」

しかし、人々は大騒ぎをすることで、国中に垂れこめている陰鬱《いんうつ》なムードを吹き飛ばそうとしていたのだ。広島と長崎が灰燼《かいじん》に帰した事実は人々の心に焼きつけられていた。今や人類は原子爆弾の開発に成功し、それを実戦使用したのだから、次に戦争が起きたらどうなるのだろうと多くの者が不安に感じていた。他国も核兵器を製造するようになれば、いずれアメリカも攻撃されるのではないかと恐れていたのだ。ＣＢＳのニュース記者エドワード・Ｒ・マローは述べている。「勝者に対し、何もかも不確かだという不安感を与え、将来は不透明で、自分たちの生存も定かではないと思わせて終結するような戦争が、史上かつて存在しただろうか」

それほど不確かな世界で、これほど重要な時期に賛同をえられるのは、世界はアメリカが支配すべきだというヘンリー・ルースの考え方だろうか。それとも、国際協調と平和共存を訴えるヘンリー・ウォレスのビジョンなのだろうか。

冷戦時代と核開発競争

一九四五年四月一二日、大統領フランクリン・ローズヴェルトが死去した。その瞬間から、第二次世界大戦勃発《ぼっぱつ》以前よりアメリカとソ連の間でわだかまっていた不信感と緊張が再び頭をもたげてきたのだ。戦時中、ローズヴェルトは両国の友好関係の維持に努めていた。しかし、後継大統領トルーマンの判断で広島と長崎に原爆が投下された時、ソ連の最高指導者ヨシフ・スターリンは確信した、アメリカはこの先なんでも自分の思いどおりにやるにちがいないと。ならばソ連も、急ピッチで原爆を開発するまでのことだ。こうして、二国間で、より大型でより破壊力に勝る核兵器を開発する競争がはじまり、それは「核開発競争」と呼ばれるようになった。

アメリカとソ連はそれぞれ、自国の味方に引き入れるために他の国々を説得し、なだめすかし、あるいは脅《おど》した。両国は互いに偵察し合い、自分の陣営の国が敵の陣営の国と争う場合には、自分の陣営の国を強力に支持し財政援助した。そして、核戦争をするぞ、と繰《く》り返し威嚇《いかく》し合った。つねに核戦争の危機をはらみつつ、両国が激しく対立していた一九四五年から九一年までの時期は、「冷戦時代」と呼ばれている。

本書はこの冷戦時代について詳述《しょうじゅつ》したものだ。だが、本書で語られる話は、アメリカの学校で使用されている平均的な歴史教科書の記述とは大きく異なっているだろう。大半の教科書には、冷戦とは、資本主義国アメリカと共産主義国ソ連との対立だ、と書かれている。間違ってはいないが、それでは歴史の一面しか知ることができない。一九四五年から六二年の間に両国でなされた判断やとられた行動こそが、私たちが住む地球の運命を永久に変えてしまったからだ。冷戦は、ワシントンDCやモスクワなどの大都市から地球の果てにいたる土地まで、住んでいる場所にかかわらず、すべての人間にとてつもない影響を与えることになった。世界中のさまざまな国、都市や村落、いろいろな共同体や極小な島々のすべてが、この時期に永遠に運命を変えられたのである。

たいていの教科書は、二国間の政治的な対立だけを説明し、冷戦が普通の男女、子どもたちに与えた影響についてはほとんど触《ふ》れていない。本書では、普通の人々に何が起きていたかを語ってみたい。とりわけ冷戦時代にアメリカの下した判断が、世界中の人々の生活にどんな影響を与えたかに焦点をあてるつもりだ。首都ワシントンDCでなされた決断は、たとえば子どもの遊び、家族の暮らし、他国の人々との関《かか》わり合いをどう変えたのだろう。

確かに冷戦時代には、ソ連もまた東ヨーロッパ諸国に対し、冷酷な影響力をふるっていた。これについては多くが論じられているので、ぜひ関連の書籍を読んでもらいたい。本書からは、歴史を本質的に理解するためには、できるだけ多くの違った視点からの検討が必要だということを学びとってほしい。

冷戦時代、アメリカは、核実験を繰《く》り返して太平洋に浮かぶ島々を放射能汚染《おせん》し、あるいはその国の国民をしいたげるような独裁政権を支持していた。共産主義国であると決めつけた国に戦争を仕掛け、他国の貧しい人々を搾取《さくしゅ》して、アメリカ人実業家に巨万の富を築かせた。また、キューバの指導者フィデル・カストロのように、アメリカの利権にとって不都合な者に対しては暗殺を計画し、実際に試みた。こうした政府の行動は正しかったのだろうか。

一九六二年にはキューバ危機が勃発《ぼっぱつ》し、アメリカとソ連だけでなく、世界中が核戦争に巻きこまれる一歩手前まで事態は切迫した。そして、歴史家アーサー・シュレジンガー・ジュニアが「人類史上もっとも危険な瞬間」と呼んだ事件が起きたのだ。もしも一九四五年から六二年にかけて、両国の歴代指導者たちが、互いに相手を理解し、事情をくみとろうと留意しながら政策決定していたら、「もっとも危険な瞬間」は回避できたのではないだろうか。

数世代前の、選挙で公正に選ばれた政治家たちが下した決断と、アメリカの名の下になされた政府の行動について、本書は多くの困難な疑問を提示する。一方で、他国を害する政策に異議を唱え、世界をよりよい場所にしようと奮闘した人々も同時代に存在していたのだ。こうした事実をはっきり認識した時、若い世代は、過去の過《あやま》ちを正し、すべての人々にとって、もっと平和でもっと公平な未来を創造していくことができるだろう。

注記：本書は、一九四五年から六二年までの年代順の構成になっている。だが、さまざまな出来事を詳《くわ》しく説明するために、一九四五年以前にさかのぼった部分もある。長いタイムスパンで見ると、人間や人間の考え方がいかに変化していくかを知ることができるからだ。

第1部

広島と長崎、ビキニ環礁《かんしょう》

1

『ヒロシマ』、そして禎子《さだこ》の物語

一九四五年八月、アメリカ軍が広島と長崎に原子爆弾を投下したことを知らされると、多くのアメリカ人が身を震わせた。しかし、原爆とその破壊力を安易に考えている者も多かった。壊滅された広島を撮影した写真とフィルムはしばらく政府の管理下にあったため、原爆の威力がいかに圧倒的だったか、ほとんどのアメリカ人には思い描くことができなかった。しかも、アメリカ本土はどこも空爆された経験がなかったせいで、広島がこうむった惨害《さんがい》のすさまじさを想像すること自体きわめて難しかったのだ。アメリカの新聞は、その爆弾はＴＮＴ火薬二万トンより強力な、かつてない爆発力をもつものだったと報じるばかりだった。

灰燼《かいじん》に帰した広島と長崎の写真が一枚もなかったため、人々はあれこれとかってに想像をふくらませた。ワシントンＤＣのバーテンダーは「アトミック・カクテル」と称する飲み物を考案した。それは飲むと「ドカーン」とくる、アルコール度数の高いどぎつい緑色の酒だった。

また、一九四七年から五〇年初めにかけて、食品会社ゼネラルミルズは、朝食用シリアルの箱の上ぶたと一五セントで引き換えられる、おもちゃの指輪「原爆リング」を売り出して大人気を博した。キノコ雲のイラストがあしらわれたカラフルな広告には、「正真正銘《しょうめい》の核分裂《かくぶんれつ》でなんでもかんでも木っ端微塵《こっぱみじん》！」の文字が躍《おど》り、赤い石を爆弾に見立てた指輪が描かれている。銀色の弾頭をはずすと、指輪の中には放射性元素ポロニウムが隠されており、それから微弱《びじゃく》な放射線が放出されて、ちらちらと光って見えた。ゼネラルミルズ社へは、七五万人の子どもからの引き換え注文が殺到した。

原爆ピストル、原爆ロボット、原爆実験セット、ウランをテーマにしたボードゲーム、プラモデルの原子炉といったものが、アメリカ中のおもちゃ屋にずらりと並んだ。ニューヨークのロイヤルトット社が売り出した「ジャイアント原子爆弾」は、弾頭に紙火薬を詰《つ》めて投げつけると、「パン！」と爆発音がするロケットだった。外箱には「安全、無害」の説明書きがあった。

子どもたちはさらに、核時代について語るラジオ番組、夕食の席での大人たちの会話にも触発《しょくはつ》されて、「原爆泥棒ごっこ」を考え出した。また「原爆宇宙船」のパイロットになったり、「放射能の雪玉だぞ」と言って雪玉を友達とぶつけ合ったりした。写真誌ライフは、ニューヨークのワシントンスクエアの遊び場で、即興《そっきょう》の原爆ごっこをする子どもたちの様子を報じている。

司令官役の七、八歳ほどの子がシーソーに登り、部下の将官役の子どもたちをまわりに集合させ、情勢に変化があったと告げる。「いいか、ぼくが原爆になる。一回だけ爆発するからな。ほら、いくぞ！」その子は頬《ほほ》をふくらませて両手を高く挙げ、「ドカーン！」と叫びながら、シーソーから飛び降りる。それから将官たちを従えて去っていくのだ。後には廃墟《はいきょ》と化したマンハッタンが残されるというわけだ。

遊びといえども、親たちは気をもんだ。ニューヨーク州ペルハムマナーに住む母親もその一人で、ラジオ解説者のH・V・カルテンボーンにこんな手紙を送った。

広島の話を聞いて以来、ずっと気がふさいでいます。二人の息子《むすこ》の将来が絶望的に思われるからです。一日中ぐずぐず泣いているか、すぐに涙があふれてくるような状態です。考えるだけで鳥肌《とりはだ》が立つような恐ろしい核兵器とともに成長していかなくてはならないなんて、なんとむごいことでしょう。あの子たちは一生、いつ爆発するかわからない無数のダイナマイトが詰《つ》めこまれた樽《たる》の上で生きていくのです。しかも間違いなくそれは、息子《むすこ》たちが大きくなる前に爆発するでしょう。

原爆で爆撃されるとはどんなことなのか、アメリカ人には想像もできなかったが、広島と長崎では、被爆《ひばく》した人々が文字どおりの悪夢を経験していた。まもなくアメリカ人は、その惨状《さんじょう》について知るようになる。

ジョン・ハーシーが見た広島

一九四六年八月三一日土曜日の朝、最新のニューヨーカー誌が定期購読者のポストへ届けられた。それは、二〇世紀でもっとも重要なルポルタージュと称賛されることになる取材記事の特集号だった。日々の喜びを表すカラフルなイラストの表紙には、緑美しい公園を散歩する人、バドミントンに興じる人、湖で水しぶきをあげて泳ぐ人、岸辺で踊る人たちが描かれている。しかし、その表紙の奥には『ヒロシマ』（“Hiroshima”）と簡潔に名づけられた、痛ましい真実の報告が掲載されて

歴史上初めて原爆被害を現地取材し、『ヒロシマ』を執筆したジョン・ハーシー。

いたのだ。

この記事を書いた若きジャーナリスト、ジョン・ハーシーは、キリスト教青年会で奉仕する宣教師の両親のもと、中国の天津《テンシン》で生まれ、英語より先に中国語を覚えたという。一九二四年、家族とともにニューヨーク州ブライアクリフマナーへ移った。イェール大学卒業後イギリスに渡り、ケンブリッジ大学のクレアカレッジで学び、ジャーナリストになることを決心する。

アメリカ人初のノーベル文学賞受賞者シンクレア・ルイスなど卓越《たくえつ》した作家たちに八年間師事して、ハーシーは優れた書き手になった。第二次世界大戦には、タイム誌やライフ誌の海外特派員として従軍し、精力的に戦況《せんきょう》を報じた。一九四五年、小説『アダノの鐘』（東西出版社刊）でピューリッツァー賞を受賞する。ハーシーは人の心に残る物語を書いて、誰《だれ》からも認められるジャーナリストになるという夢を叶《かな》えたのだ。そして戦後、ニューヨーカー誌の依頼で、広島の現状をレポートすることになった。

一九四六年八月にハーシーの『ヒロシマ』が発表されるまで、大半のアメリカ人は、ちょうど一年前に日本人が直面した恐怖を実感できずにいた。ハーシーは、広島で実際に起きたことをリアルに淡々《たんたん》と報じることが、ジャーナリストとしての使命だと思った。シンクレア・ルイスが徹底的に情報収集して、小説の登場人物の詳細《しょうさい》を設定していたことをヒントに、爆撃された人々が体験したことを細かく描写すれば、真実を力強く伝えられるのではないかと考えたのだ。では、あの日の広島は、広島の人々にどう映っていたのだろう。

一九四五年八月六日

一九四六年五月、ハーシーはその破壊された街へ赴《おもむ》いて三週間過ごし、人々の話に耳を傾け、観察し、学んだ。爆風で一瞬にして、コンクリートに焼きつけられた人間の影を見た。複数の病院を訪ね、医師や看護師から、むごたらしい負傷の数々について話を聞いた。白血病を始めとする、放射能が原因の病で死にかけている子どもたちとも言葉をかわした。広島滞在中、ハーシーは、自分は「つねに恐れおののいていた。八カ月後にやってきた自分がこんなに恐怖しているのだとしたら、原爆投下当時ここにいた人たちはどんな気持ちだっただろう」と書き残している。市内を流れる太《お》田《た》川をながめながら、たった一発の原子爆弾が、想像を絶する数の人間を殺傷し、街を丸ごと壊滅させる威力をもっていたことの意味を深く考えざるをえなかった。
四〇人近くの生存者にインタビューした後、ハーシーはその中の六人と連絡をとった。東洋製缶《せいかん》工場の人事課に勤めていた佐々木とし子、医師の藤井正和《まさかず》、同じく医師の佐々木耀文《てるぶみ》、イエズス会のドイツ人神父ヴィルヘルム・クラインゾルゲ、仕立て職の中村初代、広島メソジスト教会牧師の谷本清だった。一九四五年八月六日午前八時一五分を、彼らはどのように体験したのだろう。ハーシーはその模様を、主観を排《はい》しありのままに、しかも詳細《しょうさい》に描き出した。

その朝、中村初代は、自宅の台所の窓から、隣家の主人が防災のために自分の家の壁をはがすのをながめていた。すると突然、

あたり一面が一瞬、見たこともない、とほうもない白さで光った。隣家の主人のことは忘れ、彼女は母性本能から反射的に子どもたちに顔を向けた。しかし一足踏み出したとたん……大きな力につまみ上げられた。気づくと、一段高くなった寝間を越えて、奥の部屋まで吹き飛ばされていた。壊れた家の破片が後ろから飛んでくる。飛ばされた体の上に木片が降ってきて、さらに瓦《かわら》の雨に全身を強くたたかれた。と、真っ暗になった。埋まったのだ。しかし、体の上に

積もったがれきはさほど厚くない。彼女は立ち上がってそれを払いのけた。「お母さん、助けて！」子どもの叫び声が聞こえてきた。末っ子で五歳の三重子《みえこ》だ。胸までがれきに埋まって、動けなくなっていた。

藤井医師は、自身が経営する川べりに建つ小さな医院の縁側《えんがわ》に座り、朝刊を読んでいた。その時、原爆の閃光《せんこう》を見た。

大あわてで立ち上がろうとした瞬間……背後からメリメリとものすごい音をさせながら、医院の建物全体が倒れかかってきた。医師はあちらこちらへ激しくころがされ、たたきつけられ、ぐっと締《し》めつけられた。すべてが加速していき、気を失いかけた。気づくと、建物の梁《はり》に体をはさまれて、崩れた建物とともに川に落ちていた。

神父クラインゾルゲは、宣教師館で他の神父たちと朝食をとってから自室に引き上げ、シャツ一枚の姿で本を読みはじめた。その時、閃光を見た。驚愕《きょうがく》し、混乱しながらも、頭上に爆弾が落とされたのだという思いが脳裏《のうり》を走った。それから数秒間、放心していた。どうやって建物の外へ出たのか、まったく記憶がない。気づくと、宣教師館の野菜畑をうつろに歩いていた。左の脇腹《わきばら》にいくつか小さな傷ができていて、血がにじんでいる。周囲の建物はすべて倒れていたが、宣教師館だけは建っていた。ずいぶん以前に、地震を怖《こわ》がっていたグロッパーという神父が、太い棒を斜交《はすか》いにして補強しておいたおかげらしい。朝なのに暗かった。家政婦の村田さんがすぐそばで、「主イエズス、哀れみたまえ！」と泣き叫ぶように繰《く》り返していた。

中村初代の一〇歳の息子《むすこ》、敏男《としお》が、投下から約一年後に書いた作文の紹介で、ハーシーは取材記事を締《し》めくくった。

爆弾の前の日に、ぼくは泳ぎに行きました。その日の朝、ぼくはナンキン豆を食べていました。その時、光を見ました。ぼくは妹が寝ている場所まで吹き飛ばされました。助け出された時には、路面電車の向こうの建物は、全部なくなっていました。ぼくは、お母さんといっしょに荷物を包みはじめました。近所の人たちはやけどしたり、血を流したりしながら、歩きまわっていました。はたやさんが、私といっしょに逃げましょうと言ってくれました。お母さんを待っています、とぼくは答えました。みんなで公園に行きました。ものすごいつむじ風が起きました。その夜、ガスタンクが燃えて、ぼくは川にうつっている火を見ました。ぼくたちはその公園に泊《と》まりました。次の日、たいこ橋に行って、友達の女の子、菊池《きくち》さんと村上さんに会いました。二人ともお母さんを探していました。でも、菊池さんのお母さんはひどいけがをしていて、村上さんのお母さんは、かわいそうに死んでいました。

ハーシーのルポの話は一気に広がり、特集号は飛ぶように売れた。物理学者アルバート・アインシュタインは一〇〇〇部買いこみ、知人や同僚に配った。ABC放送は、これをポール・ロブソンなど四人の著名な俳優が朗読する特別番組に編成して、放送した。アメリカの人々は四晩続けてリビングルームに集まり、原爆投下直後の悲惨《ひさん》ですさまじい苦悩の物語にじっと耳を傾けたのだ。

「爆撃された街にいた人たち一人一人について考えたのは、初めてでした」ニューヨーカー誌編集部には、大学生からのこんな手紙が届いた。

禎子《さだこ》と千羽鶴

広島と長崎では、アメリカが投下した原爆のせいで、二〇万以上の人々が命を落とした。さらに多くの人々が、放射能を原因とする病気で、その後も苦しめられている。佐々木禎子もそんな一人だった。

エノラ・ゲイ号が広島を爆撃した時、禎子は二歳だった。惨害《さんがい》から立ち上がろうとする広島で彼女は成長した。一九五五年、禎子は元気で、利発な一二歳の少女になっていた。運動が得意で、陸上部に所属していた。学校で一番足が速く、誰《だれ》にも負けたことがなかった。徒競走では、無心でひたすら走った。

その年二月のひどく寒い日、禎子は学校裏の原っぱで、全力疾走《しっそう》の練習をしていた。突然、それまで感じたことのない奇怪《きかい》な感覚に襲われて、草むらに倒れ、そのまま動けなくなった。駆け寄ってきた先生に助け起こされて立とうとしたが、体重を支える力さえなくしていた。

禎子は広島赤十字病院へ連れられていった。家族全員が診察室の外で彼女を待った。診察がおわると、ご両親と話したいと医師は言った。診察室から出た禎子は母親の悲痛な叫び声を聞いた。

「白血病！　まさか！」禎子は両手で耳をふさぎ、こんなに元気なのに病気のはずがない、と自分に言い聞かせた。

それから数カ月が経過し、禎子《さだこ》は日ごとに衰弱していった。原爆から放出された放射能のせいで、白血病になったのだ。病気は禎子のエネルギーをことごとく奪い、激しい頭痛をもたらした。骨がナイフになって、体の内側から突きささってくるような痛みだった。ついに病院のベッドに寝たきりになった。

ある日、友達の千鶴子《ちずこ》が病院に見舞いに訪れた。千鶴子は、できる限り禎子を元気づけたいと思っていた。そこでかばんから紙をとり出し、何度も折りたたんだ。すると、たった一枚の四角い紙から、美しい鶴が生まれたのだ。「鶴を折るとどうして病気が治るの?」と禎子は聞いた。「昔からの言い伝えがあるでしょう」千鶴子は答えた。「鶴は千年も生きるんですって。だから、病気になった人が鶴を千羽折ったら、神様が願いを聞き届けて、その人をもう一度元気にしてくれるの」

二人の少女は並んでベッドに座り、次々と鶴を折った。もしかしたら本当に神様が耳を傾けて、もう一度元気にしてくれるかもしれないと禎子は思った。初めのうち鶴は不格好だったが、何度も作っているうちにきれいに折れるようになった。千鶴子が小さなテーブルに鶴を並べた。紙から生まれたたくさんの鶴を見て、禎子の兄が、「鶴に糸を通して天井《てんじょう》から吊《つ》り下げてあげよう」と約束してくれた。

原爆の子の像

一九五五年七月までに、禎子《さだこ》は六〇〇を超《こ》える鶴を折りあげていた。だが、病状は悪化していくばかりだった。うつらうつらと眠っては目を覚ます日々が続くと、彼女は両親に頼んだ。「私が死んだら、お棺《かん》には大好きな大福もちを入れてね」母親は答えられず、娘の手をそっと握った。父親がさとした。「そんなことはずっと先の話だ。今あきらめちゃいけない、禎子。もっと、何百も鶴を折るんだからね」

一〇月半ば、禎子には昼夜の区別もつかなくなった。自分から話す力はなくなり、聞くことしかできなくなった。母親の泣き声が耳に届き、優しい言葉をかけたいと思っても、どうしても口を開く気力は出てこない。それでも、禎子は鶴を折ろうとした。しかし、指は動かなかった。医師が入ってきて、言った。「もう休む時間だよ。鶴は明日にしよう」頭上に吊《つ》り下げてもらった、色とりどりの何百もの鶴を見ると元気づけられた。禎子はうなずくと眠りに落ちた。

一九五五年一〇月二五日、禎子はこの世を去った。後には、六四四羽の鶴が残された。彼女の友達が残りの三五六羽を折って千羽鶴にした。禎子はその千羽鶴と一緒に葬《ほうむ》られた。また、友達は禎子の日記をまとめて、『こけし』という文集を作った。それは日本中で読まれ、禎子のことを知った全国の子どもたちが、彼女を偲《しの》ぶための銅像を建てようと募金活動をした。

一九五八年、禎子《さだこ》が亡くなってから三年後、広島平和記念公園に、禎子の思いを祈念《きねん》した「原爆の子の像」が建立された。ブロンズ像の少女は、三脚《きゃく》のドーム型の台座の上に力強く誇らしげに立っている。両手に掲《かか》げているのは大きな金色の折り鶴だ。まるでその鶴を世界中に届けようとしているように見える。

今、戦争という病気にかかっている国々は、禎子の物語から大切なことを学べるはずだ。人類史上、もっとも多くの血が流された二〇世紀、人々は、もっと大型でもっと破壊力のある核兵器を製造しようと競争していた。核兵器がどれほど残酷《ざんこく》に人間を苦しめるかに気づくまでに、いったい何人の禎子のような犠牲者《ぎせいしゃ》が必要となるのだろう。（訳注：禎子の物語はエレノア・コア作『Sadako and the Thousand Paper Cranes（サダコと千羽鶴）』による。）

2

原爆乙女《おとめ》

想像を絶する痛みと苦しみを体験しながらも、広島と長崎の人々は暮らしを立て直し、灰燼《かいじん》の中から街を復興させようとしていた。

一九五三年八月の蒸し暑い夏の日、アメリカ人ジャーナリストで反戦活動家のノーマン・カズンズを乗せた列車が、広島駅に到着した。カズンズを出迎えたのは、ジョン・ハーシーの『ヒロシマ』に登場していた谷本清牧師だった。谷本とカズンズは一九四九年から、広島の人々が壮絶《そうぜつ》な状況下でいかに奮闘しているかについて、手紙でやり取りしていたのだ。

谷本はカズンズの旅行バッグを受け取り、彼をホテルへ案内した。道々、谷本は八年前のあの宿命の日以来、自分の教会で世話している六〇人の若い女性について話した。後に「原爆乙女《おとめ》」と呼ばれるようになる娘たちのことだ。

一九四五年、当時幼い子どもだった乙女《おとめ》たちは、原爆の熱線と放射能のせいで、重度のやけどを負った。むごたらしいケロイドによって容貌《ようぼう》は損《そこ》なわれ、手足は焼けただれ、変形してしまった者もいた。一〇代になる頃には、さほど深刻なけがをしなかった同世代の少年少女から、乙女たちは時としてうとまれるようになった。広島だけでなく日本中で、戦争で大きな身体的故障を負った人々は遠ざけられたり、不快に思われたりしていたのだ。同じ年頃の子たちはデートをしたり、友達と遊びに行ったりしていたが、ケロイドをかかえた乙女たちはどんどん孤独になっていった。驚かれたり笑われたりするのが怖《こわ》くて、日中の外出をあきらめる者もいた。臨時雇《りんじやと》いの仕事をもつ乙女でさえ、仕事に行く時以外はほとんど家にこもっていた。

やがて、顔や体にケロイドを負った乙女たちは友達になった。互いに笑い、夢を語り、秘密を打ち明け合った。そして、戦争のない世界、人間がこれほど残酷《ざんこく》に苦しめられることのない世界に生まれ変わることを夢見た。もしも、ケロイドもなく、手足も変形していない元の体にもどれたらどんなに幸せだろうと、切なく思いこがれていたのだ。

こうした乙女たちのために、谷本牧師は、世間の冷たい目やひどい仕打ちから逃れられる場所を、自分が主宰《しゅさい》する流川《ながれかわ》教会に用意した。建物自体は、レンガをセメントで固めただけの小さなものだ。原爆の爆風でひどい損傷を受けたが、谷本は教会信者とともに、何年もかけて修復してきた。広島ではいたる所で建築工事が行われており、谷本も最終的には教会を以前よりずっと丈夫《じょうぶ》で安全なものにしたいと思っていた。広島はがれきの中から、力強くよみがえろうとしていたのだ。

渡米の夢

谷本の案内で、ノーマン・カズンズは流川《ながれかわ》教会を訪ねた。二人は簡素な木製のドアを開けて階段を降り、地下にある広い集会室へ入っていった。乙女《おとめ》たちは木製の長椅子《いす》に座って、アメリカ人ジャーナリストの訪問を、複雑な思いで待ち受けていた。それまでアメリカ人に会ったことがある者はほとんどいなかった。どんな人がくるのだろう。どうして会いにきたのだろう。広島に原爆を落とした軍人と同じように、アメリカ人はみんな血も涙もない冷酷《れいこく》な人なのではないだろうか。そんな考えが胸にうずまいていた。

カズンズが、自分たちの話を聞くためにきたことがわかると、乙女たちは少しずつ打ち解けていった。通訳を介して、自分が体験したこと、そして将来の夢をカズンズに話した。アメリカでどれほど形成外科技術が進んでいるかは、新聞や雑誌で読んで知っていた。第二次世界大戦中、アメリカには軍人用の形成外科クリニックが九軒も開業し、顔にやけどを負った兵士の治療にあたっていたのだ。当時の日本には、そのような専門病院はなかった。乙女《おとめ》たちとカズンズはこの時、とほうもなく大きな夢を分かち合うことになる。いつかアメリカへ渡って顔や手の形成手術を受ける、という夢だ。普通の人生を歩んでいくためには、手術を受けるしか方途《ほうと》はなかった。

乙女たちが渡米する夢を熱っぽく語るのを聞きながら、カズンズもぜひその夢を叶《かな》えたいと思うと同時に、容易なことではないとも感じていた。乙女たちを渡米させる方法が自分に見つけられるだろうか。多くの人を巻きこむことになるし、形成手術は費用がかさむ。手術費はどう工面すればよいだろう。さまざまな思いで頭がいっぱいになり、あなたたちの望みが叶えられるかどうかわからない、とカズンズは答えた。しかし、帰国したら各方面にあたってみて、結果は谷本牧師に手紙で知らせようと約束した。

乙女たちの話に強く心を動かされたカズンズは、帰国するや、夢の実現を支援してくれそうな関係者に働きかけた。よい知恵はないかと知人全員に聞いて回った。なんといっても必要なのは資金だ。アメリカへの渡航費《とこうひ》と滞在費《たいざいひ》、さらに手術費と入院費が必要なのだ。カズンズは資金集めのため、さまざまな財団へ足を運んだ。しかし、ことごとく拒絶された。彼女たちの一人でも手術が原因で死亡した場合、責任をとらされるのはごめんだとアメリカ人は考えた。他にも苦しんでいる者は大勢いるのに、なぜ広島の少数の娘たちだけを支援しなければならないのか。それに、日本人を助けて恩恵《おんけい》を施《ほどこ》してやったと思われるのは迷惑だ、とも彼らは感じていた。日本人は未《いま》だに、多くのアメリカ人から憎むべき敵だとみなされていたのだ。

六カ月が経過した。カズンズは憔悴《しょうすい》し落胆《らくたん》していた。乙女《おとめ》たちに伝えられるニュースはまだない。しかし、彼は乙女たちをアメリカへ連れてくることが自分の使命だと考えていた。簡単にあきらめるわけにはいかない。万策尽《ばんさくつ》きて、自分の主治医ウィリアム・M・ヒッチグ博士に考えを打ち明けた。偶然にもヒッチグは、ニューヨークにあるマウントサイナイ病院の理事だった。そこでヒッチグは、同病院の形成外科の権威アーサー・バースキー医師に、広島の娘たちの話をした。すると、バースキーと彼のスタッフは、その手術の実施《じっし》を快諾《かいだく》した。しかも、手術費と入院費はすべて病院側で負担しようとまで言ってくれたのだ。一人で四、五回は手術を受けるとしたら、四カ月から半年ほどの入院が必要になる。高額な手術費と入院費を負担してもらえるのは、なんともありがたい。

とすれば、乙女たちは最低一年間はアメリカに滞在しなければならない。入院していない時の乙女たちの滞在先を見つけるために、カズンズは、アメリカ・フレンズ奉仕団に問い合わせた。この組織は、社会正義と人権、平和実現のために世界規模で奉仕活動をしているクエーカー教徒の団体である。フレンズ奉仕団は、乙女たちがアメリカ人家庭にホームステイできるように取り計らってくれた。乙女たちはその家で家族の一員として家事を受け持つ。そうすれば、自立して生きていくための生活術を身に着けて広島へ帰ることができるだろう。

カズンズが渡米の手配をし、医師団がスケジュールをあけ、ホストファミリーが受け入れ準備を整えるのを、乙女《おとめ》たちは期待に胸をふくらませて待った。一九五五年四月、ついにカズンズは二人の医師ヒッチグとバースキーを伴《ともな》って、日本人医師団と面会するために東京へ飛んだ。その日本人医師たちも渡米して、形成外科の先進技術を現地で直接学んでくるのだ。

東京に降り立ったとたん、二人の医師は、日本のマスコミから、思ってもいなかった取材攻勢を受けた。なぜアメリカ人の医者が顔にケロイドがある広島の娘たちに関心を寄せるのか。費用は誰《だれ》がもつのか。アメリカ政府は、その娘たちを政治的宣伝《プロパガンダ》に利用する気ではないのか。アメリカ全土をパレードさせて、動物園の動物よろしく見世物にするつもりなのではないか。記者団は詰《つ》め寄った。

カズンズが、たまたま乙女たちと知り合って、心から助けたいと思っているのだと説明した。ついで二人の医師が、自分たちは善意から支援しているだけで、アメリカ政府からはなんらの便宜《べんぎ》も受けていないと話した。記者団は理解したらしく、乙女たちの渡米を応援する記事を書くようになった。

その後、カズンズと日米の医師たちは広島へ向かった。彼らは乙女たちに会うとすぐに、渡米を希望する四三人のうち、二五人しか連れていけない旨《むね》を打ち明けた。残念だが、全員は連れていけないのだ。この点を、カズンズたちはたいへん申し訳なく感じていた。しかし、乙女《おとめ》たちには毅然《きぜん》とした態度で知らせようと決めていた。彼女たちを信じ、敬意を払い、率直に話さなければならない。内心、乙女たちが怒り出すのではないか、あるいは自分を選んでもらおうと競争が起きるのではないかと医師たちは心配していた。はたして、乙女たちは前向きで分別があり、精神的にたくましく、希望に満ちていた。自分が行けるかどうかにかかわらず、この奇跡に感謝していたのだ。

日米の医師たちが地元の病院で、四三人の乙女たちを診察した。そして、慎重《しんちょう》な話し合いの結果、形成手術によって大きな改善が期待できる二五人を絞《しぼ》りこんだ。

医師たちが最終決断を下す日の前夜、乙女たちは流川《ながれかわ》教会で特別の礼拝を行った。大きな希望と期待、そして不安を胸に、一人ずつ祭壇《さいだん》へ進んで、熱心に祈りを捧《ささ》げた。カズンズや医師たちが人選にあたって良心の痛みを感じないように、と彼女たちは祈った。そして、選ばれなかった仲間が、手術を受けられないことで苦しまないようにとも祈ったのだ。

翌日、医師たちは一人一人に書いた手紙を、四三人の乙女に手渡した。何人かはその手紙で、自分が人生最大の旅に出かけられることを知った。だが、選ばれなかったことを知らされる者もいた。医師は渡米が決まった乙女に対し、特別に優しい心づかいで、後に残る仲間を支えてやってほしいと書いた。そして、自分たち医師は彼女たちのことをけっして忘れないと言い添えて慰《なぐさ》めてほしい、と頼んだのだ。

アメリカへの憎しみを捨てる

一九五五年五月八日午前九時すぎ、アメリカ空軍C34輸送機が雲間から高度を下げ、サンフランシスコ近郊のトラヴィス空軍基地を目指し、着陸態勢に入った。輸送機は柔《やわ》らかく着地すると、そのまま自力で走って大きな格納庫の前で止まった。地上整備員ががっしりした可動式タラップを機体に接続するや、輸送機のドアがひらき、二五人の乙女《おとめ》たちがタラップを降りてきた。ハワイ経由で遠い日本からやってきたにもかかわらず、見るからに元気そうだ。飛行機のそばで待ち受けていたアメリカ人記者たちに向かい、乙女たちの代表者がこう言った。「広島が爆撃されて、私たちは苦しんできました。でも、それは、日本軍による真珠湾攻撃で生き延びた方たちが感じてきたこととよく似ていると思います」

この日遅く、基地で食事をしてシャワーを浴びると、乙女たちはタラップを登って機内へもどり、一万キロメートルに及ぶすばらしい旅の最終目的地、ニューヨーク州南東に位置するロングアイランドのミッチェル空軍基地へ向かった。地球をはるばると半周回って、同じ年頃の娘のほとんど誰《だれ》も経験したことのない長い旅を無事におえたのだ。

疲れていたにもかかわらず、大勢集まっている地元の新聞記者に、こんなふうに話す乙女《おとめ》もいた。「ニューヨークにこられてとてもうれしいです。知らない国へきたという感じがしません。どなたも優しくて、とてもよくしてくれます。一〇年前には戦争をしていたとしても、今はもうお友達です」またこう語る者もいた。「広島に住む私たちは、原爆投下によって甚大《じんだい》な被害をこうむりました。でも、アメリカへの憎しみは捨て去り、戦争をしたことを悔《く》いるべきだと感じています。……本当に憎むべきは戦争なのです」

乙女たちはフレンズ奉仕団の人々に基地で出迎えられて、それぞれのホームステイ先へ向かった。各家庭で休養してから、入院するのだ。その二週間、彼女たちは観光をし、友達を作り、アメリカでの生活になじんでいった。受け入れ先では、彼女たちがホームシックになったり、新しい環境に親しめなかったりするのではないかと気をもんでいたが、それはまったくの杞憂《きゆう》におわった。乙女たちはあっという間にアメリカに慣れた。日本とはまったく異なるアメリカの食べ物、マナー、生活リズムにたちまち順応したのだ。

あるホストファザーはこう語った。「今のところ、ホームシックにはなっていません。アメリカの食べ物が気に入ったらしく、とくにホットドッグが大好物のようです。国連ビルや美術館、ニューイングランドの歴史スポットなどを一緒に観光しました。コンサートにも、野球の試合にも連れていきました。妻も私も、感謝してもし切れないほどです。この子たちと離れることなど、今は考えられません」別のホストファザーも同じ気持ちだった。「娘たちは、ゲストとは思えないほど元気で朗らかです。『ゲスト』という呼び方はよくありませんね。あの子たちはまさしく家族の一員なのですから」

もしも心が言葉を話せたら

乙女《おとめ》たちはホームステイ先の家庭に希望と喜びを運びこんだ。あるホストマザーはこう語る。「あの子たちがステイしていた頃の一番の思い出は、あの笑い声でしょう。私たちも一緒に笑いました。顔にケロイドのある娘さんたちなのだから、窮屈《きゅうくつ》な思いをさせたり心を傷つけたりしないように、特別に気を使わなくてはならないと思っていました。でも、あの子たちは本当に心が温かくて、笑い声は天性のものでした。私たちは互いにびっくりするほど打ちとけることができたのです」乙女たちとホストファミリーの間に生まれた固い絆《きずな》は、生涯続くことになる。

形成手術は、苦痛を伴《ともな》う困難なものだった。ケロイド部分の皮膚《ひふ》をそいで縫合《ほうごう》すればおわりというわけにはいかないのだ。体の別の部位から健康な皮膚《ひふ》を何時間もかけて慎重《しんちょう》に採取し、ケロイドがある部分、あるいは変形した皮膚の欠損部分へ移植しなければならない。渡米後の最初の半年で、乙女《おとめ》たちは全員の合計で一二九回の手術を受けた。翌年には、さらに多くの手術に耐えた。医師たちは総力をあげて、顔の大きなケロイドを治し、変形した手や腕、脚を元にもどすことに取り組んだ。

ほとんどの乙女はしっかりと手術に耐え、その後、実りある、生き生きとした人生を送ることになった。ある乙女は一〇回の手術を受けても、まだ顔にいくらかケロイドが残っていた。しかし、手も指ももう変形してはいない。自分の手を自由に動かせるようになったのだ。広島へもどる飛行機の中で、彼女はカーラーで自分の髪をカールさせ、仲間たちの髪型もきれいに整えてやった。広島にもどってからは、クエーカー教徒のホストファミリーから贈られたお金を元手にして、美容室を開いた。

マウントサイナイ病院に入院した時、両手がほとんど動かせなかった乙女もいた。しかし、帰国の途《と》の機内では、自分の手で、ホストファミリーあてに感謝の手紙を英語で書けるようになっていた。両手が治っただけではなかった。英語を巧《たく》みに話す能力と自信まで獲得し、さらには、真新しいタイプライターまで日本へもち帰ったのだ。

日本へもどり、日米協会の昼食会に招かれた時、乙女たちを代表して彼女がスピーチをすることになった。渡米前には人前で話す自信などなかったのに、何百人もの外国記者団や政府高官、宗教界や産業界のリーダーを前に、英語でスピーチをしたのだ。アメリカの家庭での暮らし、アメリカの学校に通ったこと、激しい痛みに耐えながら、傷が癒《い》えるまでの長い時間をいかに過ごしたかについて語った。それから彼女は言った。「私は今こうして自分の腕を前へのばすことができます。でも、これは単純なことではありません。腕をのばせるようになったことの意味はとても大きいのです。ずっと私の腕は曲がったままでした。……アメリカの人たちが私に腕を返してくれたのです」

彼女は先を続けた。「手が治ったことはわかってもらえるでしょう。でも、いっぱいに詰《つ》まった心まではわかってもらえないと思います。もしも心が言葉を話せたら、私たちみんながどんなに感謝しているかということを語るでしょう」

「これがあなたの人生」

牧師谷本清もまた、乙女《おとめ》たちに付き添ってアメリカへ渡った。原爆乙女に世間の注目が集まっていた時、テレビ局関係者が、谷本に『これがあなたの人生《ディス・イズ・ユア・ライフ》』というテレビ番組への出演を依頼した。それは一九五二年から六一年までのテレビ黎明期《れいめいき》に人気を博したドキュメンタリー番組だった。司会のラルフ・エドワーズがステージにゲストを迎え、彼らにまつわる感動的な物語を披露《ひろう》していく。また、ゲストへのサプライズとして、彼らの人生に深く関《かか》わっている特別な人たち、たとえば学校の恩師、長く音信が途絶《とだ》えていた友人、職場の元同僚、疎遠《そえん》になっていた家族の一員などが、ステージ後部のカーテンの陰から登場するというお楽しみも用意されていた。タイム誌は「胸が悪くなるほど感傷的な番組」と酷評《こくひょう》していたが、視聴者は、出演者とともに泣いたり笑ったり、びっくり仰天《ぎょうてん》したりしてこの番組を楽しんでいた。

一九五五年五月一一日、この年、もっとも注目を浴びることになる放送を、多くのアメリカ人が観《み》ることになった。ドラマティックなトランペットの音とともに、番組のテーマ曲が流れ、逆巻くモノクロの雲の上に「これがあなたの人生」というタイトルが浮かび上がる。ついで、しっかりとセットした髪に真っ白い歯を見せた、司会のエドワーズの顔がアップになった。テーマ曲が小さくなり、スタジオの観客の拍手が大きくなる。カメラが回ると、スーツにネクタイを締《し》めた谷本清が映し出された。谷本はアメリカで教育を受けていたので英語が堪能《たんのう》だ。「ある夏の朝、時計の針が八時一五分をさした時に運命が激変した紳士《しんし》」と、エドワーズは谷本を紹介した。

それから、エドワーズは一九四五年八月六日早朝の様子を、口頭で仔細《しさい》に再現しはじめた。原爆投下約一時間前まで話が進むと、突然スタジオは甲高《かんだか》い空襲警報のサイレンの音に包まれ、谷本と観客をびくりとさせた。すかさずエドワーズが、「あの朝空襲警報が鳴った時、何をしたか思い出して下さい」と谷本に聞いた。「あなたは避難しましたか？」

谷本の物語

八月六日午前七時九分、空襲警報が鳴っても谷本は避難しなかった。その時彼は広島市郊外で家財道具などの疎開《そかい》作業をしていたのだ。八時一五分、原爆が投下された瞬間、彼は閃光《せんこう》を見た。その直後、爆心地の広島市街へ向かって猛烈《もうれつ》に走り出した。市内から逃げてきた数え切れない人々とすれ違う。誰《だれ》もが放心した顔つきで、ひどいけがを負い、足元も定かではない。身内らしい遺体をかかえている者もいた。己斐《こい》橋を渡り、市内に近づいた時、燃え上がる家の下敷きになった人たちの悲鳴が耳に飛びこんできた。助けを呼ぶ声はますます大きくなる。だが、あたり一面火の海だ。どうやっても自分では助けられない。谷本は深い恥辱《ちじょく》の念に駆られた。妻と子がいるはずの自分の牧師館へ向けて走りながら、心の中で祈った。「神よ、救いの手をさしのべて、炎の中から彼らを助けたまえ」

どの道でも炎が燃えさかり、通り抜けることができない。別のルートを選び、一〇キロメートル以上も走ると、やっと市内を流れる太田川《おおた》に出た。彼のいる側はほぼ一面火事場と化していたが、向こう岸には火は見えない。シャツと靴をぬぎ、川へ飛びこんだ。

太田川の中央の流れはきわめて速く、谷本は流されはじめた。このままでは溺《おぼ》れてしまう。渾身《こんしん》の力で流れに逆らい、なんとか向こう岸に泳ぎついた。岸辺に這《は》い上がって、また土手沿いに走りはじめたものの、すぐに火の手にはばまれた。だが、なんとしても先へ進まなければならない。

左へ曲がって、神社のそばに出た。社殿の裏手から走り出したとたん、妻の姿が目に飛びこんできた。幼い娘を抱いている。信じられない、無事でいてくれた！　しかし、谷本は妻子を抱き寄せることもできなかった。ここまで走ってくる途中《とちゅう》に目にした光景のせいで、感情がまひしていたのだ。「ああ、無事だったか」抑揚《よくよう》のない声でようやくそう言った。

「この子を腕に抱いたまま、牧師館の下敷きになっていたのです」と妻が話しはじめた。厚いがれきがずっしりとのしかかってきて、意識を失いかけたとたん、妻は幼子のけたたましい泣き声ではっと正気に返った。今にも建物全体が崩れ落ちてきそうだ。と、重なり合ったがれきの向こうに、一筋の明かりが見えた。彼女は死に物狂いでそこまで這っていき、わずかに開いている空間を少しずつ慎重《しんちょう》に広げていった。そして三〇分後、広げた空間からまず娘を外に押し出し、彼女自身もなんとか脱出してきたのだ。

妻と娘の無事を確認すると、谷本は自分の教会の様子と信者の安否を確かめるために、妻子を残して燃え上がる市街地へもどっていった。

その時の幼子である谷本の娘、紘子《こうこ》は、奇跡的に大きなけがはしなかった。しかし、友達の多くは、原爆による熱線や放射線、市内を舐《な》めつくした火事のせいで、大きなケロイドや深刻な身体障がいをかかえて大きくなった。「唇とあごがやけどでくっついて、口が閉じられなくなった人もいました」紘子は回想する。「幼い頃には、目のやり場に困りました。どうしてこのお姉さんたちはこんなに醜《みにく》い顔をしているのだろう、と思いました。やがて、彼女たちこそ、あの日生き残った人たちであることを知りました。焼かれてケロイドが残ったのです。私は自分に誓いました。大人になったら、エノラ・ゲイ号に乗っていた人だったら誰《だれ》でもいいから、なぐってやる、仇《かたき》を討ってやるんだと心に決めました」

成長するにつれて、紘子は自分の街に原爆を落とした者たちをますます許せなくなった。人間として、同じ人間にこんなにひどいことができる理由がわからなかった。周囲では、見知った人たちが次々と死んでいく。白血病など放射能が原因の病気で、紘子と同じ年頃の子どもまで命を落としていった。たくさんの友達が病気になり、命を奪われるという環境で育つうちに、気性の激しい、熱い心をもった少女は、繰《く》り返し誓いを立てるようになった。「いつかきっと、私が復讐《ふくしゅう》してやる」

思いがけない出会い

ステージ上の谷本は、エドワーズの質問に答えあぐねていた。「避難しなかったのですね、警報が鳴っていたにもかかわらず」谷本の躊躇《ちゅうちょ》を感じとってエドワーズが言った。「あなたは空襲警報に慣れっこになっていた。なぜなら、警報は毎朝鳴っていたからだ。そうですね？」谷本はうなずいた。

突然、背後のカーテンに男のシルエットが浮かび上がった。「一九四五年八月六日午前六時、私はB29で広島を目指し、太平洋上を飛行していました」男がここまで言うと、エドワーズは、「この人物のことは後で紹介しましょう」といったん話を引き取って、谷本のもっと以前の人生を振り返りはじめた。

やがて再び、カーテンの向こうに、同じ男のシルエットが浮かび上がった。男の声は震えていた。「はるか上空から広島を見おろした時には、なんということをしでかしたんだ、ということしか感じませんでした」

ここで初めて、声の主が紹介された。エノラ・ゲイ号の副操縦士ロバート・ルイス大尉《たいい》だった。広島に原爆を投下し、谷本の人生を永遠に変えてしまったエノラ・ゲイ号の乗員が、今目の前にいるのだ。

ルイスがカーテンから出て、ステージ上に現れた。そして、握手を求めて片手を谷本へさしのべた。谷本も片手をのばして握手に応《こた》えたものの、困惑したようにさっと身を引いた。それからルイスがあの日に起きたことを、声を震わせて必死に説明しはじめた。谷本はそんなルイスをじっと見つめていた。エドワーズが言った。「それでは、谷本牧師、あなたは地上にいて、ルイス大尉《たいい》、あなたはその上空で軍務を遂行《すいこう》していた。そしてお二人とも、ご自身よりずっと巨大な力に心から訴えていたのですね」その時、谷本は温かく微笑《ほほえ》み、自分からも手をのばしてルイスと固く握手をかわしたのだ。アメリカのテレビ番組史上、最初にしておそらく最後だろう、爆弾を投下した当事者と、投下された当事者とが握手したのである。それは信じがたい奇跡の瞬間だった。

ところが、谷本にはもう一つサプライズが待っていた。日本にいるはずの谷本の妻と一〇歳の紘《こう》子《こ》、さらに三人の子どもたちがステージ裏に待機していたのだ。カーテンの後ろから現れたルイスを見て、着物姿の紘子は母親に小声でたずねた。「あの人はだれ?・」母親は答えた。「あの人はエノラ・ゲイ号の副操縦士ですよ」

個人と戦争

幼い頃からずっと待ちわびていた瞬間がやってきたのだ。紘子《こうこ》はつねに心に誓ってきた。友達や家族をこんなにつらい目に遭《あ》わせ、こんなにひどく苦しめている張本人、原爆を落とした軍人に会ったら、なぐって、蹴《け》っ飛ばして、罵声《ばせい》を浴びせてやろうと思っていた。そんな時がくることをずっと祈っていたら、本当にその時がきたのだ。ステージに上がるのを待っている間、紘子はルイスの目をキッとにらみつけていた。隙《すき》を見て、真正面に立ちふさがってやろうと心を決めた。たまりにたまった憎悪《ぞうお》と怒りを全部、ぶちまけてやろうと思った。

紘子はずっとルイスをにらみすえていた。この男をもっと激しく憎んでやろうと思った。ところが、ルイスは目に涙を浮かべていたのだ。一〇歳の少女は火を吐くような憎悪を何年間も心に抱いてきた。しかし、ケロイドに苦しむ原爆乙女《おとめ》たちから、惜《お》しみなく愛情を注がれて大きくなってきた少女は突然気づいたのだ。ルイスが原爆を投下した本人だとしても、一人の人間より、戦争の方がはるかに巨大であることに。本当の敵は戦争そのものだ。紘子は悟《さと》った。

その時、エドワーズが家族をステージに招き入れた。こんな所で会えるとは夢にも思ってもいなかった谷本は、ステージ中央で妻と子どもたちを温かく抱きしめた。最後に谷本家の人々は、記念のアクセサリーと、帰国後も番組を観《み》られるように一六ミリフィルム用の映写機をプレゼントされた。

この番組に出演して、広島で起きたことに対する紘子《こうこ》の考え方は大きく変わった。憎しみはすでに彼女の魂《たましい》から消えてなくなり、代わりに湧《わ》き上がってきたのは、地球を平和にしたいという熱い思いだった。

谷本紘子は、世界平和実現のために人生を捧《ささ》げるようになった。核兵器がどんなに危険であるかを説き、それを廃絶するために結束しなければならないことを大勢の人々に訴えて、今も世界中を飛び回っている。

3

ビキニ環礁《かんしょう》

第二次世界大戦終結から四年たっても、核兵器保有国は未《いま》だにアメリカだけだった。しかし、政治家や軍人、科学者の多くは、いずれ核の独占ができなくなる日がくることを覚悟《かくご》していた。他国も間違いなく核兵器を開発しているだろう。核開発競争でトップの座を守りつづけていくためには、もっと大型でもっと強力な核爆弾を製造し、その性能実験をしなければならない。

アメリカ政府は、人口稠密《ちゅうみつ》地からできるだけ離れた場所で実験を行うことにした。選ばれたのは、太平洋のど真ん中に浮かぶマーシャル諸島（訳注：現マーシャル諸島共和国）北西のビキニ環礁《かんしょう》だった。ところが、ビキニ島には一六七人の島民が住んでいたのだ。

ビキニ環礁は大洋に囲まれ孤立していたため、他の地域との交流はあまりなかった。しかし第一次世界大戦後、国際連盟の承認の下、ビキニ環礁を含むマーシャル諸島は日本の委任統治下に入った。第二次世界大戦が勃発《ぼっぱつ》するや、日本軍は、太平洋の広範囲を支配するための前哨《ぜんしょう》基地としてビキニ環礁《かんしょう》を重視するようになった。島民は、日本軍がやってきた時初めて銃を目にしたという。戦後は、アメリカがマーシャル諸島を信託統治領とした。島民はすでに多くの苦難を経験していたが、これから起ころうとしていることへの備えはまったくなかった。

強制移住

一九四六年初め、海軍准将《じゅんしょう》ベン・ワイアットが、新たな軍行政官としてビキニ環礁に着任した。ワイアットは「神経が細くて、もの柔《やわ》らかなタイプ」なので、「いったいどんな経緯《けいい》で、無人の荒野や陰惨《いんさん》な貧民窟《ひんみんくつ》ではなく、こんなに美しいサンゴ礁《しょう》の島々を犠牲《ぎせい》にすることになったのかと嘆きかねない」とタイム誌は書いている。

日曜日午後の礼拝の後、ワイアットはビキニ環礁の島民全員を集めて、一時的にこの島を離れてほしい、ずっと前から代々住んできた場所であろうが、ここで新しい原子爆弾の実験をすることになったからだ、と話した。「人類の利益のため、そして世界中のすべての戦争をおわらせるために」、アメリカは核実験を実施しなければならないと説明したのである。

島民は用心深かった。ワイアットに疑いの目を向けた。日本軍による占領と戦争を何年間も経験してきたのだ。新たに占領国になったアメリカをどうして信用できるだろうか。ワイアットが初めて見るアメリカ人だ、という島民も多かった。そのワイアットが、持ち物全部をもって家を出て、二〇〇キロメートルも離れたロンゲリック環礁《かんしょう》へ移住しろと言っている。そこではどんな生活が待っているのか、この島へはいつもどってこられるのか、何もわかっていない。

ワイアットの提案を、島民は苦渋《くじゅう》の面持《おもも》ちで話し合った。核実験をされたら、自分たち島民や家族、そして先祖代々が住んできたこの島は、どれほど深刻な被害を受けるだろうか。ついに、島民のリーダーであるキング・ジュダが立ち上がり、不安げな島民たちの目を見つめて宣言した。「すべては神の御手《みて》の内にあると信じて、我らは行こう」

若い娘エムソ・レヴィティカスは回想する。「ここで爆弾の実験をしたいので、みんなで別の島へ移ってくれと言われても、誰《だれ》も面と向かってアメリカ人に抗議しませんでした。……私たち全員がジュダの後ろに並び、帽子と制服にたくさんの勲章《くんしょう》をつけたそのアメリカ人に、了解したとジュダが告げるということはもう決まっていたからです」

島民が持ち物をまとめ、旅のしたくを整えている間に、ビキニ環礁には標的用の艦船を含む海軍艦船二四二隻《せき》と、一五六機の航空機が到着し、科学者を含むアメリカ人四万二〇〇〇人も入島した。

アメリカ海軍はさらに、ブタとヤギ、ネズミ五四〇〇匹も運び入れた。科学者たちは、原爆の爆風と放射線の影響について動物実験をする予定なのだ。学術研究機関スミソニアン協会やアメリカ各地の大学からも、植物学者、動物学者、地質学者、海洋学者が集まり、海生生物や植物に与える原爆の影響を調査することになっている。核実験は、動植物が実験前後でどう変化するかを観察し、爆風、熱線、放射線が生体や生態系にどう影響するかを研究する絶好の機会だった。

ロンゲリック環礁《かんしょう》

一九四六年三月、島民はアメリカ軍の戦車揚陸艦《ようりくかん》でビキニ環礁を離れ、ロンゲリック環礁へ向かった。そこは悪魔が住む無人島だという言い伝えがあった。好奇心旺盛《おうせい》な娘エムソは、船旅は楽しかったと話す。

船には見たことのないものがたくさんあって、面白いと思いました。ようやくロンゲリック環礁に到着し、浜辺に自分たちの持ち物を運び上げた後、すぐに評議会がひらかれて、事前に用意されていた家の区画の、どこにどの家族が住むかが決められました。海軍から支給された食料をみんなで分配すると、普段の暮らしにもどろうとしました。でも、そうはいきませんでした。ロンゲリックには大勢のアメリカ人記者がきていて、私たちを写真に撮《と》るからです。それはある意味でとても刺激的でしたが、少し怖《こわ》い感じもしました。彼らは私たちを奇妙な目で見ていたからです。それに、ロンゲリックはビキニとはまるっきり違っていました。とにかく小さいのです。着いたとたん、こんな狭い島で将来的に自給自足していくのは無理だとわかって失望しました。でも、いつかみんなでビキニへ帰るために、くじけないで頑張《がんば》ろうと思いました。

それから約四カ月後の七月一日、アメリカ軍のB29がビキニ環礁《かんしょう》の礁湖《しょうこ》に原爆を投下した。ワシントン・ポスト紙は、その爆発を「見ている者を石にしてしまうような、異様に強烈《きょうれつ》な光輝《こうき》を放つ……人類が作り出した原子の怪物」と報じた。投下二〇秒後、「標的領域のビキニから三〇キロメートル離れた司令船上で、恐るべき閃光《せんこう》が観察され、轟音《ごうおん》が鳴り響いた」それから、ピンク色に縁《ふち》どられた雲が湧《わ》き出し、上空八〇〇〇メートルで渦巻《うずま》いてキノコ雲になり、島影は完全に視界から消えた。ついで、強烈な衝撃波《しょうげきは》がとてつもない爆風を起こして真空が生まれ、一瞬観測者たちの耳はふさがれた。ツンとした痛みに耳を押さえながらも、ある者はこう叫んだ。「ああ、よかった、まだ生きているぞ！」

ロンゲリック環礁《かんしょう》での暮らしは過酷だった。ビキニの語り部ロレ・ケシブキは、病気と飢餓《きが》について語っている。島の近海でとれた魚を食べたせいで、島民は奇妙な病気にかかったというのだ。「とにかくロンゲリックでは、魚を食べてはいけない。その魚自体が、サンゴ礁《しょう》で食べたもので毒されているからだ。以前ビキニで食べていた魚とまったく同じ種類であっても、けっして食べてはならない」病気を起こしているのは、昔ロンゲリックに住み着いていた悪魔だ、とケシブキは信じていた。「すでに悪魔は島にいないとしても、言い伝えによれば、島で木が育ちはじめ、じきに成熟したら、その木は自ら火を放つという。悪魔が木の種にあらかじめ悪霊《あくりょう》をしこんでおいたからだ。やがて、島に残っていた食べ物も全部だめになる。南からやってきた悪魔が、サンゴ礁全体に呪《のろ》いをかけたせいだ」

キング・ジュダの長子ルボンは、島民とともに魚を食べた時のことを回想する。「我々は、交互に繰《く》り返されるひどい悪寒《おかん》と激しいほてりに苦しめられた。何度も大きな焚火《たきび》をおこし、腕や脚へ血が回るように火のそばに立った。そうやって、悪寒を止め、全身の痛みを少しでもやわらげようとしていたのだ」なぜ汚染《おせん》されている魚を食べつづけたのかと問われて、ルボンは答えた。「言っておくが、我々は飢《う》え死に寸前だったのだ。中毒になるとわかっていても、食べずにはいられなかった。

「ベーカー」と命名された原爆の海中爆発によって出現した水柱。1946年7月25日、爆心地から約6キロメートル離れた場所での撮影。1946年から58年にかけて、ビキニ環礁では68回の核実験が実施された。

近くのロンゲラップ環礁《かんしょう》まで舟が出せる時には、そこから家族のためにココナツやパンダナスの実をとってきたが、ロンゲリックにもどれば全員で分配するから、その食料もすぐになくなってしまう」

二年後、壮絶な飢餓《きが》に苦しむ島民たちは、アメリカ海軍によって、クワジャリン環礁のキャンプ地、さらにすぐにキリ島へと移住させられた。島民たちはそこでもひどい飢《う》えに苦しんだ。ついに、アメリカ政府は二万五〇〇〇ドルの資金援助をし、毎年一人につき一五ドルの補償金を払うことを約束した。かつて漁をして自分たちの食べ物を調達し、自分たちで建てた家に住んでいた人々は、アメリカ政府からの補助で暮らすしかなくなったのだ。

一九四六年から五八年にかけて、アメリカ海軍は六八回の原子爆弾と水素爆弾の実験をビキニ環礁で実施し、島は「回復不能なほど汚染《おせん》」された。核爆発で発せられる放射能で、マーシャル諸島に住む多くの人々が命を奪われたり病気になったりした。病の苦痛から逃れるため、自殺する者まで出た。異常な姿で誕生する赤ん坊もいた。「ジェリーフィッシュ・ベビー」と呼ばれた赤ん坊は、骨のないくらげ《ジェリーフィッシュ》のような透明なかたまりとして生まれ、生後まもなく死亡した。

放射能は今でも島民たちを殺傷しつづけている。

4

ビキニと原爆ケーキ

一九四六年七月五日、ビキニ環礁《かんしょう》での第一回核実験の四日後、マーシャル諸島から地球を半周したパリ一六区にあるプール複合施設ピシン・モリトールには、まぶしい日差しが降り注いでいた。水着コンテストにはもってこいの日だ。当日は、フランス人ファッションデザイナー、ルイ・レアールによる最新デザインの水着のお披《ひ》露目《ろめ》の日でもあった。

すでに、一部の観客の目は、誰《だれ》よりも露出度の高い、セパレート型の斬新《ざんしん》な水着を着たモデルに釘《くぎ》付《づ》けにされている。プール横でポーズをとってウィンクするそのモデルに向かって、カメラマンたちがさかんにシャッターを切る。水着コンテストは最終選考に入り、審査員はその女性ミシュリーヌ・ベルナルディーニをステージ上に呼び、「あなたは『もっとも美しい水着』賞の最終選考に残りました」と告げた。

満員の観客席がショックと興奮でざわめいた。これほど生地《きじ》の面積が少なく、しかも鋭角的《えいかく》にカットされた水着など、誰《だれ》も目にしたことがなかったのだ。ある角度から見れば、ベルナルディーニ嬢《じょう》は素《す》っ裸《ぱだか》にも思われた。胸のふくらみは、首の後ろで結ぶ細いひもで吊《つ》られたわずかな布で隠されているだけ。下腹部は、三角形の布地でかろうじて覆《おお》われているばかりで、太ももも臀部《でんぶ》もあらわだ。公衆の面前でこれほど衝撃的な格好をしている女性を、観客は見たことがなかった。

この水着をデザインしたレアールは、ビキニ環礁《かんしょう》での核実験を報ずる七月一日の報道写真に心を奪われていた。原爆のもつ残酷《ざんこく》な破壊力などまるで知らない多くの読者もまた、風にそよぐ前景のヤシノキと、サンゴ礁《しょう》上空に湧《わ》き出したキノコ雲との衝撃的なコントラストに魅了されていた。そこでレアールは、世の人々がいかに核実験に魅惑《みわく》されているかを敏感《びんかん》に察知して、自分の最新水着を「ビキニ」と命名したのだ。現在もなお島民が帰還《きかん》できないサンゴ礁の島、今も放射能汚染《おせん》されたままのビキニ環礁から、その名前はとられたのである。

ビキニ効果

レアールのビキニは、ある意味で、原爆と同じようなインパクトを人々に与えたと言えるかもしれない。その水着は人々を唖然《あぜん》とさせると同時に、恐怖させもしたのだ。ビキニを着た若い女性は原爆なみに衝撃的であり、女性に期待されてきた役割まで吹っ飛ばそうとしていた。彼女たちは、女は家にいて料理をし、子どもの世話をするものだという、容認されてきた役割分担をあやうくさせた。確かに女は子どもにもたせるランチを用意し、家族のシーツにアイロンもかけるだろうが、露出度の高い水着を着て、プールのまわりをしゃなりしゃなりと歩くことだってできるのだ。原爆が都市やサンゴ礁《しょう》の島々を破壊したのと同様に、家の外へ出た女性たちは、伝統的な結婚観と家庭のあり方を粉砕《ふんさい》しようとしていた。その証拠に一九五〇年代に活躍した男性ファッションデザイナーは、もっと保守的な水着や下着で、レアールのビキニに対抗したのである。

ビキニはアメリカ人の別の心理を表してもいた。第二次世界大戦後、とくにアメリカには、この世に不可能など何もないと考える風潮があった。連合軍がナチスからヨーロッパを解放し、日本を打ち負かしてアメリカの統制下に入れたように、ファシズムは征服された。もはやこの世に怖《こわ》いものなどないのだ、と考える人々も一部にはいた。

ところが、原爆によって、きわめて不確実な時代が招来されて、次に戦争がはじまれば、未来は簡単に消去されてしまうだろうと感じている人々もいたのだ。この時期に成長した者の多くは、とにかく現在を生き延びようと考えていた。明日、世界は核戦争で滅ぶかもしれないのだから、今を楽しまなければ損だと思っていた。つまりビキニは、核戦争という暗い未来を背負っていた若者にとって、つかの間の自由や歓喜《かんき》を象徴するものでもあったのだ。

原爆ケーキ

もちろん、広島や長崎の人々、マーシャル諸島で病や飢《う》えと闘っていた島民にとっては、刺激的な水着も女性の解放もほとんど無意味な話だったろう。多くのアメリカ人、そして牧師A・パウエル・デイヴィスもまた、ビキニ環礁《かんしょう》での核実験を報じる新聞記事に憤《いきどお》っていた。罪のない一般市民の上に原爆を投下したアメリカ政府は、今度は先祖代々が住んできた島から人々を移住させ、しかもその故郷を原爆で破壊したのだ。デイヴィスは、ワシントン中心部に建つオールソウルズ教会で、情熱的な説教をするユニテリアン派の牧師として知られていた。

デイヴィスは、教会信者から深く敬愛されていた。彼はアフリカ系アメリカ人に白人と同じ権利を保障することを訴え、反ユダヤ主義に敢然《かんぜん》と立ち向かい、アメリカは食糧《しょくりょう》不足のヨーロッパを支援すべきだと説いた。核兵器の製造と管理は軍が極秘《ごくひ》にするのではなく、公開でなすべきだとも考えていた。また、すべての人に自分で選んだ宗教を信仰する権利があること、さらには信仰をもたない自由さえ認めていた。ワシントン・ポスト紙は、デイヴィスを「人類の友愛と己の信じる正義を擁護《ようご》する不屈《ふくつ》の闘士」と呼んだ。

一九四六年一一月七日、ワシントン・ポスト紙の社会欄《らん》を読んでいたデイヴィスは、衝撃のあまり、飲んでいたコーヒーであやうくむせそうになった。その二日前、陸軍士官学校の将校クラブでは、ビキニ環礁《かんしょう》での最初の核実験成功を祝うパーティが催《もよお》されたという。紙面を飾っていたのは、実験の指揮を執《と》った少将フランク・J・ローリーと、傲然《ごうぜん》と微笑《ほほえ》みながらケーキに入刀している中将ウィリアム・H・P・ブランディとその妻の写真だった。大きなケーキは、白いスポンジ台を海に見立て、そこから湧《わ》き出した原爆のキノコ雲を生クリームで表現していた。イリノイ州イーストセントルイスのパン屋で焼かれ、ワシントンまで約一三〇〇キロメートルを運ばれてきたのだ。デイヴィスは糾弾《きゅうだん》した。ロンゲリック環礁では人々が飢《う》えに苦しみ、死者も出ているというのに、アメリカ軍の司令官たちは非常識にも、「人類が発明したものの中で、もっとも残忍で無慈悲《むじひ》で、忌《い》まわしい殺人兵器」を祝福するケーキに舌鼓《したつづみ》を打っている、と。

三日後、デイヴィスは「生きている限り忘れてはならない」と呼ばれる強烈《きょうれつ》な説教で、満員の信者に語気荒く語りかけた。

広島と長崎の人々はどう感じるでしょう。アメリカ軍の将校たちは、かの地の何千何万という友人家族を一瞬にして殺害し、現在も何千何万もの愛する者をじわじわと死にいたらしめている、あの身の毛もよだつキノコ雲をかたどったケーキを作らせたのです。これが罪でなくてなんでしょうか。まだアメリカに少しでも良識が残されているなら、その良識に対する罪でもあります。私はこの地に一八年間暮らしてきましたが、これほど醜悪《しゅうあく》で堕落《だらく》した行為は目にしたことがありません。一方で私は、人類の未来を守っていくのはアメリカであると信じているのです。関係する海軍士官は、自らが属している軍隊に謝罪すべきであり、アメリカ国民にも謝罪すべきだと考えます。しかし、どんな謝罪も、世界中の人々が感じた憤怒《ふんぬ》を払拭《ふっしょく》することはできないでしょう。

さらにデイヴィスは、「この写真がロシアで報じられて、『アメリカの堕落ぶり』の一例として扱われないことを祈るばかりです」とも付け加えた。

当然、ロシアの新聞は原爆ケーキについて報じた。アメリカ連合通信社（AP通信）によると、ある新聞は「アメリカ人の『原爆崇拝者』がこの国にいたら、放射能入りのロシア風おかゆをぐつぐつ煮《に》て、多数の市民に食べさせて実験することだろう」とコメントし、別の新聞は、太ったアメリカ人が被爆を防ぐ分厚いコートを着こんで、原爆ケーキにナイフを入れている写真を載せて、アメリカ軍をあざ笑った。

軍の司令官を非難する手紙と、支持する手紙の両方が、ワシントン・ポスト紙の編集部に殺到した。元歩兵のある男性は、五月末の戦没将兵記念日《メモリアルデー》には、「棺《ひつぎ》の形をしたしゃれたケーキをいくつも作って、祝うべきだった。白いスポンジには小さな十字架を押しつける。さらに、チェリーを絞《しぼ》って血のしずくを数滴《すうてき》垂らすのを忘れちゃならない。……このパーティは悪趣味の極《きわ》みである。ポスト紙も、こんな汚《けが》らわしい記事を掲載したことを恥《は》じるべきだ」と書いた。

他方、デイヴィスの説教を読んだ海軍少佐《しょうさ》J・N・タルボットはこう反駁《はんばく》している。

国家の敵をくじくために多大な貢献をなした二人の軍人に対し、ワシントンの一牧師が長々と非難を言い立てたと知って、私は言葉にできないほどの激しい怒りを覚えた。……この牧師は、祖国防衛のため、破壊的殺傷力をもつ兵器を使用したがゆえに、たとえば陸軍航空隊士官、爆撃手、火炎放射器隊員、砲手、ライフル銃兵は、全員が永遠の地獄に落ちるべきだと愚弄《ぐろう》したのも同然である。……アメリカ国民とその自由を攻撃する好機だと敵が思った場合に備えて、アメリカが核兵器を保有することを神は認めているのである。

広島の小学校から届いた絵

デイヴィスの激しく情熱的な説教は、アメリカ中の新聞や雑誌に掲載され、原爆ケーキを痛烈《つうれつ》に批判する彼の話は、まもなく日本へも伝わった。ハワード・ベル博士もデイヴィスの記事を読んだ。ベルは、戦後日本の学校再建に尽力《じんりょく》したアメリカ人教育者であり、日本人教師とともに、広島市の本川《ほんかわ》小学校で、教科書を一新し、新しい授業を作る手助けをしていた。

本川小学校の子どもたちの境涯《きょうがい》は、あまりにも悲しいものだった。原爆投下によって、四〇〇人もの教師と子どもが命を奪われ、生き残った者は白血病など、放射能の影響による病気で苦しんでいたのだ。家族全員を失い、身寄りが一人もいなくなった子もいた。そんな子にとっては、小学校の教師がただ一人の家族になった。

これほど悲惨《ひさん》な状況を、ベルは見たことがなかった。それでも前向きに生きていこうとしている子どもや教師たちの姿に感動し、できるだけ力になりたいと思っていた。子どもたちが、自分の家族や友達、そして自分の街に起きたことを絵に表現していることに彼は気づいた。その絵を見れば、原爆投下の前後で、彼らの生活がどんなに変わったかがよくわかる。驚いたことに、その中には未来への希望にあふれる絵も混じっていた。爆弾も戦争もなく、殺されることのない平和な世界を、子どもたちは思い描いていたのだ。世界はもっとよくなるはずだし、広島は焼け跡《あと》から立ち上がるだろう、と彼らは信じていた。

ところが、破壊された学校には、絵を描くための道具がもう残っていなかった。デイヴィス牧師ならこの窮状を理解してくれるだろうと考え、ベルは、本川《ほんかわ》小学校の児童と教師について書いた手紙をデイヴィスへ送った。この小学校には、子どもたちの感性をのばし、心の傷を癒《い》やす手段にもなっている絵を描くための画材が不足している。アメリカの子どもたちに呼びかけて、彼らが使っていた鉛筆やクレヨンを広島の学校へ送ってくれないだろうか、と頼んだのだ。

デイヴィスはすぐ行動を起こした。一九四七年二月一三日、「日本からの手紙に応《こた》えよう」という説教で、オールソウルズ教会の信者の子どもたちに、「君たちの使っていた文房具を寄付してくれないか」と訴えかけたのだ。教会には、総計五〇〇キロの鉛筆とクレヨン、のり、消しゴム、紙をまとめる用具などが寄せられた。デイヴィスはそれを広島に送り、ベルは、すぐに本川小学校と袋町《ふくろまち》小学校、そして、似島《にのしま》汽船にある孤児《こじ》施設とで分け合った。

数カ月後、オールソウルズ教会に、本川小学校の児童から、紙ばさみで綴《と》じた二冊の画集が送られてきた。それぞれの画集には、寄付してもらった文房具で描いた四八枚の絵がまとめられていた。

一二歳のヒロコ・ナカジマは、細かい模様まで表現したピンクの着物を着た自画像を描いた。九歳のヨシコ・イトーは、本川《ほんかわ》小学校の校庭で遊ぶ友達を力強く描いた。八歳のジュンコ・ホッタは、サクラを見に広島の山へ遠足に出かけた時の自分や同級生、先生の様子を、カラフルに生き生きと描き出した。ミサコ・シモムラは、原爆ドームと呼ばれるようになった被災《ひさい》した建物の周囲に、新しい建物が建設されている市内を描いた。橋の上を走る新しい路面電車と、太田《おおた》川の支流に小舟《こぶね》を浮かべた漁師、さらには、新鮮な果物をかかえて歩いているミサコ本人も描きこまれている。

そして、一一歳のヤスコ・ナカガワは、「米國のお友達」と大書した美しい筆づかいの習字を送った。日本の小学生は、アメリカ人に対する怒りより、「ノーモア・ヒロシマ」という希望を胸に抱くようになっていたのである。

第2部

冷戦が家までやってきた

5

赤《あか》狩《が》りの時代

一九四六年八月、ジョン・ハーシーのルポ『ヒロシマ』が世に出てから二週間後、トルーマン政権下の商務長官ヘンリー・ウォレスは、ニューヨークのマディソンスクエア・ガーデンで長い演説を行った。スタンド席は二万人で埋まった。一九四五年四月にトルーマンが大統領に就任して以来、アメリカとソ連の緊張は高まりつづけていた。二〇世紀は「市井《しせい》の人々の世紀」だと確信しているウォレスは、今こそ国境を越えた平和が必要なのだと訴え、聴衆は大歓声でこれに賛同した。アメリカとソ連はいがみ合うのではなく、平和を実現することで競争すべきだ、と彼は唱えた。そして、国家予算の一五%以上を軍事費にあてるような国はあってはならない、と断じたのである。この演説は大騒ぎを引き起こした。

当初、トルーマンは、自分はウォレスの演説原稿を事前に読んでいたし、彼の主張に全面的に同意していると記者に話していた。ところがその言葉に、国務長官ジェームズ・バーンズが激怒した。そして、軍事費について大統領がそう考えているなら、大統領顧問バーナード・バルークとともに、自分は辞任させてもらうと迫ったのである。大統領は、陸軍長官ロバート・パターソンや海軍長官ジェームズ・フォーレスタルもそれにならうことを恐れた。バーンズの思惑《おもわく》どおり、トルーマンは、強硬な対ソ政策を支持するバーンズとバルークの側につき、ウォレスには辞任を迫る辛辣《しんらつ》な書簡を送った。

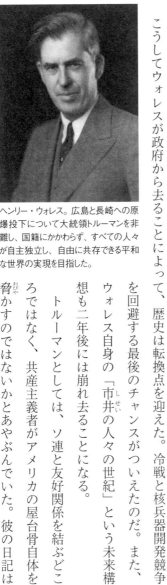

その夜、トルーマンは日記に書いている。「ウォレスは軍を解体し、ロシアに原爆の製造方法を教え、クレムリンの山師どもを信用しろと言ってくる。……あんな『空想家』につき合っていられるものか」

こうしてウォレスが政府から去ることによって、歴史は転換点を迎えた。冷戦と核兵器開発競争を回避する最後のチャンスがついえたのだ。また、ウォレス自身の「市井《しせい》の人々の世紀」という未来構想も二年後には崩れ去ることになる。

ヘンリー・ウォレス。広島と長崎への原爆投下について大統領トルーマンを非難し、国籍にかかわらず、すべての人々が自主独立し、自由に共存できる平和な世界の実現を目指した。

トルーマンとしては、ソ連と友好関係を結ぶどころではなく、共産主義者がアメリカの屋台骨自体を脅《おびや》かすのではないかとあやぶんでいた。彼の日記はこんなふうに続く。「アカ（共産主義者）と国への不忠義者、口先だけの社会主義者が結託して、国家の脅威になろうとしている」それから彼は寝室の灯《あか》りを消した。ますます険悪になっていく世界情勢や、そんな事態にしているのは自分であると気づくことなく、眠りに落ちていった。

ポール・ロブソンの物語

マディソンスクエア・ガーデンでのウォレスの演説会には、アフリカ系アメリカ人のポール・リロイ・ロブソンも、強力な支持者として出演した。ロブソンは歌手、俳優、スポーツ選手、学者、そして公民権運動家でもあった。ウォレスと同じく、ソ連との友好を望んでいた。しかし、あふれるほどの才能で多方面にわたって活躍し、世界的に名を知られていたのに、ロブソンは、最後には先鋭《せんえい》化した反共ヒステリーの犠牲《ぎせい》にされてしまうのだ。

当時はアメリカ人の多くがトルーマンと同様に、共産主義は世界中に広がるにちがいないと思っていた。もしも共産主義者がアメリカの都市やその近郊、いや、自分の家の隣に引っ越してきたらどうなるのか。彼らのまったく相いれない考え方が、自分たちの暮らしを崩壊させてしまうのではないか、とアメリカ人は恐れた。多くの場合、真っ先に共産主義者のレッテルを貼《は》られたのは有色の人々であり、とりわけ、アメリカ政府の姿勢を声高《こわだか》に批判する者はねらわれた。ロブソンは黒人であり、声高だった。冷戦時代初期、それは致命的な組み合わせだったのだ。

一八九八年、ロブソンはニュージャージー州プリンストンに生まれた。父親は、逃亡奴隷《どれい》の身から刻苦してアフリカン・メソジスト・エピスコパル教会の牧師になった人物である。ロブソンは、学生も教員も全員が白人であるプリンストン大学への入学が認められず、州立のラトガーズ大学へ入った。もちろん、ラトガーズ大学に入ること自体、並大抵《なみたいてい》のことではなかった。当時は、いわゆる白人大学に通うアフリカ系アメリカ人は、全国にわずか五〇人しかいなかったのだ。

ロブソンが一七歳でラトガーズに入学した一九一五年、アメリカ全土には、人種差別と外国人排《はい》斥《せき》の嵐が吹き荒れていた。この年、D・W・グリフィス監督の映画『国民の創生』が公開されて、全国的に大ヒットした。これは白人至上主義を標榜《ひょうぼう》するテロ組織クー・クラックス・クラン(KKK)を国民の英雄としてもち上げ、アフリカ系アメリカ人を凶悪《きょうあく》な強姦魔《ごうかんま》として差別的に描いたものだった。

ロブソンは差別的風潮にもめげず、同期で一番の成績を修めた。同期生の一人は述懐《じゅっかい》する。

「ポールはいつも図書館で勉強していました。成績優等生になって全額奨学金《しょうがくきん》を獲得することを本気でねらっていたからです」気高い精神と温かな心根をもったロブソンは、同期生からの人望も厚く、彼らの選挙によって、後に卒業生総代に選ばれることになる。貪欲《どんよく》な知識欲に加え、ロブソンは驚異《きょうい》の運動神経の持ち主でもあった。だが、当時は、黒人の学生が白人大学の運動チームでプレーすることなどほとんど考えられなかった。一九一五年から一九年まで、白人選手のチームで黒人選手一四人がプレーしていたことはあるが、それは例外だった。

ロブソンはラトガーズ大学のフットボール部に入部したものの、部員の多くもまた、差別的な考えをもっていた。入部初日の実戦練習で、彼はチームメートから「げんこつで顔をなぐられ、鼻は折れるまでぶんなぐられた」という。一〇日後、ひどい負傷から回復してフィールドへもどった一七歳の若者は、毅然《きぜん》として、暴力をふるった仲間を無視し、再び練習に精を出した。彼の父親は勇気をふるい起こして、隷属《れいぞく》状態から抜け出した。それを思えば、フィールド上でのしごきなどなんでもないことだった。

部員からの暴力と差別にもかかわらず、ロブソンはラトガーズから初めて選出された最優秀選手の一人になった。「アメリカンフットボールの父」と呼ばれるスポーツ記者ウォルター・キャンプは、ロブソンを「全フットボール選手の中で最高のディフェンシブエンド」と称賛し、最高の選手だけを集めた架空《かくう》のオールスターチーム、「オール・アメリカン」の一員に選出したのだ。しかもロブソンは、他のスポーツでも図抜《ずぬ》けていた。陸上部で槍投げをし、野球部ではキャッチャーを務め、バスケットボール部ではあらゆるポジションで活躍した。

ロブソンの同期生の一人は、卒業式前夜、彼が「最優秀学生」として表彰されたことをよく覚えているという。別の同期生は、「彼はクラスのリーダーで、誰《だれ》も足元にも及びませんでした。彼は純粋《じゅんすい》な黒人でしたが、最高の頭脳の持ち主であることを、一点の曇りもなく証明したのです」と話した。

一九一九年六月一〇日の晴れ渡った日、ラトガーズ大学では、ロブソンがみんなの前に進み出て、卒業生総代として「新しき理想主義」と題する演説をした。彼は生涯で多くの演説をすることになるが、これはその最初だった。白人の同期生、白人の親たち、白人の教授陣に囲まれながら、一度耳にしたら忘れられない朗々《ろうろう》とした声で、自らの信じるアメリカの未来について語ったのだ。

静まり返った聴衆にロブソンは語りかけた。第一次世界大戦を終結へ導いた建設的な志向と国家への献身が、今度は「アメリカ人の生活の再建」へと波及していき、やがては「新しい精神」が芽生えて人種差別を一掃《いっそう》し、全アメリカ人を団結させるだろう。それは長く困難な旅にちがいないが、人々の結束によって成し遂《と》げられるはずだ。白人のアメリカ人はキリスト教の精神にのっとり、けっしてこの「新しい精神」を忘れてはならない。他方、黒人のアメリカ人は、多数派のアメリカ人が擁護《ようご》してきた価値観を受け入れ、自分自身と家族を向上させなくてはならない。その価値観とは、「独立独行、自己への誇り、勤勉と忍耐、そして倹約の精神」である。「黒人と白人は同胞《どうほう》であり、神は我々全員の父なのだという真実に目覚め、我々が……友人として手を握り合った時」、この「新しき理想主義」は実現されるのだ。彼は高らかに宣言した。

声高《こわだか》に黒人差別を非難する

ポール・ロブソンは、稀有《けう》な運動能力と飛び抜けた頭脳の持ち主であったばかりか、すばらしい声と演技の才能によっても名を知られていく。一九二三年、大人気を誇っていた劇団プロヴィンスタウン・プレーヤーズで、俳優として本格デビューした。この劇団は、ブロードウェイがやりたがらない、主に労働者階級の苦悩をテーマにした演劇を上演していた。観客は俳優ロブソンに大歓声を送った。

その劇団で三年間演じた後、彼は妻とともにロンドンへ渡る。そこで、シェイクスピアのオセロ役を演じる最初のアフリカ系アメリカ人となり、デスデモーナ役の白人女優と共演した。その後一〇年間、世界中を巡業して、ヨーロッパ諸国のほぼすべての首都で舞台に上がり、白人俳優の誰《だれ》よりも多くの金を稼《かせ》いだ。同時に世界各地の文化を吸収し、多くの人々と出会い、政治や正義について活発に議論をかわすようになった。
ソ連でステージに上がった時、彼はそれまでにない幸福感に満たされた。ソ連の人々は、まず彼を才能にあふれた人間であると認識し、それから初めて彼が黒人であることに気づくのだ。それはとてつもない喜びだった。モスクワでは、どんなレストランでも食事ができて、どんなホテルにも宿泊が叶《かな》い、どんな公共施設にも入ることができた。祖国アメリカで受ける待遇とはまったく違っていた。アメリカでは、アフリカ系アメリカ人は、レストランもホテルも、トイレも水飲み場も白人と分離されていたからだ。しかも、一九二〇年から三〇年にかけて、二八一人のアフリカ系アメリカ人がリンチで殺害されていた。クー・クラックス・クランは、民主党の多数派を牛耳るほどの勢力になっていたのだ。

イギリスに引き続き、ロブソンは1943年ブロードウェイで『オセロ』の主役を演じ、デスデモーナ役の白人女優ユタ・ヘーゲンと共演。シェークスピア劇に出演する最初の黒人俳優になった。

ロブソンも長年、根深い人種差別に苦しめられてきた。プリンストン大学は端《はな》から相手にしてくれなかった。ラトガーズ大学のフットボール部のチームメートは彼に暴力をふるった。さらにコロンビア大学卒業後、彼は弁護士になったのだが、事務所では同僚が仕事を回してくれず、弁護士業はあきらめざるをえなかった。ところが、共産主義の中枢部《ちゅうすう》モスクワでは、祖国ではけっしてえられない公平な待遇を享受《きょうじゅ》することができたのだ。彼はソ連について語っている。「モスクワにきて私は生まれて初めて黒人ではなく、人間でいられるようになった。……　ここでは人としての尊厳をもって歩くことができるのだ」それこそが、ロブソンの信じる本当の自由だった。

アメリカへもどると、彼は、「奴隷《どれい》のリズミカルな心の叫び」として伝わってきた黒人霊歌《れいか》や伝承歌を白人に紹介するようになる。逃亡奴隷から身をおこした父を偲《しの》んで、満員の観客の前で『ジェリコの戦い』や『精霊《せいれい》を感じるたびに』を歌った。哀愁《あいしゅう》を帯びながらも軽《かろ》やかな歌いぶりは多くの評論家を感動させ、ある批評家は、ロブソンの声は「人の心を揺り動かす普遍性《ふへんせい》にあふれている」と表現した。別の評論家は、「ロブソンの声は、『新しき黒人』という社会的風潮の情熱的な具現化だ。彼は祖先から継承してきたものを正確に再現して、黒人の優秀さを訴えている」と評した。一九三六年、ロブソンは映画『ショウボート』に出演し、挿入歌《そうにゅうか》『オール・マン・リバー』を歌った。その深いバリトンの声はアメリカ中の蓄音機《ちくおんき》で再生されて、もっとも人気の高い曲の一つとなった。

やがてロブソンは、アメリカでの人種隔離政策と黒人に対する不正義について、世界中で発言するようになる。世界でもっとも優秀なアフリカの外交使節団が会議のためワシントンDCを訪問した時、ガソリンスタンドでトイレ使用を断られるという事件が起きた。また、一九四三年のデトロイト人種暴動では、白人警官によってアフリカ系アメリカ人一七人が殺害された。ロブソンはこうした事件に憤激し、世界はアメリカの人種差別をどう見るだろうかと政府を批判した。アメリカはファシズムの恐怖から世界中の人々を救うために、第二次世界大戦に参戦しようとしているが、アメリカの軍隊自体、人種隔離を前提に編成されているではないか、とも非難した。

実際に、多数のアフリカ系アメリカ人が祖国のため、そして他国の人々の自由のためにヨーロッパで戦った。ところが、祖国に帰還《きかん》してみると、白人によるリンチを取り締《し》まる法律さえないのだ。ロブソンには受け入れられなかった。一九四六年、彼は代表団を結成し、ホワイトハウスにトルーマンを訪ねた。

公民権運動の指導者として名高いW・E・B・デュボイスは、ロブソンについてこう語った。ロブソンは「世界でもっとも有名なアメリカ人であり、これほど多数の人々に名を知られたアメリカ人は今までいなかった。彼の歌声は、ヨーロッパ、アジア、アフリカ、西インド諸島、南アメリカ、海洋の島々にも知れ渡っている。……ところが祖国では、彼には名誉どころか市民的権利さえ与えられていないのである」

大統領執務室で、トルーマンはこの代表団と面会した。ロブソンが大統領に言った。「自由を守るためにヨーロッパで戦った黒人の退役《たいえき》軍人たちは、祖国で自分の自由が保障されるのかどうかを知りたがっています」ロブソンは畳《たた》みかけた。「なぜ国務長官のバーンズ氏は自由の国の代表として国連の人権委員会に出席できたのでしょうか。ここアメリカでは、リンチとひどい差別が横行しているのです」

こうしたロブソンの直接的な物言いに、トルーマンは脅威を感じた。そこで彼の話をろくに聞きもせず、アメリカに対するロブソンの忠誠心に疑いを抱いて、この世界的に高名な人物を共産主義者と決めつけてしまった。それから、国内政策と国外政策をごちゃまぜにしてもらっては困ると、ロブソンに答えたのだ。

アメリカに忠誠を誓え

ソ連に対する恐怖は、国内においては共産主義者弾圧という形で現れた。核の秘密を盗むために、ソ連はスパイを送りこんでいるのではないか。いや、アメリカの社会システムを崩壊させる気かもしれないし、食べ物や飲料水に毒を混入させる可能性さえありうると人々は恐れた。トルーマンはロブソンに、国内政策と国外政策をごちゃまぜにされては困ると答えたが、大統領と連邦捜査局《そうさきょく》（FBI）は、疑わしいと思ったアメリカ市民を共産主義者、あるいはソ連のスパイと決めつけることで、まさしく二つの政策をごちゃまぜにしたのだ。

ロブソンが大統領を訪ねたのは、大統領とFBI長官エドガー・フーバーが、連邦政府内の「破壊分子」の取り締《し》まりを開始した矢先だった。フーバーに率いられたFBIは、「アメリカ版ゲシュタポ」と化してしまうのではないかとあやぶみながらも、トルーマンは連邦政府職員全員に忠誠審査を課した。政府は大きな集会を開いて、職員に準公式国歌『ゴッド・ブレス・アメリカ（訳注：神の恩寵《おんちょう》はアメリカにあり）』を歌わせ、忠誠の誓いを立てさせたのだ。もしも宗教、外交政策、あるいは人種に関して誤った認識をもっているとみなされれば、その者は職を失い、人生を台無しにされる恐れがあった。

ロブソンのように、国内外でアメリカの不正義を声高《こわだか》に発言することは、恐ろしい結果をもたらす危険な行為となった。そうした発言をした者は、祖国に対して不忠義であると告発されたのだ。一九四七年から五一年にかけて、忠誠委員会は三〇〇人の職員を解雇し、三〇〇〇人に辞職を強要した。

ハリウッド・テン

一九四七年、共産主義者の調査摘発《てきはつ》に全精力を注ぐようになった下院非米活動委員会は、多数のハリウッドの俳優や映画人を、共産党員であると告発した。この特別委員会は、有名な脚本家や監督を含む一九人の映画人を議会へ召喚《しょうかん》した。アルヴァ・ベッシー、ハーバート・ビバーマン、レスター・コール、エドワード・ドミトリク、リング・ラードナー・ジュニア、ジョン・ハワード・ローソン、アルバート・マルツ、サミュエル・オーニッツ、エイドリアン・スコット、ダルトン・トランボの一〇人の脚本家や映画監督は、共産党と親交があるかという質問に対して、基本的人権を行使して証言を拒否したため、「ハリウッド・テン」と呼ばれるようになった。また、劇作家ベルトルト・ブレヒトは、自分は共産主義者ではないとはっきり否定したにもかかわらず、委員会から強い圧力を受けて東ドイツへ逃亡した。ブレヒトはナチスの迫害から逃れるためにドイツから亡命してきたのだが、アメリカはもはや「自由の地」ではなくなっていたのだ。

ハリウッド・テンを雇っていた映画会社は彼らを守ろうとしなかった。会社幹部は、きわめて人気の高い俳優だったとしても、共産主義者と疑われる者、さらには共産主義者と親交のある者との雇用《こよう》契約更新《こうしん》を拒《こば》んだ（訳注：ハリウッド・テンのうち、ドミトリクはのちに共産党員からの転向を証言して再雇用された)。しかし、多くのハリウッド・セレブは友人や仲間を支持した。とりわけ積極的に擁護《ようご》発言をしたのは、ハンフリー・ボガード、グレゴリー・ペック、ジーン・ケリー、ウィリアム・ワイラー、ルシル・ボール、フランク・シナトラ、バート・ランカスター、エドワード・G・ロビンソン、ローレン・バコール、オーソン・ウェルズ、キャサリン・ヘップバーン、ピート・シーガー、ヘンリー・フォンダ、エセル・バリモア、ベニー・グッドマン、グルーチョ・マルクスだった。

しかし、非米活動委員会は耳を貸さなかった。ハリウッド・テンは、一九四八年、議会侮辱罪《ぶじょくざい》で有罪とされて投獄され、一年間服役した。

この頃、商務長官を辞任したヘンリー・ウォレスは、新たに進歩党を結成する。そして、一九四八年の大統領選挙に立候補し、トルーマンと闘うことを宣言した。彼は非米活動委員会と、ハリウッド・テンに対する処遇《しょぐう》を強烈《きょうれつ》に批判した。一九四七年一二月にオクラホマ州タルサではこんな演説をしている。「非米活動委員会は真実をねじまげています。みなさんに真実を伝えることに長《た》けている作家や芸術家、政治的リーダーを黙らせようとしているのです。真実を語ろうとしている大学教授、学校教師、科学者、そして一般市民を脅《おど》して、口を封じようとしているのです」

ウォレスは、真実と平和こそが「市井《しせい》の人々の世紀」を招き入れると強く信じていた。しかし不幸なことに、一九四〇年代後半まで、アメリカの自由と民主主義は、とてつもない不信感と恐怖心によって大きく損《そこ》なわれていたのだ。ウォレスもまた共産主義者のレッテルを貼《は》られ、国民からの支持を失っていった。ヘンリー・ウォレスやポール・ロブソンのような高潔で才能豊かな多くの人々が、反共ヒステリーの犠牲《ぎせい》にされてしまったのである。

ピークスキル暴動

一九四九年夏、ポール・ロブソンは、公民権会議ハーレム支部からの依頼により、ニューヨーク州ピークスキル郊外で開催される慈善《じぜん》コンサートに出演する予定になっていた。ところが、コンサート当日の八月二七日、彼は、コンサートをぶち壊してやろうと暴徒化した反共主義者に追い回されることになった。暴徒たちは、ソ連を称賛するロブソンに激怒していた。また、アメリカはアフリカ系アメリカ人だけでなくあらゆる有色人種を差別している、と彼が批判するのも許せなかった。猜疑心《さいぎしん》にとらわれたアメリカ人にとって、ロブソンは、国内での白人の優越と世界におけるアメリカの一国支配に対する脅威そのものだったのだ。

コンサート会場付近に住む白人たちは、会場へ向かうアフリカ系アメリカ人の多さに恐れをなして警察に通報し、保護を求めた。コンサート開始直前、第二次世界大戦の退役《たいえき》軍人の一群が会場の入り口をがっちりと固め、詰《つ》めかけたファンの入場を阻止した。共演が予定されていた歌手ピート・シーガーは、その時、国の役人か議員らしき男が現れて、周囲に大声で話すのを聞いたと証言している。その男は「ロブソンが愛しているのはソ連だ。アメリカではない。そんな男が公演のためにここに現れようとしている。どうすべきか、みんなにはわかっているはずだ」そう言って去ったという。警察が呼ばれたものの、会場には四人の保安官代理がきただけだった。

ハドソン川に日が沈む頃、コンサート会場に入ろうとする者とそれを阻止する者との間で乱闘がはじまった。会場に並べられていた椅子《いす》はなぎ倒され、コンサートのビラは燃やされた。保安官代理は傍観《ぼうかん》しているだけで、ほとんど何もしなかった。二時間半に及ぶ乱闘の末、主催者はついにコンサートの延期を決定した。ロブソン自身は、コンサート会場の近くにくることさえできなかった。

しかし、クー・クラックス・クランが脅《おど》しのために十字架を燃やし激しい暴力に及ぼうとも、ロブソンには歌うことを断念する気はなかった。彼はラジオ番組に出演し、宣言した。「ここはアメリカです。だから私には歌う権利があります。ア

バンジョーを弾きながら歌うフォーク歌手ピート・シーガー、1955年。ピークスキルのコンサートにも出演し、公民権運動・反戦運動で活躍した。

メリカ国民である私にはその権利が与えられているのです」

ロブソンのファン、公民権運動家、そして退役《たいえき》軍人たちがロブソンの言葉にじっと耳を傾けた。ついに主催者の公民権会議が、コンサートは九月四日に改めて開催する、と発表した。しかも、次回はもっと大規模にやることになり、主催者は二万人の観客を見こんだ。彼らはしっかりと学んでいた。今回は、ロブソンと同意見の労働組合の組合員と退役軍人を、ガードとして雇うことにしたのだ。

コンサート当日、労働組合員と退役軍人が会場の周囲にぐるりと人間の鎖を作った。開演が近づくと、一〇〇〇人もの反対派が再び入り口へ詰《つ》めかけた。多くの者が石と棒を握っている。郡と州の警官が到着し、反対派が観客に手出しできないように秩序を維持した。

会場入りしていたポール・ロブソンとピート・シーガーはリラックスしていた。大勢の人たちが結束してコンサートを守ってくれることに安心していた。シーガーは述懐《じゅっかい》する。「私たちは、さすがはアメリカだと喜んでいました。何の破壊行為もありませんでした」二〇〇〇人の組合員と退役軍人が平和的に人間の鎖を作り、反対派を寄せつけないようにしている間、シーガー、ロブソンを始めとする出演者が次々と演奏や歌を披露《ひろう》した。ロブソンは一人で一時間熱唱した。

コンサートが終了し、鎖が解《と》かれて、観客が駐車場へ向かいはじめた。その時、反対派が会場入り口に殺到し、観客が帰れないように妨害《ぼうがい》しはじめたのだ。コンサートの司会を務めた作家ハワード・ファストは、郡と州の警官が反対派に合流し、侮辱《ぶじょく》的な言葉を発しながら石を投げるのを目撃したという。彼は言っている。「あれはコンサートではない、戦闘だった」

反対派は「くろんぼ！」「くろんぼ狂《ぐる》い！」と罵声《ばせい》を浴びせつづけながら、観客たちを駐車場から道路へ引きずり出した。さらには、乗客で満員になった帰路用のバスに投石し、一六台のバスを横転させた。バス運転手の中には、命の危険を感じて逃げ出す者もいた。その場合には、乗客が自力でバスを運転し、会場から脱出した。このピークスキル暴動では、一五〇名もの負傷者が出た。

シーガーは会場内に閉じこめられた後、妻と二人の幼子とともに、なんとか自分の車にたどり着いた。しかし、駐車場の地面にガラスの破片が落ちていることに気づき、伏せろ、と家族を制したという。「駐車場の隅《すみ》に野球ボール大の石を積み上げた山があって、若い男が、そばを通る車にその石を思いっきりぶつけていました。小石の山は他にもいくつもあり、やはり若い男が車窓めがけて投げつけていました。私たちがピークスキルに入る前から、一五から二〇ほどの石の山が準備されていたのだと思います」シーガーはそう証言している。

歴史から抹殺《まっさつ》された人々

ニューヨーク・タイムズ紙を含む多くの新聞が、暴動にいたった原因は、観客を襲った反対派ではなく、ロブソンとコンサートにきた観客の側にあると非難した。タイムズ紙の編集者は、責められるべきは再度コンサートを開いたロブソンであり、ロブソンと主催者が暴力を誘発《ゆうはつ》したようなものだと断罪した。そして、そのコンサートを「共産主義者の組織力を誇示《こじ》するための、計算ずくの見世物だった」と評した。さらに、確かにクー・クラックス・クランはコンサート会場で十字架を燃やしたかもしれないが、それは脅《おど》しのためではなく、ロブソンと共産主義者の観客が、ニューヨーク州の小さなコミュニティへ侵入することを防ごうとしただけだと、反対派を全面的に擁護《ようご》したのだ。

反対派のリーダー、ヴィンセント・ボイルは語った。「我々はポール・ロブソンと共産主義者のシンパにずっと悩まされてきました。……共産主義は疫病《えきびょう》です。連中はここまでやってきて、近隣住民を仲間へ引きずりこもうとしたのです。意志の弱い者の中には、誤った考えに感化される者もいるかもしれません。だから、祖国に忠実な住民みんなで立ち上がったのです」

四年間に及ぶ狂気じみた反共キャンペーンは先鋭《せんえい》化し、ついにピークスキルで暴動となって爆発した。ニューヨーク・タイムズ紙などの新聞各紙は、ロブソンに関する記事を掲載しなくなった。報じる必要がある場合には、「共産主義者のバリトン歌手」、「左翼《さよく》歌手」、「親共産主義の歌手」と表現した。翌一九五〇年、政府は彼のパスポートを没収した。ロブソンはもはや外国へ旅行することもできなくなった。

一九五〇年代を通して、ロブソンは教会や労働組合の集まりで活動を継続した。しかし、白人系の新聞が彼の活動状況を報じることはなかった。一九五八年、ロブソンは『我ここに立てり』(『Here I Stand』)と題する自伝を発表する。主だった新聞はすべてこれを無視したが、アフリカ系アメリカ人の新聞と外国の新聞は激賞した。

ロブソンは孤立と悲哀《ひあい》の中で、残る人生を過ごした。オール・アメリカンに選抜された最高のフットボール選手にして、才能あふれる俳優、一五カ国語を操る多言語話者であり、活発な公民権運動家だったロブソンは、こうして反共ヒステリーの犠牲《ぎせい》になった。普通の教科書に、彼の名前は出てこない。ごく少数の記念碑《きねんひ》が彼の業績を物語るだけだ。ヘンリー・ウォレスやポール・ロブソンのような者は、ほぼ歴史から抹殺《まっさつ》されている。

6

セミパラチンスク

ピークスキルで暴動が起きていた頃、アメリカから一万キロメートル離れたソ連では、歴史を塗り替える爆発が起きていた。一九四九年八月二九日朝、セミパラチンスク核実験場（訳注：現カザフスタン共和国）はどんよりと曇り、寒かった。ヤマヨモギやオニアザミ、黄色い花をつけた野草が密生するわびしい荒野には、風が強く吹きつけていた。

突然、地面が激しく震動したかと思うと、赤黒い不気味な閃光《せんこう》が空を切り裂《さ》いた。その刹那《せつな》、地平線からキノコの形をした雲が湧《わ》き上がり、それは上へも横へもぐんぐん広がり、太くうねりながら空に満ちた。爆心地にもっとも近い町セメイは、完全に視界から消えていた。

コンプトンやオッペンハイマーといった科学者、ヘンリー・スティムソンなどのアメリカ政府高官が危惧《きぐ》していたことが起きたのだ。広島への原爆投下からちょうど四年後、ソ連は最初の原子爆弾の爆発実験に成功した。それは、長崎に投下されたものより強力だった。予想されていたこととはいえ、アメリカの核兵器独占の時代はおわったのである。

ソ連の核兵器開発

数日後の九月三日、横田基地を離陸し、アラスカ州フェアバンクスのイールソン空軍基地へ向けてパトロールしていたRB29偵察爆撃機が、セミパラチンスクでの核爆発によって発生した細粉を採取した。このニュースはしばらく伏せられていたが、二〇日後、トルーマンが国民に報告した。

「私たちは、ここ数週間内に、ソビエト連邦で核爆発が起きたことの証拠を入手しました」

国民は言葉を失った。アメリカ人科学者の多くが憤慨《ふんがい》した。原爆開発責任者オッペンハイマーに対し、ソ連には絶対に核兵器は開発できないと豪語《ごうご》したトルーマン自身、未《いま》だに信じることができなかった。なにしろ、アメリカ空軍でさえ、ソ連はここ数年以内には核爆弾の実験などできないだろうと予測していたからだ。

アメリカ人はおののいた。多くの者が、なぜ大統領は、アチソン・リリエンソール報告書に基づいて行動しなかったのかと憤《いきどお》った。それは、一九四六年、政府高官ディーン・アチソンとデイヴィッド・リリエンソールが運営する委員会で作成された「原子力国際管理に関する報告」と呼ばれるものだった。この報告書は、将来の核戦争の危険を警告し、核兵器拡散防止を提案していた。また、国際的な原子力開発機関を設立し、核兵器製造の主原料であるウランとプルトニウムの採掘と使用を監督させることも提言していた。そうすれば、その国際機関だけが、平和目的のためにそうした放射性物質を利用できるからだ。さらにアメリカに対しては、既存《きぞん》の核兵器を三カ月以内に廃棄することまで求めていたのだ。この報告書は核開発競争を阻止する実効力をもっていたものの、アメリカ政府は内容を修正して骨抜きにしてしまった。

しかし、もしもトルーマンがオリジナルの報告書どおりに行動していれば、アメリカとソ連は、一九四五年から四九年までの四年間を使って、この狂気じみた競争をやめる方策を見つけられたかもしれない。だが両国の不信感は高まりつづけ、ついに地上の全生物に終焉《しゅうえん》をもたらしかねない核兵器競争を、大っぴらにするようになってしまった。

ソ連の科学者は、核実験の成功に大きく安堵《あんど》した。物理学者ユーリ・ハリトンは「核兵器を保有するにいたったことで、我々はソビエト連邦を標的とする核兵器使用の危険性を除去することができた」と述べた。また核爆弾のおかげで、「我が国は……国家存続にかかわる真に脅迫的な危険から自己防衛できるようになった」とも感じていた。やはり物理学者のイゴール・ゴロヴィンは、一睡もできない夜や超人的な努力は報われた、と書いている。なぜなら「核をちらつかせるアメリカの外交官の手から、その切り札をたたき落としてやれたからだ」

犠牲者《ぎせいしゃ》たち

セミパラチンスクの核実験は、カザフ族の若い夫婦を驚かせた。窓の向こうにキノコ雲が現れて、とっさに二人はもっとよく見ようと家の外へ出た。これほど不可思議な光景は目にしたことがなかった。まったく知らない世界へ迷いこんでしまったようだった。

二年後、その妻は女の子を産み、イヤーキシュと名づけられた。イヤーキシュは生まれながらの小人症で脚の変形が著しく、身長は一メートルよりのびなかった。四〇年後、イヤーキシュをインタビューしたニュー・リパブリック誌の記者スーザン・リードは、彼女の様子をこう描写している。「イヤーキシュは、ベッドのそばにあるスーツケースの上に座っていた。床に置いたスーツケースの厚みが、変形して委縮した脚の高さと合うからだ。少し動くことだけでも、彼女には大仕事だ。長い両手でテーブルにつかまりながら、こぶ状に固まった片方の膝から、もう一方の膝にぎこちなく体重を移しかえて家の中を移動するのである」

一九四九年から八九年にかけて、セミパラチンスクでは、月に約一回のペースで核実験が実施された。この一帯では、二〇人に一人の割合で、イヤーキシュのような深刻な障がいをもつ子が生まれ、住民の半数以上は六〇歳になる前に死亡した。「同級生や友達はほとんど死にました」アイケン・アキムベコフは言う。「実験場の方向から風が吹いてくると、みんな気分が悪くなります。血圧が上がる者もいるし、ひどい異臭《いしゅう》までしてきます」

ソ連政府は、放射能の危険性を国民に伏せていた。一回目の核実験直後、放射能汚染《おせん》された雲にすっぽり覆《おお》われた村では、翌年にかけて、住民の九〇%が放射線障害で死亡したという。セミパラチンスク付近でのガン罹患《りかん》率は、カザフスタンの他のどの場所と比べても、今でも二五%から三〇%も高い。核実験が実施されていた四〇年間に、少なくとも二二万人がきわめて高濃度の放射能にさらされていたのだ。

ソ連の役人は真相をひた隠しに隠し、その一帯で奇《き》っ怪《かい》な病気が発生しているのは、遺伝的欠陥か、劣悪な衛生状態が原因であると釈明した。広島と長崎、ビキニ環礁《かんしょう》で犠牲《ぎせい》になった者と同じく、アキムベコフのようなセミパラチンスク一帯に住む人々は、放射能がどれほど危険なものなのか知らされていなかったのだ。カザフスタン共和国の国立原子力センター訓練所長ユーリー・ストリルシュクは、アメリカの脅威を引き合いに出し、ソ連の核実験の正当性を主張する。「ソ連には核実験を続行する必要がありました。……なぜなら、一方が核兵器を増強すれば、他方も負けずに増強しなければならなかったからです」

ソ連の核実験の犠牲者《ぎせいしゃ》は、セミパラチンスク近郊の住民だけではなかった。ロシア北部の都市ノリリスクには、グラーグとも呼ばれる政治犯が入れられる強制労働収容所があり、その収容者がウラン鉱石を採掘し、加工処理をしていたのだ。ソ連に忠実でないとスターリンが判断した多数の政治家が、こうした収容所に投獄された。多くの場合、本人ばかりか、その家族や知人、使用人までも収容された。有名な俳優、作家、科学者が、ある日忽然《こつぜん》と姿を消すこともまれではなかった。スターリンの秘密警察に連行されたのである。しかし、スターリンの「恐怖政治」の犠牲《ぎせい》になった者の大半は普通の市民だった。スターリン政権下では、少なくとも一二〇〇万から一四〇〇〇万の人々がノリリスクにあるような収容所へ入れられ、過酷な労働を強《し》いられて、悲惨《ひさん》な最期《さいご》を迎えたと言われている。

シベリアのコルィマ鉱山で働く強制収容所の収容者たち。1934年当時の様子。記録映画より。

ノリリスクに収容されていたある女性は、深さ一二メートルにも及ぶ建物の基礎部を素手《すで》で掘らされたという。「死んだ者は、掘りおわった穴に吊《つ》り下げられた大きなかごに、どんどん投げこまれます。そのうち重みでロープが切れて、死体の入ったかごは地中に落下します。ノリリスクの建物は人間の骨の上に建てられているのです」

ノリリスクのウラン採掘場では、収容者はウラン鉱石も素手《すで》で掘った。その作業に回された者は三カ月で死亡したという。

7

原爆避難訓練

一九四九年九月、トルーマンが、アメリカはもはや唯一の核保有国ではなくなったと国民に知らせた日の二日後、後に著名な大衆伝道師になる三〇歳の福音派牧師ビリー・グラハムは、こんな説教をした。「史上例のない核兵器開発競争は、猛烈《もうれつ》な勢いで私たちを破滅へと向かわせています！」それから心配そうにこう続けた。「敵が一発目の原爆の標的にしている場所はどこなのでしょう？　それはニューヨークです！　二発目はシカゴ。そして、三発目はロサンジェルスなのです！」

次に戦争が起きたら、それが核戦争になるだろうことは今や誰《だれ》の目にも明らかだった。しかも、わずか三〇年間に二つの世界大戦を経験してきた者にとって、第三次世界大戦はきわめて現実味のある可能性だった。ソ連はたった四年で原爆を設計し実験に成功したのだ。他国が核兵器を保有するのも時間の問題だろう。しかし、核戦争とはいかなるもので、はたして人間は生き残れるのか、アメリカ人には見当もつかなかった。

アメリカが空から攻撃を受ける危険性は、かつてなく高まった。ヨーロッパの諸都市は二つの世界大戦によって、広範《こうはん》な破壊を経験していたが、アメリカの都市が空爆されたことはない。多くのアメリカ人がジョン・ハーシーのルポや、その後書籍化された『ヒロシマ』（法政大学出版局刊）を読んでいたものの、空襲とはどんなものなのか、大半の者には想像すらできなかった。もしも広島と同じように核兵器で空爆されたらどうなるのだろうと、不安をつのらせるばかりだったのだ。

連邦民間防衛本部

ソ連の核の脅威に備えて手を打つべきだという要請から、一九五〇年、トルーマンは連邦民間防衛本部を新設した。それは、核兵器の危険性と、自分の住む場所に核爆弾が投下された際の自衛方法を国民に教えることを目的とする政府機関だった。中でも重要な使命は、多くのアメリカ人が核攻撃に対して抱いている恐怖心を取りのぞき、核攻撃を受けても自分たちは生き残れると信じこませることだった。いや、生き残れるどころか、その後にアメリカはもっと強い国になれる。学校へはいつもどおりに通えるし、工場では変わらず物の生産ができて、人生は続いていくのだ。そう確信させなければならない。

連邦民間防衛本部は、公立学校を通じてアメリカ人を教化した。学校教師が「核攻撃を受けても私たちは生き残ることができるのです」と子どもに信じこませ、子どもたちは家へ帰って、親にそのことを話すのである。親というものは、政府の役人よりも、自分の子どもの言葉を信じるものだからだ。

核攻撃があっても生き残れると子どもに信じさせるため、連邦民間防衛本部は、学区ごとに「原爆避難訓練」を実施するように命じた。多くの学校では、簡単な避難訓練ではなく、本番なみの実地訓練を行った。学校にいる時に爆撃された場合どうすべきかを子どもたちに教えこんだのである。

核攻撃に備えなさい

一九五三年二月二七日朝、メリーランド州ボルチモアの第一九八総合職業訓練校の生徒たちは講堂に整列し、聖書『詩編』第一四〇編を朗読した。「主よ、悪《あ》しき者から私を助け出し、荒ぶる者から逃れさせたまえ。彼らは心のうちに害悪を企《くわだ》て、たえず戦いを起こす。彼らは蛇のごとくその舌を研ぎ、その唇には蝮《まむし》の毒を含む」

朗読をおえると、全員で『主の祈り』を唱えた。それから星条旗に敬礼し、愛国歌『アメリカ・ザ・ビューティフル』を斉唱《せいしょう》した。

校長のホッテスが、この集会の講演者スカイラー・C・ブラックバーンを紹介した。ボルチモアの連邦民間防衛本部副本部長であるブラックバーンは、もったいぶった様子で登壇すると、「かならず生き残れるとは限らないのです」と切り出した。「核攻撃された時、そばには助けてくれる先生も親も、大人は誰《だれ》もいないかもしれない。だから必要な自衛手段を尽《つ》くした場合にだけ、生き残れる可能性が出てくるのです」と力説した。

ブラックバーンの講演後、生徒たちは、連邦民間防衛本部製作の短編映画『ダック・アンド・カバー』を観《み》た。当時、アメリカ中の子どもがみんな観た映画である。最初に楽しそうな音楽が流れてきて、カメのバートがのんびりと道を歩いてくる。いきなり一匹のサルが、ダイナマイトをくりつけた枝を木の上からさし出してきた。バートはただちに危険を察知し、地面に伏せて《ダック》、甲羅《こうら》の中に隠れる《カバー》。ダイナマイトは爆発したが、バートは無事だ。

カメのバートはいつでも危険に備えていると、ナレーターが説明する。「甲羅に命を救われたのです」つまりバートには、自分の身を守る甲羅があるのだ。だから君たちも、核攻撃から生き延びたいなら、その時そばにあるものをうまく利用して、自分で身を守らなければならない。先生が助けにこられなくても、どうしたらいいか知っていれば安心だ。ナレーターはまくし立てる。「今や、私たちは新しい危険に備えなければなりません。それは原子爆弾です。……それが爆発したら、きっとわかります。そんなことはけっして起きてほしくないのですが、備えは必要です。こんな具合に爆発は起こります。最初にまぶしい光が炸裂《さくれつ》します。太陽よりまぶしい、君たちが見たこともないほどまぶしい光です！　もしも備えがなくてどうすべきか知らなかったら、思いがけないけがをするかもしれません。たとえば強くはね飛ばされたり、木や壁にたたきつけられたりすることもあるでしょう。建物は崩れ落ち、看板は引きちぎられ、窓という窓が割れるほどの爆発が起きるのです。でも、カメのバートのように、「伏せて隠れる《ダック・アンド・カバー》」をすれば、ずっと安全でしょう。日焼けがどんなに痛いかは知っていますね。でも、原爆の光線は、どんな日焼けよりもっとひどいやけどを引き起こすのです」

映画の中の子どもたちは自信満々で、学校の廊下では壁に身を寄せて頭を手で隠し、町の通りでは建物の入り口に伏せてもっていたバッグで頭を隠す。とにかく閃光《せんこう》を見たら、ぱっと地面に伏せて手で頭を隠さなくてはならないのだ。

ポールとパティの兄妹が郊外の家から学校へ行く場面では、お母さんが二人の手を握って出てきて、いってらっしゃいのキスをしてくれる。家を後にしても、二人は朗《ほが》らかで自信いっぱいだ。どんな危険が降りかかってこようとも備えがあるからだ。ソ連の攻撃に対して用意があるのだ。突然、スクリーンがまぶしい光で白くなり、ナレーターが声を荒らげて危険を知らせる。「原爆だ！ダック・アンド・カバー！」

映画では、子どもだけでいる時に攻撃される場面がいくつも展開されるが、彼らは生き延びる。しかし、この安全に見える世界は、いつ何時消えてしまうかもしれない。今、友達と校庭で遊んでいても、次の瞬間には、生き残るために奮闘しなくてはならないかもしれないのだ。大人が作り出した危険な世界で、子どもは自衛する必要に迫られるようになってしまった。

もしも大人になれたら

冷戦下の世界がいかに危険であるかを、子どもたちは学校や映画以外から学んでいた。野球カードで人気の高いフィラデルフィアのボウマンガム社が、一九五〇年に発売した『ワイルドマン・ピクチャーカード』もその一つだ。それは聖書時代から一九五〇年代までの人類の血塗《ちぬ》られた歴史を、七二枚の四色刷りのカードにしたもので、ごく普通《ふつう》の雑貨屋のレジ横のカウンターで、薄い銀紙に包まれて売られていた。三四番目のカードのタイトルは「核戦争の終末」。カードにはこんな言葉が書かれている。「もしも戦争が起きたらどうなるだろう。科学は原子爆弾の爆発力をたえず増強している。未来の戦争では、一、二発どころでなく、もっと多くの核爆弾が標的領域へ発射されるはずだ」その結果は？「多数の原爆使用で破壊力が飛躍的に高められて、地球は壊滅されるか、荒《こう》涼《りょう》とした不毛の地と化して、人類だけでなく全生物が絶滅するだろう」カードの裏には、複数の核爆弾によって燃え上がる地球が描かれていた。

一九五二年には、映画『アトミック・シティ』が封切られた。トミーという子が家で友達と遊んでいる。トミーのお母さんはキッチンで夕食のしたくの真っ最中だ。トミーは友達に尋《たず》ねる。「もしも大人になれたら、君は何になりたい？」その会話を耳にしたとたん、お母さんは震え上がってトミーをたしなめる。「大人になったら、と言いなさい。もしもなれたら、なんて言葉は使ってはいけません！」

一九五〇年代初期の子どもたちは、親や教師、そして政府から、核戦争が起これば死ぬ可能性が高いと聞かされて育った。また、そうなったらなんとか自力で生き延びなさいとも教えられた。この時期に子ども時代を過ごしたロバート・ムージルは言う。「世界はまったく安全ではないと教えこまれて、ダック・アンド・カバーの訓練もしましたが、そのうち、そんなことはどうでもいい、ばからしいと思うようになりました」別の者はこう話す。「核戦争になれば、街中のビルが火に包

映画『ダック・アンド・カバー』のとおりに、机の下に隠れて、原爆避難訓練をするニューヨーク、ブルックリンの小学生。

まれて炎上するという未来図は確かに恐ろしいものでしたが、現実味がありませんでした。大人になってくると、世の中は安定している、世界の大前提は変わっていないことに気づいてきました。つまり、ビルは建っているのです。火事になることも、地震で倒壊することさえあるかもしれないが、ビルはちゃんとそこにあるのです。燃え上がるビルの絵をいきなり見せられたら、誰《だれ》だって不安になると思います」

社会学者のトッド・ギトリンは小学校時代をこう述懐《じゅっかい》する。

「学校の教師が授業の最中に急に動きを止め、『隠れなさい！』と叫ぶことがしばしばあった。すると、私たち子どもは自分の小さな机の下にもぐりこんで顔を伏せ、縮こまって両手で頭を隠し、教師の『警報解除』の声がかかるまで、じっとしていたものだ」

初期の原爆避難訓練について、ある人はこう語った。「空気がぴんと張り詰《つ》めていて、怖《こわ》いと思いました。子どもたちはそわそわびくびくしていて、いつのまにか小声になっていました。それで、完全に物音のしなくなる瞬間があったのです。すると、これはただの訓練なのかそれとも現実なの

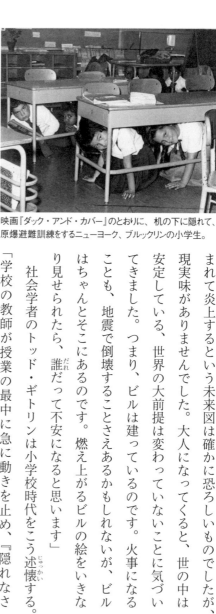

か、一瞬わからなくなりました」

作家ロン・コビックも、ベトナム戦争の内実を描いた自伝的小説『7月4日に生まれて』（集英社刊）の中で、冷戦期の子ども時代について触《ふ》れている。「我々はカブスカウトに入っていて、戦没者追悼記念日《メモリアルデー》にはパレードをした。時は冷戦時代で、ミルクの空箱で死の灰を防ぐ核シェルターをこしらえてサバイバルごっこをしたものだ」

親たちは、核攻撃を受けて多数の死傷者が出た場合、自分の子をちゃんと見分けられるだろうかと不安をつのらせた。その対策として、ニューヨーク、サンフランシスコ、シアトルの学校関係者は、首からぶら下げられる子ども用の認識票を作成した。ミルウォーキーの学校関係者は、子どもの体に名前と電話番号を入れ墨《ずみ》することを提案したが、却下《きゃっか》された。入れ墨は、ユダヤ人など迫害された人々にナチスがしたことを思い出させるからだ。しかも、広島と長崎の犠牲《ぎせい》者がそうであったように、皮膚《ひふ》が焼けただれてしまえば、入れ墨は役に立たなくなる。

ソ連の子どもたちも、学校で避難訓練をしていた。ウラジスラフ・ズーボクとコンスタンティン・プレシャコフは話す。「歯の磨き方よりまず先に、私たちは上空に『エノラ・ゲイ』を見つける方法を習いました。中等学校には自主防衛クラスというものがあって、全面戦争を想定した、ばかばかしいようなサバイバル術まで教えられました。心のどこかでサンタクロースの存在は信じていても、ガスマスクや核シェルターについては、うさん臭《くさ》いと感じていたのです」

独立記念日に空爆されたら

一九五一年七月四日のアメリカ独立記念日。ボルチモアのラジオ局から、爆撃機の不気味なエンジン音と「ドーン」という爆発音が聞こえてきた。その直後、アナウンサーがこう報じた。「たった今、ボルチモア上空でとてつもなくまぶしい閃光《せんこう》が炸裂《さくれつ》しました。敵機のエンジン音と爆発音は、一二〇キロメートル以上離れた場所にも到達したとの報告も入っています。爆心地では、目がつぶれそうな閃光を見たとたん、野球をしていた子どもたちは大あわてで逃げ出し、それまで庭仕事をしたり、隣人とおしゃべりしていた親たちは、燃え上がる自分の家から飛び出しました。爆撃によってずたずたにされたガス管から炎が噴《ふ》き出し、水道管のあちこちからも水があふれています」

粉塵《ふんじん》や土煙《つちけむり》がもうもうと上がる中、ストレッチャーを手にしたボランティアの面々が、赤十字の救助隊とともに爆心地に到着した。放射線測定チーム、レッカー車チーム、さらにはパークレンジャー、警官隊などが破壊された建物へ殺到し、あるいは一面の火の海から、負傷したり、やけどを負った人々を懸命《けんめい》に救出しはじめる。楽隊が演奏する愛国心にあふれる曲をバックに、地元の民間防衛本部要員、警官、消防隊員が、一年前に策定したばかりの避難訓練手順を迅速《じんそく》に遂行《すいこう》した。彼らのすばらしい活躍で、火災は鎮火《ちんか》して煙もおさまり、人々は一様に安堵《あんど》のため息をもらした。

ありがたいことに、この「核攻撃」は架空《かくう》のものだった。すべて、ボルチモア民間防衛本部による「模擬原爆避難訓練」だったのだ。メモリアルスタジアムのスタンド席から、何万人もの市民が、フィールドで展開される迫真の避難訓練を熱心に見守った。これに引き続き、独立記念日恒例《こうれい》の花火の打ち上げがはじまり、観客はたいそう喜んだ。花火を楽しんで家路に向かった人々を待ち受けていたのは、激しい交通渋滞《じゅうたい》だった。これが本当の核攻撃直後だったら、独立記念日の道路はどうなっていることだろうと、身動きならなくなった人たちは真剣に考えたはずだ。地元紙はそう報じた。

ところで、仮想敵機のエンジン音とドーンというすさまじい爆発音は、広くラジオで放送されていた。ラジオを聞いていた人の中には、本当に空襲されていると思った者もいたのだ。ボルチモアのラジオ局と新聞社には、そうした市民からの電話が殺到した。彼らは、スタジアムで模擬訓練が実施されていたとは知らなかったのである。ラジオ局に電話したある人はこう言った。「死ぬほど怖《こわ》かったよ。本当に、ソ連が攻めてきたと思ってしまったんだ」

8

オペレーション・アラート

ボルチモアの訓練が例外的だったのではない。当時は全国各地で、同じような原爆避難訓練が実施されていたのだ。一九五〇年代初期、連邦民間防衛本部は、年に一度の大規模避難演習「オペレーション・アラート」への参加を一般市民に強制していた。空襲警報が鳴るや、六〇の都市の住民はその時していたことを中断し、一五分間、避難態勢に入らなければならない。人々がデスクの下にもぐったり、地下室へ殺到したりしている間に、地元の民間防衛本部要員は、核攻撃を想定した非常事態への対応をリハーサルするのである。

オペレーション・アラートは、アメリカ本土が核攻撃の標的となった場合に備える全国規模の防災実地訓練だった。市民も民間防衛本部要員も、この訓練をきわめて真剣に受けとめていた。空襲警報のサイレンが鳴り出すと、市民はラジオから流れてくる指示に耳を傾け、あらゆる危機的状況への対応策が説明された小冊子《しょうさっし》を読み返すのだ。

たとえば、オハイオ州カントンにあるマーシー病院の場合、病院担当の防衛本部要員に手抜かりはなかった。患者と職員全員を一時避難させた後、市街地から三〇キロメートル離れた場所に、持ち出してきたもので仮設の病院を作るのである。もちろん、本物の患者は移動させられないので、患者役を務めてくれるボランティアを、ボーイスカウトとガールスカウトから募集しておく。病院職員は、患者をストレッチャーや車椅子《くるまいす》に乗せて病院から連れ出し、待機していたバスに分乗させて、遠方に仮設された病院へ向かう。訓練を重ねるにつれて、関係者は避難手順に習熟し、サイレンが鳴ってから九〇分以内に、全過程を完了させられるようになった。

では、もしもミズーリ州のセントルイスにソ連の水素爆弾が投下されたらどう対処すべきか。その場合、セントルイス市民は六五キロメートル西にあるライトシティへ整然と避難し、ライトシティは受け入れ態勢を整えて待機することになっていた。巨大な標識に従って国道40号を西へ走ると、セントルイス市民はライトシティで一番広い公園へ行きつく。そこでまず避難者は、民間防衛本部付属の警察官によって身元を登録されて、認識番号を渡される。認識番号によって身元確認が容易になるため、医療的処置や住居の割り当てがスムーズに進むのだ。それからライトシティの学校給食プログラムの代表と地元のコミュニティグループの代表が、シチュー、コーンフレーク、

1953年、テネシー州オークリッジのハイランドビュー小学校での原爆避難訓練の模様。

コーヒーの心づくしの食事を用意し、避難者役の人々はそれを幸せそうに味わうのだ。近くのテントでは、救護所のスタッフが重傷者の治療にあたる。

オペレーション・アラート実施中には、全国各地で同様の光景が見られた。車はその場に停止し、人々は建物へ避難し、学校の子どもたちは机の下にもぐりこむ。ニューヨークでは、交通警官が落ち着いた口調で、タイムズスクエアを出て、リンカーントンネル経由でハドソン川を渡ってマンハッタンを離れるように、とドライバーに指示する。そこでは、いかなる種類の故障や事故、混乱も起きない。通常のラッシュアワー時より、ずっとスムーズに車は流れる。

大半の都市では、万事《ばんじ》が計画どおりに進んだ。負傷した者は手当を受け、家族とはぐれた者は再会し、最後には全員で自分の家に帰ることができる。連邦民間防衛本部は労力をかけて、核攻撃を受けても生き延びられると国民に信じこませた。生き残れるばかりでなく、その後にはよりよい、もっと完璧《かんぺき》な社会が再建できると思わせたのである。

オペレーション・アラート一九五五年

一九五〇年代後半には、こうした避難訓練はアメリカ人の暮らしの一部となり、同時に、すでに製造可能となっていた水素爆弾はますます巨大化していた。大半のアメリカ人は、サイレンが鳴動すれば、当局の指示に従って避難した。ところが、本当に核攻撃を受けたら、訓練どおりに避難しても助かりっこないことは明白なのに、ダック・アンド・カバーのようなことをしつづけることになんの意味があるのかと、疑問をもつ者が出てきた。建物もトンネルも瞬時に破壊されるとわかっていて、机の下に隠れたり、リンカーントンネルに向けてマナーよろしく車を走らせてどうなるのだろう。とてつもない爆風とそれに続く竜巻状の火柱、火災旋風《せんぷう》ですべて破壊されてしまうのに、自分の車で逃げられる者などいるわけがない。ジョン・ハーシーの『ヒロシマ』を読んだ者の多くは、こうした訓練の絶望的な非現実さに気づいていた。実際に攻撃されたら、多くの者は蒸発して即死し、道路は破壊され、通信手段は途絶《とぜつ》し、川は煮えたぎり、何とか生き延びた者も放射性降下物に冒《おか》されるはずなのだ。

オペレーション・アラートなどの避難訓練は、核戦争になってもサバイバルできるというメッセージをアメリカ人に送った。しかし、このことが平和活動家を覚醒《かくせい》させた。核兵器に対する真の防衛は、地上から核兵器を廃絶すること以外にないと彼らは気づいた。オペレーション・アラートは、核戦争は不可避《ふかひ》であり、人類はそれを甘受《かんじゅ》しなければならないという考えの表れだったからだ。

平和主義を掲《かか》げる活動家ドロシー・デイは、核兵器であれ核戦争であれ、それを「甘受」するつもりはなかった。一九五五年、ニューヨーク州は、オペレーション・アラートへの参加を義務づける法律を可決した。命令に従わず避難しなかった市民は、罰金五〇〇ドルを科せられ、一年間投獄されることになったのだ。核爆弾の破壊力について虚偽《きょぎ》の情報を流している政府に抗議するため、デイは市民的不服従という方法で当局と闘うことを決意した。

一九五五年六月一五日のオペレーション・アラート実施当日、ドロシー・デイは印刷したビラをニューヨーク市民に配った。それにはこう書かれていた。「無意味な避難訓練に参加するのはもうやめましょう。正しい知識に照らすと……核戦争が起これば、自衛する手段はありません。この訓練は国民に恐怖を植えつけ、戦争への機運を国全体で醸成《じょうせい》していくための、冷戦下における軍事作戦に他なりません。私たちは協力してはならないのです」

その日の午後二時、コンクリートビルが立ち並ぶニューヨークに空襲警報が響き渡った。防衛本部要員がオフィスで働く者を建物から退避させ、地下鉄の階段へとせき立てた。セントラルパークからはみごとに人影が消え、大都会の散策を楽しんでいた者も子ども連れで動物園にきていた人たちも、近くの建物へ逃げこんだ。ベンチも電話ボックスもからっぽだった。時の第三四代大統領ドワイト・アイゼンハワーを始めとする一万五〇〇〇人の政府職員は首都ワシントンを離れ、秘密の非常時召集《しょうしゅう》センターへ移動した。一般市民がソ連の水爆の脅威にさらされている間も、政府は職務を継続できるようになっているのだ。

　大勢の人々があたふたと避難している間、ドロシー・デイと数十人の抗議者は、市庁舎《シティホール》の外のベンチに静かに座っていた。テレビや新聞の記者が群がってきても、祈りを捧《ささ》げ、黙想《もくそう》していた。記者の多くは、彼女たちが避難訓練を拒《こば》んでいる理由が理解できず、次々に質問を浴びせた。デイらは、「政府は核兵器の破壊力について真実を隠し、核攻撃を受けても生き残れると国民に思わせている。それは無責任すぎるからだ」と穏やかに答えた。そして、「こんな訓練は中止し、その財源を核兵器の廃棄に回すべきだ」と訴えた。

平和主義活動家ドロシー・デイ。

　そこに警察が現れた。彼らはデイ他二七人に手錠《てじょう》をかけて、警察用のバンへ引き立てていった。訓練が終了し、ニューヨークが正常にもどると、警察車両は市の刑務所まで走った。同じ夜、デイたちは、判事ルイス・カプランの前に立たされた。判事は、もしも本当に水爆が投下されていたら、三〇〇万近い人々が死んだ恐れがあるのだから、避難するなどそそのかすことは人殺しと同じだと断罪した。そして、一五〇〇ドルという高額の保釈金《ほしゃくきん》を払うことを全員に命じた。抗議者の一人で女優のジュディス・マリナに対しては、ベルビュー病院の精神科で治療を受けるように申し渡した。

ある若い母親の挑戦

オペレーション・アラートに対する抗議運動は、新聞やテレビで報道された。そうしたニュースは確実に人々の心を動かし、心動かされた者たちが次の抗議者になった。若い母親メアリー・シャーマットもその一人だった。一九五九年、ニューヨーク・タイムズ紙で、今年のオペレーション・アラートは明日実施するとの告知を見た時、この避難訓練には参加しないと、メアリーは夫に告げた。彼女は述懐《じゅっかい》する。「核攻撃に備えて避難訓練をしても、敵への恐怖と憎悪《ぞうお》がふくらむだけだと感じていました。でも、誰もニューヨークを攻撃しにこなかったし、核の時代だからといって、知りもしない敵を憎むこともできません。だから、悪法に従うのはやめようと思ったのです」

きっと自分は逮捕されるだろうとメアリーは思った。彼女は夫とともに、保釈金としてすぐに使えるように、銀行から五〇〇ドル引き出した。そして、小さな息子《むすこ》ジミーのベビーフードとおむつを旅行かばんに詰《つ》めた。午前一一時三〇分、メアリーはジミーを乗せたベビーカーを押してアパートメントを出て北へ向かい、八六番街とブロードウェイが交差する所まで歩き、ブロードウェイの中央分離帯のベンチに腰を下ろした。すぐそばに、民間防衛本部のバンが駐車している。ベビーカーを左右に動かし、ジミーが泣き出さないようにあやしながら、彼女は自分の思いを貫《つらぬ》くべきかどうか逡巡《しゅんじゅん》していた。正午に警報が鳴り出した時、心を決めた。この場にとどまり、思ったとおりに行動してみよう。

周囲では、白いヘルメットをかぶった防衛本部要員が、アリのようにあわただしく動きはじめ、行きかう人たちに、建物へ入れ、軒下に隠れろ、地下鉄へもぐれと命じている。車もバスもトラックも、その場に停止した。しかしメアリーは避難せず、ベビーカーを揺すりながら、そのままベンチに座っていた。

防衛本部要員の大声が周囲の静けさを引き裂《さ》いた。「オペレーション・アラート実施中だ！　ただちに避難しなさい！」要員がメアリーに命

1950年代、「国民の税金を核兵器製造に使うな」と書いたプラカードを掲げて抗議する市民。

じた。彼女は従わなかった。「警察を呼ぶぞ」と要員が脅《おど》した。「はい、どうぞ呼んでください」メアリーは答えた。別の要員が何事かとやってきた。頭上では警報が鳴りつづけている。ジミーが泣き出した。二人の要員は「法律違反で逮捕する」とおどかしたが、しまいには信じられないという顔をして去っていった。

ブロードウェイにある店のガラス戸の向こう、日よけの下、あるいはドア口に避難していた何百人もの人々が、このやり取りを見ていた。しかし、彼女と行動をともにしようとする者は一人もいなかった。一二時一五分、警報解除の命令が出ると世界は日常へもどった。店は営業を再開し、買い物客がやってきて、車両は再び流れ出した。メアリーはベンチから立ち上がると、いくつか用事をすませて家へもどった。

その日の遅い時刻、メアリーの夫がニューヨーク・タイムズ紙の早版《はやばん》をもって帰宅した。第一面のど真ん中に、二人の子どもを連れた若い母親の写真が載っていた。その女性もまた避難命令に従わず、ドロシー・デイなどの平和活動家たちが以前そうしていたように、シティホールの外のベンチに座っていたのだ。あいにく、その女性ジャニス・スミスは逮捕された。警察に連行されていく時、彼女は言ったという。「こんな訓練はただ、小鳥と赤ちゃんと高齢の御婦人を怖《こわ》がらせるだけです。私は自分の子どもを、地下鉄へもぐりこむような人間には育てません」ジャニスの写真は、ニューヨークの他の四紙の第一面も飾った。

メアリーは、ジャニス・スミスと連絡をとらなければと思った。電話帳を開いて、スミスという名の家に片っ端《ぱし》から電話をかけた。ようやくジャニス・スミスを突き止めた。メアリーとジャニスは電話で何時間も話しこんだ。そして、毎日少なくとも一時間は話すことを約束して受話器を置いた。やがて二人は、来年のオペレーション・アラートで一緒に抗議運動をしてくれる仲間を見つけるという目標を立てた。

オペレーション・アラート一九六〇年

秋から冬にかけて、メアリーとジャニスは毎日熱心に話し合った。ジミーを連れてセントラルパークの遊び場へ行った時、メアリーは、四児の母親パット・マクマホンと出会った。パットは、非暴力・不服従を唱えたインド独立の父ガンジーの信奉者《しんぽうしゃ》であり、戦争抵抗者同盟のメンバーでもあった。それから、やはり毎日セントラルパークに子どもを遊ばせにきていた、平和活動家エイドリアン・ウィノグラッドとも知り合った。遊んでいる子どもたちを見守りながら、エイドリアンが新しい仲間をスカウトした。半年間で、仲間は五〇人にふえた。

若い母親たちはグループを結成し、「民間防衛訓練反対者委員会」と命名した。それぞれが家の切り盛りで多忙《たぼう》だったが、なんとか時間をひねり出して、次のオペレーション・アラートでの抗議運動の計画を練った。また、世界初の女性平和運動組織である婦人国際平和自由連盟のニューヨーク支部とコンタクトをとった。連盟の支援をえて、ニューヨーク中から数千ドルもの寄付金を集め、核兵器の真の危険性について学ぶセミナーを開催し、二五〇人の新規会員を獲得した。それから、何百枚ものビラも配布した。ビラには、民間防衛本部の目的はただ一つ、「子どもたちを怖《こわ》がらせ、国民をだまして、水爆に対しても自衛は可能だと信じこませることなのです」と書いた。翌年のオペレーション・アラートが実施される頃までには、メアリーとジャニスがはじめたグループは、会員数一〇〇〇人を超える大きな団体に成長していた。

一九六〇年五月三日春、ニューヨークは美しく晴れ上がった。ブロードウェイからブルックリン橋へのびる大きなオークの並木道の間を、心地《ここち》よい風が吹き抜けていく。突然、空襲警報がシティホールパークに響き渡った。株式ブローカーたちがニューヨーク証券取引所を出て避難し、ヤンキースタジアムでは選手がフィールドを後にする。しかし、シティホールパークに集合していた反対者委員会の母親たちはその場にじっととどまっていた。

人でごった返すグランドセントラル駅にも、反対者委員会の母親たちは集合していた。彼女らは、おもちゃや人形、ベビーカー、ベビーサークル、三輪車、そして自分の子どもたちで周囲を固めていた。遊び道具をもった子ども連れの、身なりのよい若い母親たちを逮捕する様子を、警察は写真に撮《と》られたくないだろうと考えたのだ。

「私とジャニスは、ブロンクスのグランド・コンコース駅の公園に、五〇〇人以上の仲間とともに集まっていました」メアリー・シャーマットは述懐《じゅっかい》する。「大勢の男性がやってきて、仲間に加わってくれました。私たちのスカートを見て、負けてはいられないと勇気づけられたのでしょう。子どものいない独身男性には、自分たちの子どもを預けました。何十人もの子どもたちが、立ち入り禁止の立て札のある芝生まであふれ出していました。楽器を携《たずさ》えた学生さんたちもやってきて、『ウィ・シャル・オーバーカム（訳注：勝利を我らに）』や『ウィ・シャル・ノット・ビー・ムーブド』というフォークソングを静かに歌ってくれました。……警報が鳴り出しました。私たちは動きませんでした。子どもを連れた母親たち、志を同じくする父親たち、借りものの赤ん坊をだいた独身紳《しん》士《し》たち、子どもの面倒を見てくれている未婚の女性たち……。私たちはその場から動きませんでした。公園はしんと静まり返っていました」

すぐに、周囲は物見高い野次馬でいっぱいになった。中には、母親たちのグループに飛び入りする者もいた。防衛本部要員が手を振り回しながら人波をかき分けてやってきて、どなった。「全員

1962年、ニューヨーク国連本部ビル前で、「子どもたちを救おう」と書かれたプラカードをもち、乳幼児を連れて核兵器禁止デモに参加する母親。

逮捕する！」群衆はわっと歓声を上げ、にぎやかに手をたたいた。逮捕された二六人は警察に引き立てられながら、「ガンジーこそ私たちの指導者。私たちの決心は変わらない」と唱えた。そして、『アメリカ・ザ・ビューティフル』、『リパブリック賛歌』、国歌『星条旗』を次々に歌った。新聞とテレビの記者は、今や総力をあげて取材していた。メアリーとジャニス、そして他の仲間たちは、自分たちの抗議運動が翌日の新聞に大きく掲載されることを確信していた。

判事は結局、男性一五人と女性一一人に、五日間の投獄を命じた。こうして反対者委員会は目的を達成した。防衛訓練に抗議し、核兵器に反対する人間がいるということを、広く世に知らしめることに成功したのだ。メアリーは誇らしげに語る。「ついに、防衛訓練の是非《ぜひ》が議論されるようになったのです。ささいなことだから我慢しよう、その方が楽だからと、無視してはいられなくなったのです。……選挙の勝敗を左右する焦点にもなりはじめました」

ある新聞記者はこう報じた。「我々は正気にもどりつつあるようだ。一年もしたら、防衛訓練に従う者より、反対する者の方が多くなるだろう」

実際に、各地で反対運動が起きた。それはニュージャージー州、コネティカット州、マサチューセッツ州、ペンシルベニア州、ミネソタ州、イリノイ州へ広がった。ニューヨーク・シティカレッジ、コロンビア、ラトガーズ、プリンストン、コーネルの各大学の学生はいち早く訓練への参加拒否を表明した。一九六二年には、防衛訓練は不要だという声が無視できないほど高まり、連邦政府は、オペレーション・アラートへの財政援助を打ち切った。真剣に平和を願うひと握りの人々、まさしく少数の「市井《しせい》の人々」が大きな潮流を作り出すということを、この女性グループは証明したのだ。メアリーとジャニスを始めとする数千人の人々によって、アメリカ人は、いつのまにか失っていた正常な判断力を回復したのである。

一九五〇年代に育った冷戦時代の子どもたちは、六〇年代、七〇年代に反戦運動家になった。幼い頃に避難訓練をし、映画『ダック・アンド・カバー』を見せられ、核シェルターをデザインし、核攻撃による負傷者への手当の仕方を習ったからこそ、情熱的に平和を希求するようになったのだ。国境を越えた平和活動に参加する高校生や大学生も現れた。同時に彼らは、アフリカ系アメリカ人の公民権獲得や女性の地位向上のために闘い、アメリカ軍のベトナム侵攻に反対してデモ行進し、核兵器製造を中止して核戦争が起きる危険をへらすように政府に要求した。彼らは、世界の命運は自分たちにかかっていると感じていたし、親の世代よりもっと世の中に貢献できるはずだと確信していた。彼らは、親たちが経験した世界大戦や人種差別、貧困というものが存在しない、よりよい未来を夢見た。そして、その夢を現実のものにするために行動したのである。

第3部

戦争好きな体質

9

朝鮮戦争

一九五〇年六月二四日土曜日の朝、大統領ハリー・トルーマンは、普段より早く目覚めた。ブレアハウスの正面の窓から早朝の光がさしこんでくる。ホワイトハウスは大改修中で、彼は大統領用の迎賓館《げいひんかん》であるブレアハウスで、任期後半を妻のベスとともに暮らしていた。トルーマンはキングサイズのベッドの端に座り、いつものように朝のストレッチをしてからガウンをはおり、椅子《いす》に腰かけて主要新聞各紙をひらいた。最初に娯楽欄に目を通す。先夜、『ターザンと女奴隷《どれい》』がニューヨークの映画館で封切られたらしい。リチャード・ロジャースとオスカー・ハマースタインは、ミュージカル『王様と私』を制作中、ブロードウェイでは、『セールスマンの死』、『カクテルパーティ』、『南太平洋』、『キス・ミー・ケイト』が上演されている。

後ろからページをめくっていき、第一面を見た。前日、議会上院では、イギリスとフランスを含むアメリカの同盟国の防衛力増強についての審議が開始された。要求額は一二億ドル超という相当なものだが、テキサスの民主党員ジョン・コナリーは、第三次世界大戦を回避するにはそれしか方法はないと、渋面《じゅうめん》の共和党員たちに迫ったという。

別の記事は、カリフォルニア大学が、共産党員であることを認めない一五七人の職員の解雇を決定したと報じていた。全国有色人種地位向上協会もまた、公民権運動家の草分けW・E・B・デュボイスを含む要職にある者を、共産党員の疑いがあるため除名すると発表した。この年の初めには、物理学者クラウス・フックスが、原爆製造理論などの極秘《ごくひ》情報をソ連側に流していたことが発覚して逮捕されていた。

この頃からウィスコンシン出身の上院議員ジョセフ・マッカーシーは、赤狩《あかが》りを盛大に行って見出しの常連となっていた。すでに二月には、国務省内の多数の職員を共産党員であると告発していたのだ。

いわゆる「マッカーシー旋風《せんぷう》」にあおられて、多くの新聞が、アメリカ人の生活様式をぶちこわそうと邪悪な執念《しゅうねん》を燃やす共産党員があらゆる場所に潜《ひそ》んでいると、警告を発するようになった。シカゴ・トリビューン紙の記者は、ノルウェー出身の初代国連事務総長トリグブ・リーに、あなたは共産党員か、あるいは過去に共産党員であったことはあるか、と質問した。リーはアメリカ人記者からそんな質問を受けたことに驚き、激怒して答えた。「私がずっとノルウェーの労働党員だったことは、記録を調べれば誰《だれ》でもわかるはずだ。ノルウェー労働党は社会主義であり、共産主義ではない。……私が標榜《ひょうぼう》するイデオロギーは、世界の平和と発展だけだ」

トルーマンは、それをよしとはしていなかったものの、マッカーシーの誇大妄想《こだいもうそう》的な告発には慣れっこになっていた。しかし、マッカーシーの偏執《へんしゅう》的な赤狩《あかが》りを焚《た》きつけていたのは、政府職員に忠誠を誓わせるという三年前の大統領の決断だったのである。今や、科学者、作家、教師、俳優、映画監督、芸術家など、あらゆる職業の人々が、下院非米活動委員会に呼び出され、政治的信念を理由に訴追《そつい》された。アメリカの自由は大きく損《そこ》なわれていたのだ。

こうした事態にトルーマンは困惑していたが、静観するしかあるまいと思った。ともあれ自分はこれから休暇に入るのだ。新聞を置き、窓際《まどぎわ》の赤い布張りの椅子《いす》から立ち上がり、身支度《みじたく》して、ブレアハウスからワシントン・ナショナル空港へ向かった。ほっとすると同時に期待に胸を躍《おど》らせて、四発エンジンのダグラスＤＣ６型機の豪華な機内へ乗りこむ。飛行機はランウェイを滑走《かっそう》し、湿気《しっけ》の多いうっとうしいワシントンＤＣを離陸すると西へ進路をとり、大統領の故郷ミズーリ州インディペンデンスに着陸した。

朝鮮戦争勃発《ぼっぱつ》

トルーマンが育ったインディペンデンスは、カンザスシティの東一五キロメートルに位置する中西部の小さな町だ。騒がしい首都とはまるで違っている。空港から幼少期を過ごした家へ車で走る道すがら、彼はぼんやりと窓の外に目を向け、正面ポーチに腰かけている人、ベビーカーを押す人、畑で干し草刈《が》りをしている人などをながめた。これから妻ベス、娘マーガレットとともに、大統領職という重圧から逃れ、数日間のんびりするのだ。

家に着くや、トルーマンはスーツとネクタイからバスローブに着がえ、網戸付きのポーチに置いたプラスティック製の椅子《いす》におさまった。午後遅くベスとマーガレットは誰《だれ》かの結婚式から帰ってきて、三人はディナーをともにした。午後九時二〇分、電話が鳴った。国務長官ディーン・アチソンの不安げな声が聞こえてきた。「きわめて深刻なニュースです。北朝鮮が韓国へ侵入しました」トルーマンには知る由《よし》もなかったが、この事件が大統領職の命運を分けることになる。

一九一〇年から四五年まで、朝鮮半島を支配していたのは日本だった。一九四五年の世界大戦終結後、北緯《ほくい》三八度線を境に、北をソ連、南をアメリカが占領した。そして一九四八年、北には金日成《キム・イルソン》を首相とする北朝鮮（訳注：朝鮮民主主義人民共和国）が、南には李承晩《イ・スンマン》を大統領とする韓国

（訳注：大韓民国《だいかんみんこく》）が成立した。前者はソ連が、後者はアメリカが後ろ盾《だて》となっていた。金日成《キム・イルソン》は、戦時中、日本軍に抵抗していたゲリラ部隊の指導者であり、李承晩《イ・スンマン》はアメリカの大学で教育を受けたクリスチャンだった。両者とも冷酷な独裁者で、強権支配を行った。また、三八度線は暫定《ざんてい》的なものだった。

終戦後の五年間、両国の国境線沿いでは小競《こぜ》り合いが頻発《ひんぱつ》していた。だが、アメリカ軍部の最高指導者たちで構成される統合参謀本部は、朝鮮半島は戦略的に重要ではないと考え、アメリカ政府は朝鮮半島にかかわるべきではないと大統領に勧告した。最初、トルーマンはそのとおりにしていた。

やがてソ連は、アメリカが日本を急速に復興させていく様子を、神経質に注視するようになった。アメリカは日本の経済機構、道路や鉄道網、学校施設を立て直した。そして日本中に軍事基地を建設し、日本の港に軍艦を配備した。ソ連が神経をとがらせたのはなぜか。それは日本の最北の地が、ロシアのサハリンにきわめて近いからだ。ソ連に近接した日本領土内にあるアメリカ空軍基地を使えば、アメリカはロシアを原爆で攻撃することができる。ヨシフ・スターリンにとって、これは受け入れがたいことだった。

一九五〇年、スターリンは得意絶頂にあった。セミパラチンスクで、最初の核実験に成功したからだ。またスターリンはその頃、中国の毛沢東《もうたくとう（マオツォートン）》とも同盟関係になった。中国は世界一の人口を誇る大国であり、一九四九年に毛沢東《もうたくとう（マオツォートン）》率いる中国共産党が中華人民共和国を樹立していた。韓国が近々北朝鮮へ侵入してくると確信したスターリンは、金日成《キム・イルソン》に南への侵攻を許可した。金日成は電光石火の勝利を約束した。一九五〇年六月二五日、こうして朝鮮戦争が勃発《ぼっぱつ》したのだ。

ドミノ理論

バスローブ姿で、トルーマンは凍りついた。とっさに、北朝鮮を「緊密《きんみつ》に統制されたソ連の衛星国家」と表現していた中央情報局（CIA）の報告書を思い出した。韓国が共産党の支配下に入ったら、他国も同様になる恐れがある。アメリカが積極的に介入しないと、アジア大陸全体が共産主義者の手に落ちるかもしれない。トルーマンは、休暇を切り上げてただちにワシントンへもどる、とアチソンに告げた。時刻はワシントン時間一一時二〇分。しかし、大統領が休暇を返上して夜中に首都へ舞いもどれば、重大事件が起きたのだと世間に気づかれてしまうだろう。インディペンデンスにとどまり、次の電話を待つように、とアチソンは大統領をさとした。

翌朝までに、重装備の北朝鮮兵八万九〇〇〇が韓国へ侵攻したと、アチソンから報告があった。韓国の首都ソウルは、国境線からわずか五八キロメートルしか離れていない。ソウル市民一〇〇万の安否があやぶまれた。大統領職の重責から逃れることはできないのだ。トルーマンは昼食をすませ、妻と娘に別れのキスをすると急ぎ空港へもどった。

ワシントンでは、有力議員やメディアからの懸念《けねん》の声の嵐が待っていた。ニューヨーク・タイムズ紙ほか有力紙は、ただちに行動に出ないと「世界の半分を失う」恐れがあると大統領に迫った。中国は共産党に乗っ取られたではないかとトルーマンを非難していた共和党は、もしや大統領は、朝鮮半島における共産主義の存在を黙認《もくにん》するのではないかと気をもんでいた。しかしトルーマンは、政府としては断固たる手段に訴えるつもりだと答えた。「もしも我々が朝鮮半島を見殺しにしたら、ソ連は進軍を続け、アジアの国を次々に併呑《へいどん》してしまうかもしれない」と危惧《きぐ》していたのだ。

西ヨーロッパの各国政府も衝撃を受けていたが、まずはアメリカの出方を見ようと不安げに待機していた。安い労働力と富を求めて世界中を略奪してきたヨーロッパの帝国は、このままでは生き残れないのではないかと今や気が気ではなかった。とりわけフランスが抱く危機感は大きかった。第二次世界大戦後、フランスはベトナムの植民地再建に乗り出したが、ホー・チ・ミンの指揮する共産党軍の激しい抵抗にあっていたのだ。他方イギリスは、マレー半島の植民地に絶望的にしがみついていた。もしもアメリカが北朝鮮軍の侵攻を阻止できなかったら、アジア大陸全体がドミノ倒しのように共産主義者の手に落ちるのではないか、とトルーマンは恐怖した。この危機感は「ドミノ理論」と呼ばれるようになる。

トルーマンはまた、ソ連に朝鮮半島での勝利を許せば、彼らは世界の別の場所、とくにイランへ侵攻するのではないかとも懸念《けねん》していた。地球儀《ぎ》を回して石油資源の豊かなその国を指さすと、彼は側近たちに言った。「うかうかしていると、ソ連はイランで厄介事《やっかいごと》を起こすかもしれない。……こちらが強気で決然として、迅速《じんそく》な対応に出れば、向こうも次の手を打つことはできまい。しかし、傍観《ぼうかん》していたら、彼らはイランへ侵攻し、さらには中東全体を乗っ取ってしまう恐れがある」そこで大統領は、朝鮮半島への介入を国連に提案した。そうすれば、アメリカが直接アジアの小国と戦火をまじえているようには見えないからだ。

国連は、多数の国が参加して、一九四五年に設立された。その任務の一つは、国家間の小さな紛争が戦争に拡大しないように仲裁に入ることだ。そこでトルーマンは、北朝鮮を阻止する軍事行動は国連が支援すべきだ、と力説した。しかも、この軍事行動を、「戦争」(war)よりずっと耳あたりよく響く「警察活動」(police action)と呼んだのだ。国連はこれを承諾《しょうだく》した。

名目上は国連軍の活動でも、地上部隊の半分と海軍・空軍のほとんどはアメリカが派遣《はけん》した。国連軍の主たる目的は、共産党軍を北朝鮮へ押しもどして、再び韓国を脅《おびや》かせないようにすることだった。ただし、忘れてならないのは、アメリカの軍事介入は国連軍の「警察活動」になったため、大統領は宣戦布告の承認を議会からとりつけなかったという点だ。甚大《じんだい》な影響を受けることになる何百万という人々にとって、それはまぎれもない「戦争」だった。しかもそれは、二〇世紀でもっとも血なまぐさい戦争の一つへと展開していくのである。

大敗北

大統領は楽観的に構えていたが、事がそう単純でないことはすぐに明らかになった。ソ連で訓練され、ソ連製の武器を装備した一〇万以上の北朝鮮兵は、アメリカ軍と韓国軍からなる国連軍を奇襲によって圧倒した。国連軍の最高司令官ダグラス・マッカーサー将軍は敗北を目前にして、北朝鮮へ侵攻する許可を求めた。九月、マッカーサーは、仁川《インチョン》に一万七〇〇〇の兵を上陸させて、敵を分断する奇襲作戦を成功させた。トルーマンは、軍事作戦史上最高の一つだと、マッカーサーの「輝かしい戦法」を激賞した。

マッカーサーは鼻高々《はなたかだか》だった。我が国連軍は北朝鮮へ侵攻し、共産党軍を敗走させ、一一月の感謝祭までに戦闘を終結させて、クリスマスには凱旋《がいせん》帰国すると息巻いた。そして、作戦にアメリカ軍は使わない、使うのは韓国軍だけだと約束した。ところが、彼は重要な点を一つ見逃していた。

中国の外交部長、周恩来《しゅうおんらい》（チョウエンライ）がマッカーサーに警告していたのだ。もしも国連軍が中国国境の北まで侵攻してきたら、中国も戦列に加わると。マッカーサーは周の警告を無視した。中国が干渉してくるはずがない、と甘く見ていたのだ。

同じ頃、スターリンは毛沢東《もうたくとう》（マオツォートン）をさかんに鼓舞《こぶ》していた。国連軍より、ソ連と中国の軍隊の方がずっと優秀だと請《う》け合ったのだ。中国の参戦は、「悪辣《あくらつ》で……傲慢《ごうまん》なアメリカのやり口」への格好の意趣返《いしゅがえ》しになるとスターリンは考えていた。

マッカーサーは頓着《とんちゃく》しなかった。約束を無視してアメリカ軍を使い、国境線八キロメートル以内を爆撃してはならない、という統合参謀本部の命令をも無視した。トルーマンはしだいに不安をつのらせていったが、国民的な人気を誇る将軍を怒らせたくなかった。マッカーサーはすべての非難をはねつけ、空爆しなければ敗走が待っていると反駁《はんばく》した。「北朝鮮のどこであれ、中国共産党の侵入を許すことは、近年における自由主義世界最大の敗北となるだろう」とぶち上げたのである。

一〇月二五日、周恩来の警告は現実のものとなった。北朝鮮内陸部の元山《ウォンサン》にある国連軍の拠点《きょてん》が、中国軍によって攻撃されたのだ。二週間後、統合参謀本部はマッカーサーに海外打電し、危険きわまりない作戦を再考せよと命じた。マッカーサーは、いつものごとく怒《ど》鳴《な》り散らして拒絶した。大統領と統合参謀本部は、マッカーサーの思いどおりにさせるしかないと引き下がった。

一一月二四日、マッカーサーは、中国国境付近で大規模攻勢を仕掛けた。しかし日が落ちるや突如として、数十万もの中国兵が北朝鮮との国境を流れる鴨緑江《おうりょっこう》（訳注：朝鮮半島ではアムノック川やアムノ川、中国ではヤール川とも呼ばれる）を越えて突撃《とつげき》してきて、国連軍は命からがら退却させられることになった。朝鮮戦争の退役《たいえき》軍人ジュリアス・ベクトン・ジュニアは回顧《かいこ》する。「午後八時頃《ごろ》、ものすごい数の中国共産党軍が突然現れた。山岳《さんがく》地帯から突撃してきたのだ。ラッパや南蛮笛《チャルメラ》を吹き、銅鑼《どら》のような鳴り物を騒がしく連打しながら、夜空に閃光《せんこう》弾を打ち上げた。そして、甲高《かんだか》い声で叫んだり、何事かを唱えたりしながら徒歩で突進してきて、ライフル銃を放ち、サブマシンガンを掃射《そうしゃ》し、手投げ弾を炸裂《さくれつ》させたのだ。突然の地上戦に驚愕《きょうがく》し、大半のアメリカ兵はろくに反撃できず、パニックになって逃げ出す者までいた」

中国軍の獰猛《どうもう》な奇襲に完全に虚《きょ》を衝《つ》かれ、壊滅的な敗北を喫したマッカーサーは重々しく言った。「我々はまったく新しい戦争に直面している」と。オマール・ブラッドレー元帥《げんすい》は、これを、「アメリカ史上、最悪の軍事的失態」と呼び、タイム誌は、「アメリカ軍がこれほどみじめに敗走したことはない」と報じた。国務長官アチソンは議会に、アメリカは今や第三次世界大戦の瀬戸際《せとぎわ》にいると報告し、トルーマンも同様に日記に記した。「すぐにも第三次世界大戦がはじまってしまいそうだ」

10

マッカーサー解任

戦況《せんきょう》は絶望的で、国連軍は茫然《ぼうぜん》自失《じしつ》していた。トルーマンはついに、中国を標的にした原爆使用を考えるようになった。一九五〇年一一月三〇日、必要があれば、アメリカは敵国兵だけでなく一般市民に対しても原爆を使用することを検討している、と記者団に語り、実際の使用については戦地の司令官マッカーサーが判断する、とも述べた。

原爆を投入して戦闘を支援すべきだ、という声は国内でどんどん大きくなっていた。アメリカ軍がかつてないみじめな敗北を喫したせいで、多くのアメリカ人が理性を失っていたのだ。サウスカロライナ州の下院議員は「原爆を使用すべき時期があるとすれば、それは今だ」と言った。メイン州の上院議員は、使用するなら標的は中国だろうと発言したが、オクラホマ州の下院議員トム・スティードは、むしろ「クレムリンだ」と応じた。

サウスカロライナ州の下院議員ジョセフ・ブライソンは、どこであれ投下自体に意義があるのであり、これは「原爆を含め、あらゆる既存《きぞん》の武力を速《すみ》やかに活用すべき好機である」と述べ、テキサスの下院議員ロイド・ベンツェンは「北朝鮮軍の司令官に対し、一週間以内に韓国から撤退《てったい》せよと勧告するか、あるいはその一週間で、標的都市から市民を避難させよと忠告すべきだ」と大統領に提案した。つまるところ、アメリカ人の五二%が、朝鮮半島での原爆使用に賛成だったのだ。

一九五〇年一二月九日、マッカーサーは、自己の判断で原爆を使用できる権限の許可を求めた。そして八発の原爆を要求したが、三〇発から五〇発の原爆を投下して「放射性コバルトの帯」なるものを形成することができれば、この戦争には一〇日で勝利できると発言した。そうなれば放射能汚染《おせん》は「日本海から黄海まで」広がり、「少なくとも六〇年間、北朝鮮からの韓国への地上侵攻はないだろう」と夢想していたのだ。

一九五一年三月、沖縄の嘉手納《かでな》空軍基地の兵士たちが、あわただしく原爆の組み立て作業を開始した。四月、統合参謀本部は、新たな侵攻か空爆があった場合、アメリカは原爆を使用すると発表する。そして、歴史家マーク・シェルデンとアルビン・Y・ソウが「もっとも威圧的でこの上なく危険な核爆弾演習」と呼んだ「ハドソン・ハーバー作戦」が実施されたのだ。

作戦の目的は、原爆の実戦投入方法の確立だった。おそらくこの戦争がもっとも激化していた九月から一〇月にかけて、B29が嘉手納《かでな》基地から何度も離陸し、核弾頭を除去した「ダミーの原爆」を繰《く》り返し北朝鮮に投下した。こうして、「爆弾の組み立て、発射、運搬、標的照準の地上統制を含む原爆使用に関する全行動」をシミュレートしながら、北朝鮮側を威圧しつづけたのである。

老兵は死なず

状況は制御不能に陥《おちい》った。アメリカ兵や韓国兵などの国連軍の死傷者数が急増し、多くの者が、核兵器を使用する第三次世界大戦がいよいよ迫っていると感じていた。しかし、一九五一年三月、トルーマンは停戦を模索《もさく》しはじめた。これはさっさと片づけられる戦争だと思っていたのに、今やマッカーサーは中国と全面戦争をしようと躍起《やっき》になっている。戦争好きな将軍は、かってに中国へ最後通牒《つうちょう》を突きつけた。トルーマンはこれを認めず、「誰《だれ》がボスなのか、あいつに教えてやる！」と憤激した。そしてマッカーサーが「我々がアジアで共産主義との戦争に敗れれば、ヨーロッパの陥落は避けられない」と不吉きわまりない言葉を口にした時、大統領も統合参謀本部も我慢の限界に達した。マッカーサーは、世界中を火の海にしようとしているのだ。かくして、四月一一日、トルーマンは、命令に従わなくなった将軍を解任した。

マッカーサー解任は、事実上トルーマンの大統領職の終焉《しゅうえん》までも意味することになった。支持率は初めて三〇%以下に落ちこんだ。大半のアメリカ人が、マッカーサーに大きな敬意を抱いていたが、トルーマンに対してはそうではなかったのだ。タイム誌は「これほど人気のない者がこれほど人気のある者をクビにするとは珍しい」と揶揄《やゆ》した。共和党議員は、トルーマンを弾劾《だんがい》しろと息巻いた。上院議員ウィリアム・ジェンナーは、国家への反逆者だ、と大統領をののしった。ジョセフ・マッカーシーは、マッカーサーを解任するような「クソ野郎」はもちろん弾劾すべきだ、と汚い言葉で指弾《しだん》し、当時トルーマンは酔《よ》っ払《ぱら》っていたにちがいない、そうでなければ、「西洋文明に対する死刑執行状」に署名できたはずがないからだとこきおろした。

ニューヨークでの退任パレードでは、七五〇万人が歓声と拍手でマッカーサーを迎えた。ワシントン、ボストン、サンフランシスコ、シカゴでも、英雄のように歓迎された。マッカーサーは議会で惜別《せきべつ》の辞を述べた。自分は戦争屋ではないと、きわめて同情的な聴衆に言い切った。「私ほど戦争に知悉《ちしつ》している者はいないでしょう。それでも、戦争は私にとって、唾棄《だき》すべきものでしかないのです」そこからぐっと個人的な口調になった。「陸軍士官学校《ウェストポイント》の時代から、当時もっとも流行していた軍歌の一節が忘れられません。それは、『老兵は死なず、ただ消え去るのみ』と誇り高く歌っていました。その歌の老兵のように、私は今軍歴を閉じ、ただ消え去ろうとしています。一人の老兵は任務遂行《すいこう》に尽力《じんりょく》しました。それは、神の威光《いこう》がその任務を照らしてくれたためです。さようなら」

その後マッカーサーの名声が急速に色あせていっても、トルーマンの人気は回復しなかった。支持率は二二%という記録的な低さに落ちこんだ。国務長官アチソンは、この戦争は「アメリカの外交政策だけでなく、トルーマン政権にも計り知れないダメージを与えた」と語っている。トルーマンも同じ結論に達したようだった。一九五二年三月、彼は次の大統領選には立候補せず、二期目を目指さないことを発表した。

トルーマンの病

一九五二年七月一一日金曜日、トルーマンは喉《のど》の痛みと激しい胃痛で目を覚ました。その日は一日中ひどく疲れて、仕事にならなかった。二日後、民主党議員との会合からもどってきた時、「神経性の寒気」に襲われた。熱をもった肌からは汗がしたたり落ち、激しい動悸《どうき》がして、恐ろしく憔《しょう》悴《すい》していた。かろうじて椅子《いす》に座っていたものの、一度も体験したことのない疲労感にさいなまれていた。彼は主治医のウォレス・グラハム将軍の診察を受けた。それからインディペンデンスにいる妻ベスと、ロンドンにいる娘マーガレットに電話し、自分は病気だと伝えた。その夜、体温は三九度八分に達した。翌朝、大統領はウォルター・リード陸軍医療センターへ運ばれた。医師団が結成され、血液が採取され、検査につぐ検査が行われた。

その結果、大統領の健康状態はきわめて芳《かんば》しくないことが判明した。敗血性咽頭炎《いんとうえん》、インフルエンザ、呼吸器感染を併発《へいはつ》していたのだ。一時は両肺の鬱血《うっけつ》がひどくなり、ある医師は、残りの任期を全《まっと》うするのは不可能だと思ったという。

トルーマンは七月一九日まで入院し、二一日にようやく執務室へもどった。しかし、ほんの数日しか体はもたず、結局は完全に復調するまで、故郷インディペンデンスで静養することになった。その間にも朝鮮戦争は激化の一途《いっと》をたどり、鉄鋼労働者はストライキに打って出ていたし、大統領選も本格化してきていた。トルーマンは、アメリカ人男性の平均余命を超《こ》えて、すでに六八歳になっており、敗血性咽頭炎は当時の主な死因でもあったが、国民には大統領の健康状態は知らされなかった。

トルーマンの体調悪化の本当の理由は誰《だれ》にもわからないが、過剰《かじょう》なストレスが関係していたことは確かだろう。マッカーサー解任と、朝鮮戦争対策への国民の強い不支持が重くのしかかっていた。だが、彼は過去にも似たような経験をしていたのだ。上院議員時代の一九三七年、トルーマンはアーカンソー州ホットスプリングスの陸海軍病院を訪れ、吐き気、頭痛、極度の疲労感を訴えている。医師は当時、その身体症状は仕事のストレスによるものだと診断した。彼の健康は、大統領という職業によって破壊されたのかもしれない。

一九五三年一月、ハリー・トルーマンは大統領職を辞した。国民の支持率はわずか三二％だった。

11

勝てなかったアメリカ

マッカーサーとトルーマンが舞台から去った後も、朝鮮半島での空爆は一九五三年半ばまで続行された。アメリカ軍の爆撃機が、北朝鮮のほとんどの主要都市を完全に焼き尽《つ》くした。アメリカ軍は、兵士であろうと民間人であろうと区別なく爆撃した。使用された兵器はナパーム弾だった。それは、化学物質とガソリンをゼリー状にして混合させたナパームを充填《じゅうてん》した爆弾で、目標物に付着して一〇〇〇度近い高温で燃焼する。都市に投下されるや、たちまち火災旋風《せんぷう》を発生させ、人体に付着すれば、粘着性《ねんちゃくせい》のため払い落とすことができず、人は生きながら焼き殺されるのだ。

朝鮮戦争では非常に多数の死者が出て、民間人も含めると総計で三〇〇万人から四〇〇万人が死亡したとする説もある。ナパーム弾で殺された者も多い。ニューヨーク・タイムズ紙記者ジョージ・バレットは、韓国の安養《アニャン》市北にある村の様子をこう証言している。「村や畑のいたる所で、ナパーム弾が投下された時とまったく同じ姿のまま、多数の住民が黒焦《くろこ》げになって死んでいた。自転車に乗ろうとしていた男はその姿で、孤児院にいた五〇人の子どもたちは、遊んでいた姿のまま焼き殺されていた。不思議なことに、傷跡《きずあと》一つない主婦が倒れていて、彼女は、シアーズローバック社の通信販売カタログから破り取ったページを握りしめて絶命していた」

丹陽《タニャン》郡のある村の洞窟《どうくつ》には、命からがら空襲から逃げてきた家族が何組も隠れていた。そこがナパーム弾で爆撃された時の様子を、当時一五歳だったイオム・ハン・ウォンはこう話す。「ナパーム弾が洞窟の入り口に落とされて、灯油やひまし油のランプはすべて爆風で壊されました。突然、真っ暗になり、みんな大混乱に陥《おちい》りました。互いに名前を呼び合い、煙にむせながら、先を争って逃げようとしました。濡《ぬ》れた布で顔を隠して地面を這《は》っていけという者もいれば、炎をくぐり抜けて早く逃げろという者もいました。焼死しなかった者は酸欠で窒息死《ちっそくし》しました」

この戦争はどちらの側にとっても、地獄だった。当時一九歳のアメリカ軍兵ユージン・インマンは、共産党軍の捕虜にされて、死の行進をさせられたと語る。毎日、日が昇ってから沈むまで、飲まず食わずで長距離を歩かされるのだ。道の両側から市民が石をぶつけてくる。倒れて歩けなくなると、銃殺されるか、こん棒でなぐり殺されるか、銃剣で突き殺された。毎日、誰《だれ》かが飢《う》えや脱水で死んだ。インマンは幸運な生還者《せいかんしゃ》の一人だった。休戦協定締結から一カ月後の一九五三年八月、一〇〇四日間の捕囚《ほしゅう》生活をへて解放されたのだ。

一九五〇年から五三年の間に、朝鮮半島では、三万六〇〇〇人強の若きアメリカ兵が死亡し、捕虜になったアメリカ兵の七〇％が「精神的につぶされて」、敵軍に協力したという。アメリカ兵捕虜の治療にあたっていた軍医はこう話す。「いつも強い者が弱い者から食料を奪っていた。……多くの者が病気になった。そうした者は、仲間からかばわれることも看護されることもなく、放置されていた。おまけに……赤痢《せきり》で体力を消耗《しょうもう》している者たちは、冬なのに仲間に小屋から外へ蹴《け》り出され、凍死《とうし》することさえあった」捕虜の三八％が命を落とした。彼らは、議会が宣戦布告をしなかった戦争で死んだのである。

運よく祖国へ生還しても、第二次世界大戦の退役《たいえき》軍人やマッカーサーとは違って、彼らは紙テープの舞う中をにぎやかに行進して祝福されることはなかった。敵味方双方に甚大《じんだい》な被害を出したにもかかわらず、この戦争はアメリカと他国との緊張を少しも緩和《かんわ》しなかった。

朝鮮戦争は膠着《こうちゃく》状態に陥《おちい》った。一九五三年七月二七日、アメリカ軍主体の国連代表が中国、北朝鮮の代表と三八度線上にある板門店《パンムンジョム》で休戦協定をかわした。韓国代表は会談への出席を拒否した。休戦協定によって、韓国と北朝鮮の境界線が三八度線であることが恒久《こうきゅう》的に認められた。また、協定には三カ月以内に平和条約を締結するための会談を実施することも盛りこまれていたが、そうした会談は一度ももたれていない。厳密に言えば、この戦争は今日でも継続状態にあるのだ。

トルーマンは、アジアの共産主義をくじくために必要だと言って、朝鮮戦争をアメリカ国民に売りこんだ。ところが、この戦争は裏目に出てしまった。国連を味方につけても、原爆で脅《おど》しをかけても、アメリカは戦争に勝てないというメッセージを、ソ連と中国へ送ることになってしまったのだ。この後もさらに多くの場面で、それが真実であることが証明されていく。

戦争を子どもに売りつける

朝鮮半島で戦争をしている間に、軍隊の存在はますますアメリカの生活の一部になっていった。トルーマン政権下の一九五一年から五三年の三年間の戦時中に、軍事費は一三五億ドルから四八二億ドルと約四倍に急増した。

政府は民間企業と契約し、彼らを「防衛関連企業」と呼んで、航空機、爆弾、ミサイル、ヘリコプターなどを製造させた。ダウ・ケミカル社のような化学メーカーは国民が納めた税金を使って、ナパーム弾などの化学兵器を製造した。それには、「オレンジ剤」と呼ばれる枯葉剤《かれはざい》も含まれている。枯葉剤《かれはざい》は二〇世紀の残りの期間、多くの村落を壊滅させることになる。一九五二年、アメリカ特許商標局が「ゲル状焼夷剤《しょういざい》」に特許を認めてから、ナパーム弾の製造方法は世界中に広まった。ロサンジェルス郡では、一六万人が軍用機製造に従事した。郡総人口の五五％の住民が、軍需産業で働くようになっていたのだ。

一九五〇年代、アメリカの少年は共産主義者を撃退できるほど屈強に成長しないのではないか、と人々は行く末を案じていた。朝鮮戦争がうやむやにおわると、この懸念《けねん》はさらにつのった。アメリカは再び戦争に勝つことができるのか。ソ連が攻めてきた時、アメリカ人の男は祖国を防衛できるのだろうか。もしかすると、甘やかされて「軟弱」になってしまったのではないか。

こうした親の不安を逆手《さかて》にとって、玩具製造会社などが新商品を売りこんだ。少年たちが幼少期から強力な武器に慣れ親しんでいたら、大人になった時、子ども時代に獲得したスキルと自信をもとに、敵をあっさりと撃退できるはずだというのだ。

玩具メーカーは、おもちゃの銃や軍用装備という形で、子どもに戦争を売りつけた。そうしたおもちゃは、いつか強い兵士になって、世界のあちこちで共産主義と戦うのだと少年たちを奮起させた。郊外の住宅地の裏庭で、彼らは熱心に兵隊ごっこをして未来に備え、塹壕《ざんごう》、核シェルター、仮設の救護所まで作った。晴れた日には、軍用M16ライフルそっくりのモデルガン「サウンド・

オー・パワー」を振り回しながら、外へ飛び出してきた。この玩具は音まで実物そっくりで、「警察官でさえ本物の銃声と勘違《かんちが》いするほど精巧な作りになっています」とメーカーは宣伝した。

飛行機の操縦桿《そうじゅうかん》が真ん中にある模型コックピット「ジミー・ジェット」には、「画像スクリーン」まで付属しており、子どもたちは実際に都市上空を爆撃機で飛んでいる気分を味わえた。また、手投げ弾、地形図、水筒、ピストル、迷彩柄《めいさいがら》のヘルメットとマシンガンなどがセットになった「ガンホー・コマンド・アウトフィット」があれば、もっと本物っぽく兵隊ごっこができた。

アイディアル・トイ社は、ミサイル発射機能つきのミニチュア空軍基地「カウントダウン」を売り出した。ミサイルには、USAF（訳注：アメリカ空軍）の大きな印字がある。テレビコマーシャルでは、髪を短く切り揃《そろ》えた少年がヘッドフォンを頭にかけ、発射レバーを押し下げる。するとミサイルが発射されるのだ。すかさず、ナレーターがまくし立てた。「そうです、基地の司令官は君なのです。これは本物の電動ミサイル基地です。制御盤《せいぎょばん》の前に座るだけでミサイル発射準備完了。そして君がカウントダウンして、君がミサイルを打ち上げるのです！　もちろん、ミサイルの追跡もできます！」

核戦争を想定したボードゲームでは、子どもたちはウランを採掘したり、敵の頭上に原爆を投下することができた。他にも原子ビームを発射する「原子銃」、さらには放射線を発射する「核分裂《かくぶんれつ》銃」というピストルまで売られた。

　ライオネル・トレインズ社は、飛行機のコックピットから空軍パイロットが、テレビを観《み》ている子どもたちに話しかけるコマーシャルを制作した。戦闘機の操縦法をマスターするには時間も忍耐力も必要だと、パイロットが語りかける。だから、ミサイル発射台を装備した模型列車「ライオネル・トレイン」の制御方法を学んで、いつか君たちも私のようになってもらいたい。そう言うと、パイロットは誇らしげに自分の息子《むすこ》を紹介した。このコマーシャルは少年だけでなく、父親をもターゲットにしていたのである。

陸軍出身の大統領候補

　一九五〇年代初期、軍の存在がアメリカ社会にいかに広範《こうはん》な影響を与えていたかを考えれば、政治経験のない陸軍元帥《げんすい》が大統領選に出馬するのは当然の成り行きと言えた。トルーマンが再選不出馬を表明していたため、一九五二年の大統領選は、民主党のイリノイ州知事アドレー・スティーブンソンと、共和党ドワイト・アイゼンハワー元帥との対決になった。

　当初、アイゼンハワーは立候補を固辞していた。政治経験のない軍人である自分には無理だと考えていたからだ。一九五一年を通じて、出馬要請はますます高まっていったが、元帥《げんすい》は「政治家として身を起こす使命を帯びているとは思えない」という姿勢を崩さなかった。しかし、一九五二年初め、多くの人々に懇請《こんせい》されて彼は軟化《なんか》した。もしも本当にそんな要請があるなら、立候補してもいいと考えるようになったのだ。

要請はすぐに寄せられた。一九五二年一月六日、上院議員ヘンリー・キャボット・ロッジ・ジュニアが、若きジョン・F・ケネディと上院議員の座を争うマサチューセッツ州での選挙戦にからめて、ニューハンプシャー州での大統領予備選の共和党候補者名簿に、アイゼンハワーの名を書きこんだのだ。ロッジは彼の了解をえていなかった。ところが、候補者として自分の名が公《おおやけ》になっても、アイゼンハワーは当選に必要不可欠な人数の支持がない限り出馬しないと、二月に入るまで固辞しつづけた。

熱狂的なニューヨーク市民に手を振る、ヨーロッパ戦線から凱旋したアイゼンハワー。

アイゼンハワーのもっとも熱烈《ねつれつ》な支持者の一人が、アーヴィング・バーリンだった。『アニーよ銃を取れ』、『ショウほど素敵な商売はない』、『踊るリッツの夜』、『愛は海より深く』など九〇〇以上の曲を手掛《てが》けた伝説の作詞作曲家だ。自身はユダヤ教徒だったものの、古風なバラード『ホワイト・クリスマス』の作詞作曲でも知られている。だが、もっとも有名な曲は『ゴッド・ブレス・アメリカ』だろう。一八九三年、ロシアから移民した彼を迎え入れた新しい祖国に捧《ささ》げた賛歌である。

一九五二年二月初め、バーリンはヘンリー・キャボット・ロッジを参謀とする支持者たちが、アイゼンハワーを大統領執務室へ「ドラフト」しようとしていることを知った。しかも彼らは、ニューヨークのマディソンスクエア・ガーデンで、「アイクへの小夜曲《セレナーデ》」（訳注：アイクはアイゼンハワーの愛称）と銘《めい》打《う》った支持者集会を開くという。共和党びいきのバーリンは興奮した面持《おもも》ちで、支持者の前で歌を披露《ひろう》しようと集会責任者に申し出た。しかし、本当に支持者が集まるかどうか定かではなかった。その頃アイゼンハワーはヨーロッパに滞在しており、本人がこない以上ほとんど人は集まらないだろうと、多くの記者が噂《うわさ》し合っていたのだ。そういう連中を一笑に付して、バーリンは新曲『アイ・ライク・アイク』を書き上げた。

集会の開始時刻は、直前にボクシング試合が入っていたため、午後一一時半だった。ところが、マディソンスクエア・ガーデンには、熱心な支持者が大挙して押し寄せた。興奮した人々は小旗や国旗を打ち振り、『アイ・ライク・アイク』の大合唱が壁を震わせた。

アメリカ在郷《ざいごう》軍人会のマーチングバンドが、『リパブリック賛歌』をにぎやかに演奏して、支持者たちを歓迎した。ついで、女優で歌手のエセル・マーマンが、バーリンの『ショウほど素敵な商売はない』をしっとりと歌って聴衆を湧《わ》かせ、歌手のメアリー・マーティンが作曲家リチャード・ロジャースとともに『ワンダフル・ガイ』を高らかに歌い上げた。その後、俳優クラーク・ゲーブルが登壇し、アイゼンハワー支持の演説をした。最後に、集会の立役者バーリン自身がステージに上がり、マイクを派手に振り回しながら、献身的な支持者に向かって『アイ・ライク・アイク』を歌った。支持者たちは大いに熱狂し、バーリンは大喝采《かっさい》を受けた。最終的に、二万五〇〇〇人が参加したこの集会は明け方近くまで続いた。警察も消防保安官も散会させることはできなかった。

この模様は集会責任者によって撮影されていた。女性パイロットの先駆《さきが》けで実業家でもあるジャクリーン・コクランが、そのフィルムをもってアイゼンハワーの滞在先であるパリへ飛んだ。もしも必要不可欠な人数が彼の出馬を望んでいるという証拠があるとすれば、これをおいて他にはないだろう。アイゼンハワーは、フィルムを見て心を揺すぶられた。彼は日記に「数年来、こんなに感動したことはなかった」と書き残している。映写がおわると、コクランは「未来のアメリカ大統領閣下に乾杯《かんぱい》!」とグラスを掲《かか》げた。アイゼンハワーは突然、涙したという。もはや迷っている場合でないことは明らかだった。彼はついに、十分な数の国民から大統領になってほしいと要請されていることを実感した。アイゼンハワーは大統領選出馬を決心した。

12

水爆実験と第五福竜丸

一九五二年のドワイト・アイゼンハワーとアドレー・スティーブンソンの選挙戦では、史上初めてテレビが使用された。その年、共和党と民主党は四〇〇万ドルから一二〇〇万ドルという大金をテレビ宣伝とテレビ演説に費やした。多くの中流家庭では、初めてのテレビを購入してまもない時期だったため、自分のリビングルームから政治過程に参加できるようになって、国民は胸を躍《おど》らせていた。

一般的にアイゼンハワーは、尊敬すべき戦争の英雄ではあっても、普通《ふつう》の市民がかかえている問題には疎《うと》い、超然《ちょうぜん》とした人物のように見られていた。そこで選挙に勝つためには、彼がアメリカの家庭を悩ませている諸問題に精通しており、その解決に意欲的であると投票者に思わせなければならない。アイゼンハワーには大統領の資質があるということを、「売りこむ」必要があったのだ。

そこで選挙参謀は広告代理店テッド・ベイツと契約し、史上初の選挙宣伝用テレビコマーシャルを作らせた。こうして『アイゼンハワーがみなさんの質問に答えます』シリーズが生まれたのだ。

広告を制作したのはテッド・ベイツの幹部で、伝説の広告マンの異名をとるロッサー・リーブスだった。国民の関心を集めている問題は何かを知るため、彼はジョージ・ギャラップが実施している調査結果を参考にした。ギャラップ調査は、幅広い観点から国民の意見を定期的に調べている、信用性の高い民間世論調査の先駆《さきが》け的存在である。一九五二年、人々をもっとも悩ませていた問題は、物価高と高い税金、政治腐敗、そして朝鮮戦争だった。

第二次世界大戦後、アメリカは二度の景気後退を経験し、今や三度目の景気後退へ入りつつあった。国民はまた、地球を半周した朝鮮半島で、何千人もの若いアメリカ兵が負傷し、命を落としていることを悲しんでいたし、この戦争には終わりがないようにも感じていた。アイゼンハワーなら国内景気と朝鮮半島の二つの問題を解決できる、と国民に思わせることが肝要だ。そのためには、できる限りアイゼンハワーに親近感を抱いてもらう必要がある。そこでリーブスは、国民が直接アイゼンハワーに質問して彼が答えるという形式の、わずか二〇秒間の短いコマーシャルを四〇パターン制作したのである。

あるコマーシャルには、生活費の値上がりに頭を痛めている中流家庭の主婦が登場する。主婦がアイゼンハワーに「今の物価についてはご存知でしょうか。なんでも高くなって、気が変になってしまいそうです」と話しかける。そこでカメラはアイゼンハワーのアップに切り替わり、彼は元気づけるような口調で答えるのだ。「ええ、私も妻のメイミーから、物価が高いとこぼされています。だからこそ私は、変革の時だと訴えたいのです。まじめに働いてえたお金で、それに見合う物が買えるように変革しなければなりません」自分の妻に言及したことで、たちまちアイゼンハワーは細君に優しく、アメリカ中の女性の気持ちまで理解してくれる人だ、というイメージが生み出された。

別のコマーシャルでは、中流階級のアフリカ系アメリカ人の男性が、ちょっとした変化球を投げる。「元帥《げんすい》、民主党員から、私はずいぶん恵まれた暮らしをしていると言われたのですが」と問うのだ。するとアイゼンハワーは唇を固く引き結び、厳しい表情で答える。「政府は何十億ドルもの財政赤字を出し、物価は二倍にはね上がり、国民は高い税金に押しつぶされようとしているのに、どうしてこれが恵まれた暮らしだと言えるでしょう。しかも、私たちはまだ朝鮮半島で戦っているのです。これは悲劇です。だからこそ変革が必要なのです」

民主党は有権者に「アメリカは今までになく豊かな暮らしを享受《きょうじゅ》している」と思いこませようとしてきた。そこでアイゼンハワーは、その認識に食ってかかったのだ。第二次世界大戦中の軍事特需で、国の経済はたいそう潤《うるお》ったが、七年後の現在、その勢いはもうなかった。中流階級の人々は、国民の多くが物価高に苦しんでいるのに、政府は外国での戦争に金をかけすぎていると不満だった。アイゼンハワーは、不要な支出を削減《さくげん》し、税率を下げ、朝鮮戦争を終結させるという保守的な公約で、アメリカ人の質問に答えたのである。

リーブスは、一二の特定の州の六二の特定の郡での選挙運動は、『アイゼンハワーがみなさんの質問に答えます』方式でやることにした。抜け目のない広告マンは、アイゼンハワーが八四万四三二〇人から支持をえられるならば、二四九の選挙人（訳注：州ごとに一般有権者が選んだ選挙人が大統領を選出する）投票を獲得しただけで、スティーブンソンに勝てると計算していたのだ。

このキャンペーンは大当たりした。アイゼンハワーとスティーブンソンの闘いは、選挙人得票数四四二対八九で、アイゼンハワーの大勝におわった。スティーブンソンは出身のイリノイ州でも、五〇〇万票近くの差をつけられて敗北した。手の届かない高みにいる元帥《げんすい》というイメージを、アイゼンハワーはみごとに払拭《ふっしょく》したのだ。

一九五三年一月二〇日、最高裁判所長官フレデリック・ヴィンソンの立ち合いで宣誓式が挙行され、第三四代アメリカ合衆国大統領アイゼンハワーが誕生した。

アイゼンハワーの変節

この頃、アメリカとソ連の関係はひどく緊迫《きんぱく》していたし、大統領選でアイゼンハワーは反ソ感情をあおる発言をしていた。しかし、マッカーシーらが、アドレー・スティーブンソンを共産主義者だと決めつけ、その愛国心には疑問がもたれると糾弾《きゅうだん》しても、彼は一定の距離を置いていた。また、アイゼンハワー陣営の副大統領候補リチャード・ニクソンもきわめて攻撃的な反共主義者で、スティーブンソンを「臆病者《おくびょうもの》のディーン・アチソンから共産主義封じ込め政策を仕こまれた腰抜けのインテリ」とののしり、共産主義の勢力拡大阻止のためには、「封じ込め」では不十分であり、必要ならばアメリカが力ずくで、共産主義の国々を「解放」してやるべきだと考えていた。だが、アイゼンハワーはニクソンをも敬遠していた。

つまり、アイゼンハワーは反共主義の陣営で闘ったものの、立候補以前には、頑固《がんこ》な反共主義者にはまったく見えなかったのだ。第二次世界大戦中の一九四二年、アイゼンハワーがヨーロッパ戦線へのアメリカ軍参加を強力に推進したおかげで、ソ連はナチスを数年早く敗退させることができた。その結果、ソ連のゲオルギー・ジューコフ元帥《げんすい》は、彼と親交を結ぶようになり、戦後も米ソの友好関係は続くと信じていた。ヨシフ・スターリンでさえ、アイゼンハワーに好意をもっていた。

スターリンは、駐ソ連アメリカ大使アヴェレル・ハリマンにこう語ったという。「アイゼンハワー元《げん》帥《すい》は偉大な人物だ。軍人としての功績がすばらしいだけでなく、人物そのものが優れている。友好的で親切で、率直だ」一九四五年八月、アイゼンハワーはモスクワを訪問し、ソ連の人々から英雄のような歓迎を受けた。スターリンからは、外国人として初めて、レーニン廟《びょう》の屋上から赤の広場のパレードを閲兵《えっぺい》する、という特別な栄誉《えいよ》を与えられている。

大統領就任直前、アイゼンハワーはまた、アメリカは国家防衛のために軍隊を増強したり、兵器の備蓄数をふやしたりする必要はないと発言し、ドイツと日本を例に挙げている。両国とも、第二次世界大戦以前から巨大な戦争推進機構をもっていたにもかかわらず完敗したからだ。彼は、世界大戦を終結させるために原爆は不要だったと考えていたし、原爆を使用したことで、アメリカは未来を脅《おびや》かすような危険な前例を打ち立ててしまったと認識していた。一九四五年、広島への原爆投下を知った時には、記者にこう語っている。「原爆が使用される前に私は、……アメリカはロシアと友好関係を継続していけると確信していた。だが、今となってはどうだろうか。この戦争で原爆は使用されないと思っていたし、現在にいたるまで、アメリカ、イギリス、ロシアの三国で長い将来にわたり、世界平和を保障していけると考えていた。しかし、もはやわからなくなった。今や世界中の人々がおびえ、動揺している。再び、誰《だれ》もが安全ではないと感じているのだ」

戦後しばらく、アイゼンハワーは、原爆の国際管理という構想を支持し、原爆は国連へ引き渡して廃棄すべきだと考えていた。そしてつねづね、原爆は軍人にゆだねるのでなく、文民統制の下に置くべきだとも主張していた。核兵器使用に対する道徳的な懸念《けねん》を、彼はつねに表明していたのだ。一九四〇から四五年まで首相を務め、五一年に首相に返り咲いたイギリスのウィンストン・チャーチルもまた、人類の生存に突きつけられた脅威として、ますます核兵器に対して危機感を抱くようになっていた。一九五三年、スターリンが死去した時、チャーチルは、この信じがたい時機を利用してきっぱりと冷戦を終結させるようにと、アイゼンハワーやアメリカ政府高官に強く迫った。ソ連の指導者との首脳会談も求めた。六週間後の一九五三年四月、アイゼンハワーは、「平和への好機」と呼ばれる演説で、冷戦のためにアメリカが払っている犠牲《ぎせい》を、きわめて明確な言葉で大胆に表現している。

製造されるすべての銃、進水されるすべての軍艦、発射されるすべてのロケットは、食べ物がなくて飢《う》えている人、衣服がなくて寒さに凍《こご》えている人から盗みを働いた結果なのだ。軍事武装されたこの世界では……労働者の汗、科学者の才能、子どもたちの希望が浪費されている。最新式重爆撃機一機の製造費は……三〇以上の都市に、現代的なレンガ造りの学校を一校ずつ建設する費用に相当する。また、人口六万の町に電力を供給できる発電所を二基建造することも、設備の整ったりっぱな病院を二つ建設することも、八〇キロメートルのコンクリート舗装《ほそう》道路を敷設《ふせつ》することも可能な金額だ。戦闘機一機の購入費用は、五〇万ブッシェル（訳注：約一万三六〇〇トン）の小麦に相当し、駆逐艦《くちくかん》一隻《せき》の購入費用は、八〇〇〇人以上が住める新築住宅の建設費に相当する。……これは健全な社会のあり方ではない。……戦争を呼びこむ暗雲の下、鉄の十字架に磔《はりつけ》にされているのは我々の人間性なのである。

ニューヨーク・タイムズ紙はこの演説を「崇高《すうこう》で、きわめて感動的」と評し、ワシントン・ポスト紙は、新大統領がトルーマンの「挑発的な物言い」、「攻撃的な態度」、そして、「軍国主義的な政策」とは無縁であることを望むと書いた。つまりアイゼンハワーは、平和と軍備縮小を目指しているように見えたのである。また、貧困と飢餓《きが》、疾病《しっぺい》に苦しむ世界中の国々への援助も模索《もさく》しているように思われた。多くの人々が、思慮《しりょ》分別のある今度の大統領は、トルーマンのように戦争をするぞと脅《おど》しをかけるのではなく、諸国との話し合いによって問題を解決していくだろうと期待した。この演説は、ソ連の新聞各紙でも広く報じられ、ロシア国民の中には希望に満ちた展望を表明する者もあった。しかし、この平和指向は続かなかった。

アイゼンハワー自身の高邁《こうまい》な言葉、あるいは彼なら冷戦終結のために行動してくれるだろうという多数のアメリカ人と一部のロシア人の期待にもかかわらず、アイゼンハワーは、大統領就任時より、世界をはるかに危険な場所にして退任することになる。二期八年の在任中には、冷戦と核兵器開発競争にブレーキをかける好機が幾度もめぐってきた。思い切った行動に出て、世界を違った方向へ導くこともできたはずだ。ところが、彼は人類史上かつてない最強の軍備増強を指揮することになる。大統領就任時、アメリカの兵器庫には一〇〇〇をわずかに超《こ》える原爆が備蓄されていた。しかし、職を去る時には、それは二万二〇〇〇発以上に急増していたのである。

人類初の水爆実験

大統領選挙投票日は、人類史上もっとも不穏《ふおん》な出来事の一つとほぼ時を同じくしていた。投票日のわずか三日前の一九五二年一一月一日、アメリカはマーシャル諸島で人類初の水素爆弾実験に成功した。初めて開発された水爆により、エルゲラブ島は、直径一六〇キロメートルのキノコ雲の下で六時間燃えつづけた後、地上から完全に姿を消した。その水爆は広島に投下された原爆の七〇〇倍以上の威力をもち、あらゆる予想を超えていたのだ。ある水兵は、「本当に、この世のすべてが燃えているようだった」と言った。四〇キロメートル離れた洋上にいた物理学者ハロルド・アグニューは語っている。「あの熱さのことは絶対に忘れないだろう。爆発時の熱風とは違うものだった。……時間が経過しても、熱気が後からあとから押し寄せてくるのだ。本当に恐ろしかった」

アイゼンハワーはこの新しい現実を認め、大統領就任演説で「地上から人類を滅亡させる破壊力を……科学は我々に授けようとしているかのようだ」と懸念《けねん》を表明した。ところが、ソ連はあとどれぐらいで水爆の開発に成功するだろうと考えると、多くのアメリカ人は緊張で硬直してしまうのだ。一九五三年夏、アイゼンハワーはＣＩＡの報告書を読んで安堵《あんど》した。ソ連が水爆を開発中であると思われる証拠はないというのだ。しかしまもなく彼は、ひどく不愉快な現実に直面させられることになる。

ソ連の水素爆弾

一九五三年八月一二日、カザフスタンのセミパラチンスク核実験場上空に再びまぶしい光が炸裂《さくれつ》した。しかも、それは以前とは比較にならないほどの明るさだった。ソ連首相ゲオルギー・マレンコフは、ソ連は世界で初めて、小型で軽量な実用型水素爆弾の実験に成功したと誇らしげに世界に発表した。ＣＩＡの報告書は間違っていたのだ。

水爆を設置した鉄塔が竜巻のような火柱に包まれて蒸発するのを目にして、ソ連開発チームの責任者の心臓は「早鐘を打つように高鳴った」という。粉塵《ふんじん》がおさまると、数分前まで鉄塔が立っていた場所には、巨大なクレーターが口をあけていた。この爆弾の核出力は、ＴＮＴ火薬四〇万トンに相当すると概算《がいさん》された。

たとえば、三〇〇キロトンの水爆がワシントン上空で爆発したらどうなるだろうか。爆発エネルギーは強烈な閃光《せんこう》を放つ巨大な火球となって出現し、一刹那《いちせつな》で直径二キロメートルほどに発達する。それは太陽よりはるかに熱く、軽く一億度を超え、太陽の五〇〇〇倍の明るさで輝くだろう。爆心地を国防総省《ペンタゴン》と仮定すると、そこから半径約一キロメートル内にあるペンタゴンシティモールやポトマック川、道路や建物、車、そして人間も、想像を絶する熱エネルギーにさらされて、一瞬で蒸発するはずだ。

数秒後、衝撃波が生まれ、時速一二〇〇キロメートル超の爆風を引き起こす。爆風は信じがたいパワーで、燃える車、バス、トラック、列車などを空中に巻き上げる。ビルは崩れ落ち、割れた窓ガラスは宙を飛び、触れたものすべてに短剣のように突き刺さる。さらに、火災旋風《せんぷう》が起きて、可燃性のものは何もかも発火する。ガス管、燃料タンク、ナショナル空港に駐機している航空機も同様に炎上するはずだ。

ペンタゴンから二キロメートル以内に位置するアーリントン国立墓地の大半、そしてジェファーソン記念館とリンカーン記念館までのエリアは、広島の人々が体験した一五倍以上の熱エネルギーにさらされるだろう。記念館の石段は粉砕《ふんさい》されて土埃《つちぼこり》と化し、ナショナルモールの木々は炎に包まれて爆発する。この国立公園や周辺の観光名所を訪ねていた人々は全員、たちまち火だるまになるはずだ。と、方向を変えた爆風が再び襲いかかってきて、最初のとてつもない爆風をなんとかしのいだものすべてを完全に崩壊させる。また、遠く離れた場所にいようとも、閃光《せんこう》を目にした者は視力障がいを負うことになるだろう。

第五福竜丸

核戦争の恐怖が国内にじわじわと広がる中、アメリカ政府はマーシャル諸島で、さらに大型でもっと破壊的な核兵器の実験を続行、人間を汚染《おせん》し、殺傷しつづけていた。

一九五四年一月二二日、日本の遠洋マグロ漁船、第五福竜丸（英語名ラッキードラゴン）が艤装《ぎそう》を整えて、日本有数のマグロの水揚《みずあ》げ高を誇る静岡県の焼津《やいづ》港を出港した。食料品、飲み水、毛布、衣類を甲板下《かんぱん》の船倉にきっちりと積みこみ、家族に別れを告げて、二三人の乗員は視線を大海原《おおうなばら》に転じた。冬の遠洋マグロ漁は危険が多い上、とりわけ孤立しがちだ。一番の高値で取引される魚を捕獲するには、はるか太平洋沖まで出漁しなければならない。また、無事に帰港できるとは限らないことも承知していた。

出港時から、第五福竜丸は船名どおり、福《ラッキー》に恵まれているとは言えなかった。すぐに、まだ経験の浅い二二歳の船長筒井久吉《ひさきち》は、出力全開にならないエンジンと格闘《かくとう》することになり、船は五ノットを出すのがやっとで、一時間に一〇キロほどしか進まなかった。五週間の予定の遠洋航海のうち三週間は、サンゴ礁《しょう》のせいで、三三〇本の延縄《はえなわ》の半分はなくなるかからまってしまい、仕事にならなかった。

空手《からて》で故郷へ帰れないことは、船長の筒井にはわかっていた。まともな水揚《みずあ》げなしでは、母港の焼津《やいづ》のみんなに合わせる顔がない。乗員は、いつもと違う漁場まで足をのばしてはどうだろうと話し合った。マーシャル諸島付近にはまだ試《ため》していない漁場がある。そこが良好な漁場だったら、船いっぱいに魚を捕獲してさっさと帰港すればよい。乗員の意見は一致した。船はミッドウェー諸島を離れ、南西へ向かった。

二月末には食料などの蓄えはほぼ底をついていたものの、マーシャル諸島のちょうど西、東経一六六度一八分に達した。燃料は帰路分がなんとか残っているだけだが、もう一日ほどなら操業できるだろう。

福竜丸がマーシャル諸島へさらに接近している間に、アメリカ政府から、ビキニ環礁《かんしょう》付近の海域に立ち入るな、東経一六六度一八分より東にとどまれ、と日本の海上保安部へ避難勧告があった。しかし、福竜丸は勧告を知らないまま、東経一六六度一八分の東にいた。それが一九五四年三月一日だった。

午前六時四五分、その朝、まるで太陽が西から昇ったように、船はまばゆい光に照らされた。乗員の大石又吉《またきち》は語る。「船窓から黄色っぽい光がさしこんできて、何事だろうと思い、戸口近くの寝棚《ねだな》から飛び起きて甲板《かんぱん》へ上がりました。口もきけないほど驚きました。ブリッジも空も海も、夕焼けのように染まっていたのです」

東経一六六度一八分の東にとどまるようにアメリカが勧告したのは、水爆実験を予定していたからだ。関係者は爆発後の降灰がマーシャル諸島の西寄りに飛ばされると予想していた。しかし、当日の朝、風は東寄りに変わった。降灰の飛来が予想される危険水域にいるアメリカ船舶《せんぱく》に避難を警告した後、関係者は予定どおり実験を敢行することにした。むろん、福竜丸に対して避難の呼びかけはなかった。

おまけに、水爆は予想の二倍の威力で爆発した。広島を壊滅させた原爆の一〇〇〇倍以上の一五メガトンという規模だった。放射能を帯びたサンゴの粉塵《ふんじん》が吸い上げられて雲となり、ロンゲラップ、ロンゲリック、ウトリックの各環礁《かんしょう》へ降灰した。三つの島の住民二三六人とアメリカ人二八人が放射能に汚染《おせん》された。島の子どもたちは危険も知らず、放射性降下物が降り注ぐ中、遊びつづけていた。救助船は三日間やってこなかった。その間に、放射能を帯びた浮遊塵《ふゆうじん》と汚染された海水が島民の体に入りこみ、彼らの皮膚《ひふ》は焼かれ、血液は冒《おか》された。

実験水域のかなり東で操業していた福竜丸の船体に損傷はなかった。しかし、ほどなく白い粉のような灰が、静かに甲板《かんぱん》に降り注いできた。それは粉砕《ふんさい》されたサンゴのかけらで、魚や海生生物や炭化された遺骸《いがい》も混じっていた。乗員の大石はその後についてこう語る。「巨大な雲の上部が、船に覆《おお》いかぶさってきました。……二時間後には、……粉雪のような白い灰が降ってきました。その白くて細かいものは、口や鼻だけでなく、耳や目にまで容赦《ようしゃ》なく入りこんできたのです。しかし、それが危険だとはまったく気づきませんでした」

その夜から、福竜丸の乗員は嘔吐《おうと》しはじめた。頭がぼうっとして体は動かず、熱に浮かされたようになった。三月一四日、焼津《やいづ》に帰港した時には、体中にひどいやけどを負い、歯茎《はぐき》から出血があり、腫《は》れ上がった目は開かなくなっていた。彼らはただちに焼津市郊外に隔離され、家族との再会はしばらく叶《かな》わなかった。衣類や所持品は大きな穴に埋められた。では、彼らが捕獲してきた魚はどうなったのだろう。日本政府が事態を把握《はあく》する前に、魚の一部は東京ほか数都市へ送られて販売されたのである。

死の灰

アメリカの水爆実験で被曝《ひばく》した船舶《せんぱく》は第五福竜丸だけではなかった。八五六隻《せき》の日本の船が、さまざまな量の放射線にさらされていたことが判明し、深刻な社会問題に発展して、日本の水産業は大打撃を受けた。日本人は、放射能汚染《おせん》されているかもしれないと疑心暗鬼《ぎしんあんき》になり、貴重なたんぱく源で主菜の一つである魚類を食べられなくなったのだ。汚染されていることが判明したマグロ総計四五七トンが廃棄された。水産業の落ちこみで経済基盤が崩れ、景気は悪化した。

ところが、アメリカ政府は核実験にはなんの落ち度もなかったと釈明し、危険水域に入るなという警告を無視したとして第五福竜丸を非難した。しかし、彼らが灰をかぶった時、船はすでに警告された水域の外に出ていたのだ。アメリカ原子力規制委員会の委員長ルイス・ストロースは、実は第五福竜丸は「共産党の工作船」で、ソ連のために諜報《ちょうほう》活動をしていたと大統領報道官に語った。

だが、ＣＩＡが即座に否定して、それはでっち上げだとわかった。にもかかわらず、ストロースは記者会見で、こちらの警告を無視したことに変わりはないと第五福竜丸をとがめ、乗員の健康状態は言われているほど深刻ではないと反論した。

半年後の九月、第五福竜丸の無線長久保山愛吉《あいきち》が四〇歳で死亡した。彼は日本人で最初の水爆による犠牲者《ぎせいしゃ》となった。原爆以外の核爆弾による被曝《ひばく》で死者が出てしまったのだ。乗員の多くがその年いっぱい入院した。乗員の一人見崎進《みさきすすむ》は胸を打つメッセージを世界に発信した。「私たちが受けた苦痛は全人類を脅《おびや》かすものだ。このことを責任ある人たちに伝えてほしい。どうか彼らが聞き届けてくれますように」

マーシャル諸島のロンゲラップ環礁《かんしょう》から避難した住民は、ずっと帰島できなかった。一九五七年、彼らは島へもどったが、まだ汚染《おせん》されているのではないかという疑念が科学的に証明されて、一九八五年にはまた島を離れた。

アイゼンハワーは、原子力の平和利用をさかんに喧伝《けんでん》するようになっていたが、核実験によってますます多数の人々が世界各地で殺傷されていたのだ。インドの首相ジャワハルラール・ネルーは、アメリカの指導者たちは、「自己中心的な、正気を失った危険人物ぞろいで、アメリカの政策に不都合な人々や国々を文字どおり吹き飛ばしている」と痛罵《つうば》した。

アイゼンハワーは内心、他国の意向を気にかけていたらしい。一九五四年五月の国家安全保障会議では、「誰《だれ》もかれもが我々のことを、核兵器で脅《おど》しをかけるような唾棄《だき》すべき戦争屋だと思っているようだ」と発言している。国務長官ジョン・フォスター・ダレスは「我々は日ごと、イギリスなど同盟国の支持を失いつつある。そうした国々はみな、口をそろえて、アメリカはひどく軍国主義的だと非難する。今や我が軍は、ヒトラーの軍事機構と比較されているほどだ」と嘆いた。

第五福竜丸事件をきっかけに、「死の灰」という言葉が一気に広まり、世界各地で核実験反対運動が活発になった。日本の反応はどの国よりも激しかった。占領国アメリカの検閲がいかに厳しくても、広島と長崎の悲劇は忘れられるものではないからだ。東京都杉並区《すぎなみく》の主婦による水爆実験禁止を求める署名運動は、広島を始めとする各地の運動とも相まって、三二〇〇万人の署名を集めた。それは、日本総人口の三分の一にあたる数だった。

13

スプートニク・ショック

アメリカが各種兵器を開発実験しているように、もちろんソ連も新兵器の開発実験を重ねていた。一九五七年八月、ソ連は世界初の大陸間弾道ミサイルの発射テストに成功する。弾道ミサイルは核爆弾を搭載《とうさい》できるため、爆撃機を飛ばすまでもなく、遠距離から標的をねらうことを可能にし、宇宙空間への人工衛星の打ち上げまでも促進するものだった。それから二カ月後の一〇月四日、首都ワシントンのテレタイプ端末《たんまつ》が、AP通信からの驚くべきニュースを速報した。「モスクワラジオによると、今夜、ソ連は人工衛星を地球の軌道に乗せることに成功した」

この年の一〇月初めは、すでにビッグニュースの目白押しだった。ワールドシリーズでは、ミルウォーキー・ブレイブスとニューヨーク・ヤンキースが連日熱戦を展開していたし、大人気ドラマになる『ビーバーちゃん』

のテレビ放映が開始されたばかりだったし、悪性のインフルエンザが全国的に大流行していた。

同じ頃、アイゼンハワーは、アーカンソーの州都リトルロックにあるセントラル高校の対応で大わらわだった。州知事フォーバスが、白人と黒人の分離は違憲とした最高裁判決に逆らい、初の黒人学生受け入れを州兵によって阻止させたが、大統領がアメリカ軍を投入して黒人学生の登校を強行したため、国を揺るがす大ニュースになっていたのだ。一〇月四日金曜日午後六時半、ソ連の人工衛星打ち上げ成功のニュースが、アイゼンハワーに届けられた。アイゼンハワーはこの驚愕《きょうがく》すべきニュースを、さもなんでもないことのようにあしらい、大統領報道官を通じて声明を発表した。

「むろんソ連の人工衛星は科学的に意義あるものだろうが……騒ぎ立てるほどでもない。宇宙計画についてソ連と競争しているという考えは、アメリカにはまったくないからだ」

しかし、もちろん競争していた。アメリカは人工衛星ヴァンガード開発の真っ最中であり、一九五八年半ばを打ち上げ予定にしていた。ところが、衛星の設計ミスや宇宙へ送り出すロケットの不備などで、前途多難の様相を呈していたのだ。

人工衛星建造を担当していたアメリカ海軍は打ち上げ成功を見こんで、すでに何冊かの本を出版していたし、各種雑誌は、人工衛星がもたらす新しい可能性について解説した記事をにぎやかに掲載していた。ヴァンガードのイラストを表紙にした宇宙ファンに人気の『ディスカバー・ザ・スターズ』誌は、模型の衛星の組み立て方を読者に伝授しつつ、アメリカは世界で最初にロケット打ち上げに成功し、華々《はなばな》しく宇宙時代の幕をあけるだろう、と書き立てていた。ヴァンガード打ち上げを確信していた国民は、ソ連に先を越されることなど想像もしていなかった。だからこそ、スプートニク打ち上げ成功のニュースは屈辱《くつじょく》的であり、そのショックは計り知れなかった。

ロシア語で「地球の仲間」、「旅の道連れ」という意味をもつ正式名スプートニク・ゼムリャは重さ八三・六キログラム、直径五八センチメートルのビーチボール大の球形だった。地上に電波を発信しながら、九六分一七秒で地球を周回した。ソ連政府高官たちは、自国の科学技術の大勝利であると快哉《かいさい》を叫び、ソ連の方がアメリカより優秀であることの動かぬ証明だと公言してはばからなかった。

多くのアメリカ人が、ソ連はただの遅れた国で、アメリカの先進的な技術には太刀打《たちう》ちできないと一〇年以上ものんきに構えていたのだ。作家ジョン・ガンサーは、「ロシア人にはトラクターを運転する知恵さえろくにないと、長年アメリカ人は浅はかにも思いこんでいた」と書いている。アメリカ人はパニックに陥《おちい》った。もしかするとソ連がいきなり、大陸間弾道ミサイルをアメリカの都市へ発射してくるかもしれないと恐怖したのだ。

スプートニク打ち上げから三日後、ソ連が、ミサイルに搭載《とうさい》可能な新型の水爆実験に成功したと発表するや、アメリカ国民はさらに震え上がった。上院議員リンドン・ジョンソンは、ソ連はもうじき、「子どもたちが陸橋から、走っている車に石を投げ落とすように、宇宙から、我々に向かって爆弾を落とすつもりなのだろう」とヒステリックに言い立てた。

夜空を見上げてスプートニクを探す

一〇月四日午後八時七分、ニューヨークのラジオ局がスプートニクの発信音をキャッチし、アメリカ全土に流した。テレビかラジオがあれば、誰《だれ》でもそれを耳にすることができた。ピーッ、ピーッ、ピーッ。世界各地でその電波は受信された。

上院議員ジョンソンと妻レディ・バードは、テキサスの自分の牧場で、評判のバーベキューで客をもてなしている最中にこのニュースを聞いた。彼らは言葉もなく茫然《ぼうぜん》と空を見上げた。ジョンソンは後にこう語っている。「我が家とパードナレス川の間に走っている人けのない田舎道《いなか》に立って、我々は夜空を見上げた。……不安でたまらなかった。さえぎるもののない広い西部では、空模様を見るのはごく普通のことだ。空は生活の一部だからだ。しかし、あの時の空は見たこともない、まったく異質なものに思われた」

歴史家ドリス・カーンズ・グッドウィンは当時高校二年生で、ソ連が宇宙時代の幕を開けた金曜日の夜、ボーイフレンドの家にいた。二人の恋するティーンエージャーは、夜空にスプートニクを探そうと外に出た。「私たちは毛布をもって、近くの公園へ行きました」彼女は回想する。「とてもロマンティックな雰囲気《ふんいき》で、スプートニクが見えないかと、二人で夜空に目を凝《こ》らしました。すると、彼が手をのばしてきて私にキスしたのです。……それからはもう、スプートニクどころではなくなりました」

同じ夜、アメリカの二四人乗り双発旅客機ＤＣ３型機が太平洋上に不時着した。同機には有名な作家ジェームズ・ミッチェナー（訳注：『南太平洋物語』（六興出版社刊）でピューリッツァー賞を受賞）が乗っていた。幸い、搭乗者《とうじょう》は全員無事で、大きな救命ボートに乗り移り、救援機で東京へ送り届けられた。東京に到着するや、ミッチェナーは興奮した面持《おもも》ちの記者からいきなり質問された。「あのニュースは聞きましたか？」彼は答えた。「もちろんだよ。太平洋のど真ん中に不時着したのは我々なんだ」しかし、その記者は戸惑《とまど》ったように続けた。「いや、そうじゃなくて、ロシア人が地球の軌道に衛星を乗せたんですよ！」ミッチェナーは後に語っている。「そのニュースがあまりにも衝撃的だったので、我々はしばし、自分たちが危機一髪《ききいっぱつ》だったことも忘れてしまった」

はるかな昔から、人間は宇宙に憧《あこが》れてきた。夜空の星々《ほしぼし》を星座として読み解き、惑星が互いにどれほど離れているかを計算した。そして、地球の重力から逃れ、未知の空間へ飛び出していくことを夢見てきたのだ。スプートニクが打ち上げられたあの日、夜空を見上げた世界中の人々は、その夢がぐっと現実に近づいてきたように感じた。二〇世紀には恐ろしいことばかりが起きている。二つの世界大戦は何千万人もの命を奪ったし、核兵器開発競争はいよいよ収束不可能になりつつある。そんな時、ソ連のスプートニク打ち上げは、冷戦からもひょいと何かよいものが生まれてくるかもしれないと、人々に希望を与えたのだ。この楽観的な気分はつかの間のものだったが、人間にはとんでもなく大きなことを達成する力が備わっているのだと勇気づけられる者もいた。その一人がフランクリン・チャン・ディアズだった。

フランクリン・チャン・ディアズの物語

一〇月四日の夜、南米コスタリカの首都サンホセに住む七歳の冒険好きなフランクリンは、家から飛び出して夜空を見上げた。興奮のあまり、居ても立ってもいられなかった。大空に憧《あこが》れる少年は、いつかかならず宇宙へ行くんだと心に誓っていた。友達とは、ロケットごっこばかりしていた。裏庭に置いた大きな段ボール箱に椅子《いす》を寝かせ入れて、宇宙ロケットのコックピットに見立てる。

それから、真剣な面持《おもも》ちで椅子《いす》に座り、ラジオの特集でやっていたように、手順に従ってロケットの準備状況を確認する。それがおわると友達の一人が一〇からカウントダウンを開始、ロケットは打ち上げられるのだ。遠くの惑星目指して、ロケットは飛んでいく。その惑星では、奇妙奇天烈《きてれつ》なモンスターに遭遇《そうぐう》したり、ものすごくスリリングな冒険をしたりするのである。

もうソ連が本物の衛星を宇宙空間へ送りこんだのだから、自分だって宇宙へ行けるはずだとフランクリンは思った。一九六〇年、彼はアメリカ航空宇宙局（ＮＡＳＡ）の初代所長ヴェルナー・フォン・ブラウンに手紙を書いた。自分がいかに冒険好きで、どんなに宇宙に憧《あこが》れているか、どれほど真剣に宇宙へ行きたいと願っているかを書き連ねたのだ。驚いたことに、フォン・ブラウンからの返事が届いた。宇宙飛行士になるためには高校を卒業してアメリカへくることが必要だ、というアドバイスをもらった。

それからの数年間、フランクリンは一緒に宇宙へ行こうと約束した友達がその夢を捨て、もっと現実的で安全な道を選ぶのを見ることになった。自分は違う、と彼は思った。家族にも友達にも、将来自分はロケット科学者になり、ＮＡＳＡのフォン・ブラウンと一緒に働くのだと、自信満々で言いつづけた。周りの者はうなずいて微笑《ほほえ》んでいたが、内心では、そのうちフランクリンも「大人になって現実を見るようになるだろう」と思っていた。

一八歳の誕生日を迎えた後、フランクリンはサンホセの空港で、家族にさよならと手を振り、パンアメリカン航空の銀色に光るボーイング727ジェット機に向かった。機内に足を踏み入れたとたん、これからは一人きりなのだと初めて感じた。左側の窓側の席に座った。すると、突然パニックに陥《おちい》った。「自分は頭がどうかしているんだ」フランクリンは思った。「叶《かな》うはずのない夢を追いかけてここまできたなんて、とんでもないバカだ」家族のもとへ帰ろうと、荷物をつかんで歩き出した。しかし、すでに機体のドアは閉まっており、降りることはできなかった。これからアメリカ東部のコネティカット州へ行くのだ。そこに住むアメリカ人の親戚《しんせき》の家から高校に通うことが決まっていた。

コネティカットにつくや、彼はすぐに英語を勉強しはじめた。周囲の人と話したいという気持ちが強かったので、英語は簡単に身についた。一年でハートフォード高校を卒業し、四年後、コネティカット大学で学士号を取得、マサチューセッツ工科大学へ進んで物理学を学び、熱核融合の研究をした。一九七七年、博士号を取得し、アメリカの市民権を獲得する。そして、一九八〇年、ついに夢の仕事についた。宇宙に行くなんて不可能だとしたり顔で言う人たちにまどわされることなく、心の声はしっかりと彼をそこまで導いてきた。フランクリンはＮＡＳＡの宇宙飛行士の候補に選ばれたのである。

フランクリン・チャン・ディアスのNASA公式写真。ヒスパニック系アメリカ人で最初の宇宙飛行士になった。

スプートニク打ち上げ当時七歳だった少年は、約三〇年後の一九八六年、最初のヒスパニック系アメリカ人飛行士として、スペースシャトル・コロンビアで宇宙を目指すことになった。彼は後年語っている。「宇宙へ行くことは、子どもの頃想像していたものとさほど違っていませんでした。実際に発射直前になって、さまざまな手順確認やカウントダウンが開始されると、これは知っているという感覚が湧《わ》き上がってきました。私は精神的にすでに準備ができていたのです」同年七月、フランクリンは第四〇代大統領ロナルド・レーガンから、功績のあった帰化アメリカ人に与えられる自由勲章《メダル・オブ・リバティ》を授与された。段ボール箱のロケットからはじまった宇宙へ行くための長年の努力は、ついに認められたのだ。

「宇宙はすべてを対等にしてしまう偉大な存在だと思います」地球上の冷戦についてもフランクリンは語っている。「宇宙で働いたり研究したりするためには、天然資源や海外領土を豊富にもっている方が有利だ、ということはありません。必要なのは考える力だけです。それこそがなくてはならない天然資源であり、しかも私たちがたっぷりもっているものなのです」

冷戦終結の呼びかけ

後に首相となるソ連の指導者ニキータ・フルシチョフには、フランクリンの指摘する「考える力」があった。スプートニク一号打ち上げのちょうど一カ月後にスプートニク二号打ち上げも成功させると、フルシチョフはアイゼンハワーに和解を申し出た。戦後一二年間、両国間の緊張は高まりつづけてきたが、大戦で友好関係にあったことを考えると、ここで関係を修復し、きっぱり冷戦を終結させるべきだと彼は考えたのだ。自分たちが打ち上げた人工衛星は、アメリカなど他国の人工衛星打ち上げを待望しており、「ともに宇宙開発における友好提携関係《コモンウェルス》を形成することの方が、殺人兵器製造で競争するよりはるかに有益だろう」と述べた。そして、資本主義国と共産主義国の指導者によるハイレベルの首脳会談開催を提案した。この会談の目的は、「紛争解決手段としての戦争を排除し、冷戦と核兵器開発競争をおわらせ、平和的共存を基礎とする国際関係の構築を目指す」ことである。そして、紛争は、「文化及び国民の要求と必要が最大限に満たされているかという観点における平和的競争によって」解決されるべきである、と訴えたのだ。

フルシチョフの言葉に、多くのアメリカ人は希望を見出した。ヘンリー・ウォレスが唱えた「市《し》井《せい》の人々の世紀」というビジョンの実現はまだ可能なのかもしれないと思ったのだ。ところが、アイゼンハワーはこの呼びかけを無視した。一九五七年一一月、「科学と国家安全に関するアメリカ国民への呼びかけ」という演説で、大統領は不快感をあらわにした。フルシチョフの提案する首脳会談に賛同するどころか、アメリカの圧倒的な軍事的優位をことさらに強調し、軍拡競争ではるかに先を走りつづけるつもりだと意志表明したのである。

我が国は……どんな国の戦争遂行《すいこう》能力もほぼ無力化させるに足る軍事力を保持している。原子力潜水艦も開発中である。……世界でもっとも破壊力に勝《まさ》る核兵器と、それを装備した長距離爆撃機を搭載《とうさい》する巨大な航空母艦も多数展開させている。原子力を動力源とする空母の建造にも着手した。……数において、我が国が保有する核兵器は膨大《ぼうだい》であり、しかも敏速《びんそく》に増加しつづけている。……我々は質においても量においても、ソ連を凌駕《りょうが》しているのだ。アメリカはつねに先頭に立つ所存である。

地球上の全生命に終焉《しゅうえん》をもたらしかねないとしても、アイゼンハワーには核兵器製造を中止するという考えはなかった。それどころか、フルシチョフから理不尽《りふじん》な言いがかりをつけられたと思いこみ、ソ連こそもっと多くの核兵器を製造し、核実験を繰《く》り返し、まともなロケットを開発したらどうなんだと食ってかかったのだ。早い話が、アメリカが本気で「先頭に立つ」と決心したら、ソ連はなんとかついてくるので精いっぱいだろうとまくし立てたのである。

大統領は自分の言葉を行動で裏づけた。一九五七年一二月六日、宇宙開発を現実的な競争にするつもりで、アメリカはヴァンガードロケットで人工衛星打ち上げを試みる。ところが、これがとんでもない大失態を演じることとなった。ロケットは発射台を離れた二秒後に落下し炎上、到達高度は一・二メートルだった。新聞各紙は、グレープフルーツ大の球形の衛星を、「カプートニク（ポンコツ衛星）」、「フロップニク（ダメダメ衛星）」、「ステイプットニク（動かぬ衛星）」と呼んで嘲《ちょう》笑《しょう》した。

アイゼンハワーはひるむことなく、当時アラバマ州レッドストーン兵器廠《しょう》で研究していたヴェルナー・フォン・ブラウンと陸軍のロケット開発チームに対し、なんでもいいから宇宙に打ち上げろと命じた。こうして翌年の五八年一月三一日、重さ約一四キログラムのエクスプローラー一号が打ち上げられて軌道に投入され、アメリカ初の人工衛星となった。

その後アメリカは、世界を牛耳るのはアメリカだということをソ連に見せつけようと、広島に投下したものと同じ威力の原爆を月面で爆発させることまで立案した。計画が成功すれば、地球の広範囲から爆発による塵《じん》雲《うん》が確認できるはずだというのだ。一九五八年五月から五九年一月まで、この計画は一〇人の研究者によって推進された。メンバーには若き日の天文学者カール・セーガンも含まれている。結局、この科学者たちが他の科学者と結束し、「手つかずの月の環境を荒廃させることに意味はない」と政府を納得《なっとく》させて、計画は中止された。

ところが空軍はもっとばかばかしいことを企《たくら》んでいた。一九五八年二月、陸軍中将ドナルド・プットは、月にミサイル基地を建設するという秘密計画を自慢げに公表した。プットは、「爆弾は月面深くに掘った立て坑《あな》から発射可能である」と説明した。そうすれば、万が一アメリカ本土が大規模な核攻撃で破壊され、ミサイル基地のすべてが壊滅させられても、月面基地からソ連に報復することができる。よって、ソ連が本気で自国防衛を望むなら、まずは月面から爆弾を発射する方法を考案すべきだと息巻いたのである。

さらにプットは、たとえソ連が月面にミサイル基地を建設する方法を発見したとしても、アメリカは月よりもっと離れた惑星に基地を建設し、そこからソ連本土とソ連の月面基地を攻撃することもできるのだと豪語《ごうご》した。

この計画を知ったフリージャーナリストのI・F・ストーンは、冴《さ》えた提案をした。では宇宙戦争用軍隊を編成して、ラテン語では月を「ルナ」と呼ぶことにちなみ、狂気軍《ルナシー》（訳注：月光を浴びると頭がおかしくなるという言い伝えがある）と命名してはいかがだろう、と。

核兵器の平和利用

アイゼンハワー政権内には、本当に狂気が跋扈《ばっこ》していたのだ。一九五五年四月末、大統領は「原子力の平和利用」キャンペーンを国内外で開始した。アメリカ原子力規制委員会は、原子力を、共産主義国への国防手段としてだけでなく、輸送車両を動かし、貧しい人に職を与え、街に灯《あか》りをともし、病人を治癒《ちゆ》し、地中探索に寄与する、万能の妙薬として売りこむようになった。アメリカ郵政公社は「原子力の平和利用」を謳《うた》う記念切手を発売した。切手には、「原子力の平和利用こそが人類の大発明の崇高《すうこう》な活用法である」という言葉があしらわれている。

1955年7月28日発行の記念切手。

また、同年アイゼンハワーは、「公正かつ永続的な平和」に対するアメリカの献身を示すため、原子力で動く商船を建造して世界中の港に寄港させるという構想を発表した。七月、アメリカは商業用の原子力発電を初めて実施して、日本など三六カ国から原子炉建造の合意を取りつけた。その間には、原子力航空機の開発にも着手している。しかし、六〇〇〇万ドルの建造費を提示されていた沿岸警備隊の原子力砕氷船《さいひょうせん》は、実際にはもっと費用がかかることが判明し、断念せざるをえなかった。

一九五八年三月一四日、ニューヨーク・タイムズ紙は第一面で、「原子力規制委員会が推進する計画によると、第二次世界大戦時に広島へ投下された原爆の最大一〇倍の破壊力をもつ核実験が、数年以内には国内各地で毎日のように実施される公算が高い」と報じた。

また原子力規制委員会は同年六月、四発の水爆を使用して、アラスカ州の北極圏に新しい人工湾《わん》を造成するという計画を発表する。委員会は、核爆発によって、地下深部に眠っている油層の発掘《はっくつ》が可能になるのではないかと期待していた。また、もっと多数の核爆弾を撃ちこみ、巨大な地下貯水池を建設し、蒸気発電をなし、海水から塩分を除去し、銅などの硬質《こうしつ》金属鉱脈を発見し、さらには医学、生物、農業、工業分野で活用できる放射性同位元素を生成することまで考えていた。

核爆弾利用により、パナマ運河を拡張させ、あるいは気象現象の操作を考える者もいた。核兵器開発と管理にあたるニューメキシコ州サンディア国立研究所のジャック・リードは、ハリケーンの目に沿うように二〇メガトンの核爆弾を爆発させて、ハリケーンの進路を逆転させることを提案した。リードは、放射性降下物はすべて無害になって落下してくると確信していたのだ。また、アメリカ気象局の科学者ハリー・ウェクスラーは、北極圏付近に一〇メガトンの核爆弾を一〇発ほど撃ちこみ、極地の氷床の融解《ゆうかい》速度を速め、北極の気温を一二度上昇させる計画を発案した。

一九五九年、アイゼンハワーは、ニューメキシコ州カールスバッド付近の岩塩層の地下深部で、一〇キロトンの核爆弾を爆発させる地下核実験「ノーム実験」を承認した。核爆発で溶解《ようかい》する岩塩内の熱エネルギーを利用し、地下貯水池での水蒸気発電の可能性を探るものだった。付近に位置するカールスバッド洞窟《どうくつ》群国立公園の管理者は、管轄《かんかつ》の内務省としてはこの発表に「非常に困惑している」との声明を出した。

一般向けの科学技術誌『ポピュラーメカニクス』は、読者に問いかけた。「原子力を動力源とする車を運転し、原子力航空機で、長距離・長時間の飛行を楽しめる日はくるでしょうか。原子炉が家庭用の冷暖房器になることはあるでしょうか」同誌は放射能の存在がネックになる恐れがあると認めながらも、こう続けている。「昨今の状況から考えると、原子力自動車や原子力航空機の製造、あるいは家庭向け冷暖房用の小型原子炉建造も、その実現可能性はかなり高いと言えます。しかし、戸別の原子炉設置は実際的ではないでしょう」

一九五六年の大統領選もまた、民主党のアドレー・スティーブンソンとアイゼンハワーの対決となった。スティーブンソンは、「人類滅亡へとひた走っているのに、自分たちでは核競争は止められないと公言してはばからない現政権の態度は到底《とうてい》受け入れられない」と訴え、アイゼンハワーの核増強政策は「狂気と呼ぶしかないではないか」と痛罵《つうば》した。だが、アイゼンハワーが大勝して、再選を果たした。

一九五七年には、アメリカ、ソ連に加えてイギリスが核実験を成功させ、世界を震撼《しんかん》させた。インド首相ネルーはすべての核実験の中止を叫んだ。「我々が危惧《きぐ》しているように、人類は滅亡してしまうかもしれない」と恐怖したからだった。

やがて、アイゼンハワーが必死に原子力の平和利用を唱えたにもかかわらず、アメリカ国民は核兵器の危険性に気づきはじめる。スプートニク・ショックと第五福竜丸事件を契機《けいき》に、オペレーション・アラートや核実験への反対運動も激化していくのである。

14

人類最後の日

一九五七年一一月、「全米健全核政策委員会」という団体が発足《ほっそく》し、発起人のノーマン・カズンズがニューヨーク・タイムズ紙に意見広告を掲載した。著名人四八人の賛同の署名が寄せられたその広告は、軍備縮小の第一歩として核実験中止を求めるものだった。この大胆なメッセージはアメリカ全土で広く歓迎され、人々は喝采《かっさい》を送り、こぞって支持を表明した。想像を超《こ》える反響に組織メンバーは喜んだ。この団体は「健全」の意の語を採用して短くSANE《セイン》と呼ばれるようになり、反核運動の中心的存在となっていく。

一九五七年には、他にも多くの反核の動きがあった。七月には、カナダのノバスコシア州パグウォッシュで、「科学と国際問題に関する会議」、通称パグウォッシュ会議の第一回が開催された。世界各国の科学者がつどい、戦争廃絶、軍拡競争の終結、核実験中止を呼びかけた。

1957年、高潔な医師、伝道師、思想家として知られるアルベルト・シュバイツァーは、ラジオで核実験の危険性を語り、その中止を世界へ訴えかけた。

日本からは湯川秀樹、朝永《ともなが》振一郎、小川岩雄が出席し、アメリカから五人、ソ連からも三人の科学者が参加した。

また、ノーベル平和賞受賞者アルベルト・シュバイツァーも世界的な反核運動の高まりに応《こた》えて声を上げた。核実験及び核兵器廃絶を求めるアピール「良心の宣言」を、約五〇カ国に向けてラジオ放送したのだ。

ニューヨーク・タイムズ紙は、「核実験継続により、地球上の全生物の将来的な生存が脅《おびや》かされていることに対し、世界的な懸念《けねん》が高まっている」と報じた。同年五月のギャラップ世論調査では、アメリカ人の六三％が国際的な核実験禁止に賛成した。これは前年の数字の約三倍であり、禁止する必要はないと回答した人は二七％だった。

一九五七年には、イギリスの作家ネヴィル・シュートが書いた『渚《なぎさ》にて』（東京創元社刊）がベストセラーになり、アメリカ中の人々が、核戦争が起きたらどうなるのだろうと真剣に話し合うようになった。これは、三七日間続いた核戦争後の世界を描いた小説だ。致命的な誤解によって北半球の諸国間で核戦争が勃発《ぼっぱつ》し、北半球に住んでいた人間は全滅した。南半球オーストラリアの大都市メルボルンは直接の被害はまぬがれたものの、放射能に汚染《おせん》された巨大な雲が時々刻々《じじこっこく》と南下してくる。メルボルンの住民に残された時間は五カ月。この戦争は単なる事故で起きたのか、それとも計算ずくでもたらされたものなのか。登場人物の一人が答える。「いや、事故ではない。……仔細《しさい》な技術面から、人々の反応まで注意深く考慮したうえで引き起こされたのだ。だが、みごとに失敗したってわけだ」

　ワシントン・ポスト紙は、「確実に訪れる死と向き合いながら」と題するレビューを掲載した。「本書は、核の時代に描かれた書籍の中でも、もっとも重要でもっとも感動的な小説である。年に一冊しか本を読まない人には、ぜひ本書を勧《すす》めたい」と。レビューはこう締《し》めくくられている。「この作品には、タイムカプセルのようなものに入れて後世まで保存すべき価値がある。もしも核兵器による世界最終戦争《アルマゲドン》が起きたら、未来の人々は、我々がはっきりと認識していながら破滅への道を歩んできたことを知るだろう。本書は、東西陣営をへだてる鉄のカーテン（訳注：一九四六年、イギリス首相チャーチルが演説で用いて広まった話）の両側で読まれるべきものである」

『渚《なぎさ》にて』は監督スタンリー・クレイマーによって映画化され、一九五九年一二月、世界各国の主要都市で公開されて大反響を呼んだ。映画は身も凍るようなセリフからはじまる。「これは世界の終《しゅう》焉《えん》についての物語である。世界は突然消滅するのではない。あえぎつつ徐々に消えていくのである」

映画を観《み》た人々はみな、世界の終末が近いとわかったら何をするだろうと自問した。未来はないのだからパーティに明け暮れるだろうか。世界がおわるはずがないと無視を決めこむだろうか。それとも、こんな悲劇が起きる前に行動しなかったことを悔《く》やむだろうか。

オーストラリア出身のヘレン・カルディコットは、一九歳の時に『渚《なぎさ》にて』を読んだ。「忘れようにも忘れられない小説でした。その後、核戦争やその結末をテーマにした作品がたくさん書かれ、中にはシュートの小説より、もっと恐ろしかったり感動的なものもありました。でも、この小説の舞台はメルボルンなのです。私はそこで生まれ育ちました。知っている場所がしだいに放射能に汚《お》染《せん》されていく様子を読みながら、安全な場所などどこにもないことに気づきました」

ヘレンは一一歳の頃からずっと医師を目指していた。生き物を愛し、病気の人を救いたいと願っていた。彼女は両親から、本気でやればどんなことでも成し遂《と》げられると言われて育った。そして『渚にて』を読んだ時、自分が本当になすべきことを理解したのだ。「医学部を出て、たいていのオーストラリア人の医者と同じく、高給をとりながらぬくぬくと暮らすのは天職ではないとわかったのです」

医師となった後、彼女は核兵器がいかに人体に悪影響を及ぼすかを、人々に説いて回るようになった。一九七八年には、「社会的責任を果たすための医師団」という団体を刷新し、核兵器廃絶に向けて積極的な活動を展開した。また、長年にわたる平和活動によって多くの賞を受賞し、一九の名誉学位も授けられ、ノーベル平和賞にもノミネートされた。人生の晩年に入ったヘレンは今、未来の世代に地球を引き継《つ》いでいくことの重要性について考えている。「子どもたちの未来は私たちに託されています。私たちは地球を保護し生育すべきであり、むやみに浪費してはならないのです。地球は授かりものです。慈《いつく》しみ、大切にしなければなりません。私たちの家である地球とそこでの暮らし方、地球の行く末は私たちの管理にかかっています。私たちはよりよい管理人にならなければならないのです」

アイゼンハワーは地球の管理人として適任だったろうか。一九五七年九月、ウィンストン・チャーチルは『渚《なぎさ》にて』をフルシチョフに贈呈するつもりだと発表した。アイゼンハワーには贈らないのかと問われて、チャーチルは答えた。「それは金の無駄遣《むだづか》いというものだろう。今の彼はひどく頭が混乱しているようだ。……地球はそのうち破壊されてしまうかもしれない。……もしも自分が全能の神だとしても、地球を再度創造することはないだろう。そんなことをしたら、次には人間に殺されてしまいかねない」

アイゼンハワー政権の閣僚の間からは、核兵器を廃棄しなくても核戦争は防げるということを、

『渚《なぎさ》にて』に感化された国民に教えなければならないという声が上がった。国務省と原子力規制委員会の役人は、あの映画には重大な誤りがあると指摘し、映画の評判を落とそうとした。アメリカ海外広報庁は、『映画〝渚にて〟に関する想定問答集』という文書まで作成した。

シュートの物語がもつ影響力をなんとか弱めようという政府の目論見《もくろみ》にもかかわらず、映画を観《み》た者は心を揺さぶられて涙した。フレッド・アステア演じる原子科学者ジュリアンの言葉に感ずるところがあったのだ。戦争をはじめたのは誰《だれ》なのかという質問に、ジュリアンはこう答える。「使用すれば人類の滅亡を招くとわかっていても、そうした武器を自衛目的で保有していれば平和は保たれる、という愚《おろ》かな考えを受け入れた時、戦争ははじまったのだ。どの国も原爆をもっている。反撃用の原爆ももっているし、再反撃するための原爆まである。そのうち人間は武器に圧倒されるようになった。制御できなくなったのだ。確かに私は原爆の製造に手を貸した。だが、言わせてくれ。おそらく、どこかでレーダーを監視していた誰かが、今何か見たと思ったのだろう。一〇〇〇分の一秒でも躊躇《ちゅうちょ》していたら、自分の国は地図から消えてしまう。……だから、発射ボタンを押した。それで世界に終焉《しゅうえん》がもたらされたのだ」

アイゼンハワーに、この論理が理解できなかったわけではない。事態がコントロール不能に陥《おちい》った場合に備えて、核戦争を回避するための何らかの手を打っておかなければならないことはわかっていた。だから、核兵器使用を迫る統合参謀本部からの圧力に抵抗した。連邦民間防衛本部への支出を制限し、防衛費増加を抑制《よくせい》しようとした。さらには核実験禁止条約の締結さえ目指したのだ。スプートニク・ショック以降の核兵器の大幅備蓄の要求も通さなかった。時に敵意をむき出しにするソ連という強大国に正面から立ち向かった。つまり、戦争を迫るきわめて好戦的な側近たちに取り巻かれながらも、彼は概《がい》して穏健《おんけん》派だったのである。

アイゼンハワーが残したもの

とはいえ、アイゼンハワー政権下で、一〇〇〇発強だった核兵器は二万二〇〇〇発以上に急増し、それらはソ連各地の二五〇〇カ所の標的に向けて配備されていた。一九五九年から六一年にかけては、さらに一万九五〇〇発が追加された。アメリカは、一日七五発のハイペースで核兵器を製造していたのだ。五年間で総メガトン数は六五倍になり、一九六〇年には二万四九一メガトンに達した。これは、広島に投下された原爆の一三六万発分に相当する。

ほとんど知られていないことだが、アイゼンハワーは、軍司令官に、彼らが必要であると判断した場合に核兵器を使用できる権限を委譲していた。大統領と連絡がとれない場合には、軍司令官が大統領に諮《はか》ることなく発射ボタンを押すことが許可されていたのだ。特定の司令官は、さらに下位の司令官に同じ権限を委譲することまで大統領から承認されていた。つまり、空軍、海軍、艦隊司令官、場合によってはパイロット、飛行中隊隊長、基地司令官、空母艦長までが、核の発射ボタンに指を置いていたことになる。こうした事実は、軍事戦略を分析する民間団体ランド研究所の専門家ダニエル・エルズバーグによって指摘された。「権限委譲によって、人類を絶滅させる凶器はつねに一触即発《いっしょくそくはつ》の状況下に置かれていた」エルズバーグはそう語っている。

自分の指揮下で世界がいかに危険になったかについて、アイゼンハワーは気づいていなかったわけではない。後任大統領に引き継《つ》ぐ核兵器の山を遺憾《いかん》に思っていたし、在職中に、核実験禁止条約締結に漕《こ》ぎつけなかったことに深く落胆《らくたん》していた。しかし八年間の任期を振り返ると、彼にできそうなことはさほど多くはなかった。核兵器開発競争は手に負えなくなっていたのである。

第4部
世界をアメリカ化せよ

15

CIAの秘密作戦:イラン

核への懸念《けねん》と冷戦の恐怖が高まりつつあった一九五〇年代前半、アメリカ社会で人気を博していたのは自動車だった。車は大きく速くて、颯爽《さっそう》としていた。ティーンエージャーは車に憧《あこが》れ、崇拝し、ガレージでそれをピカピカに磨き上げた。この時期、何百万ものアメリカ人が都市部から郊外の新興住宅街へ引っ越して、車は職場や学校へ通うための不可欠の手段となった。裕福な家の子どもは親からプレゼントしてもらうか、貯金をためて自分で車を購入する、とライフ誌は報じている。一九五三年、カリフォルニア州カールスバッド高校の駐車場は手狭《てぜま》になり、学校当局は車で通学する学生専用の駐車場の増設を決めた。全国各地で同様の事態が起きていた。車のふえる勢いに駐車スペースがついていけず、道路には駐車場に入れない車があふれた。

自動車メーカーは、冷暖房とラジオ、その他最新の電子機器を新車モデルに装備した。ハイウェー沿いには洗車場がずらりと並び、ドライブスルー式の店ができた。ドライブイン式の映画館、教会や酒屋、食堂《ダイナー》、銀行までも登場した。

頑丈《がんじょう》で安価だったひと昔前のフォード社のT型フォードとは違い、新しい時代の車は一種の贅沢《ぜいたく》品《ひん》として、華やかで人目をひき、デザインに凝《こ》っていたが、さほど値は張らなかった。一九五三年の新車の平均価格は一六五〇ドル。大半の中流家庭が、少なくとも一台は購入できる価格だったのだ。

車はティーンエージャーを、親や近所のコミュニティ、そして不安から解放した。若者にとって、車はとりわけ自由の象徴だった。核戦争による人類滅亡の脅威を背負いながら大人になっていく世代は、現在を楽しむしかなかった。ロックンロールを大音響で流しながら、恋人の肩を抱いてオープンカーでハイウェーを突っ走る以上に素敵なことはどこにもなかったのだ。

アメリカの自動車文化の隆盛に油を注いでいたのは、文字どおりガソリンだった。一九五〇年代、ヨーロッパやアメリカのガソリンは安くて、豊富だった。

西側諸国は車両を走らせ、物を製造し、戦争を遂行《すいこう》するために石油に依存するようになっていた。たとえば、数十万の兵を小型舟艇《しゅうてい》で海からヨーロッパの浜へ揚陸《ようりく》させた第二次世界大戦のノルマンディー上陸作戦では、天文学的な数字の燃料が必要とされた。舟艇はもちろん、それを大西洋の向こうから運搬してきた大型輸送船すべてにも不可欠だった。農場から収穫物をスーパーマーケットへ送り、建築資材を郊外の新興住宅地へ運び、家やオフィスビルを暖房できたのは、安価な石油が簡単に入手できたからだった。

一九五〇年代前半、アメリカは世界の石油の約半分を産出しており、そもそも日本やドイツと戦争しても負けないだけの燃料を自国でまかなえた。しかし、イギリスの事情はまったく違っていた。島国のイギリスは、天然資源の多くを外国から確保するしかなかったし、長年、力ずくでよそから調達してきたのだ。そうしたイギリスが、石油が埋蔵《まいぞう》されているのではないかと目をつけたのはイランだった。

富める国王と貧しき国民

イギリスとイランのぎくしゃくした関係は一九世紀半ば、イギリスがイラン国内に電信ケーブルを敷設《ふせつ》する権利を獲得した時にはじまる。以来、イギリスは「シャー」と呼ばれるイランの国王や王族・貴族たちを懐柔《かいじゅう》して、さかんに取引をしてきた。そうした秘密の取引でシャーたちはますます金持ちになり、イラン国民はさらに貧しくなった。

歴代のシャーは何十年にもわたり国民を裏切り、外国に便宜《べんぎ》を図ってきた。彼らはイランの天然資源を外国の会社に売り渡し、外国資本の会社は多数のイラン人を劣悪な労働条件下で安く働かせた。もっとも大きな裏切りは、一九〇一年、イギリスにイランの石油の採掘権を売り渡したことだろう。この取引で、イギリスはイランの広大な土地で合法的に石油試掘ができるようになり、一九〇八年、中東で初めての商業用油田が発見された。

イランから豊富に産出する石油の利益は、ほぼイギリスに独占された。イラン国民は、シャーたちが文字どおり自分たちの富を売り渡したことに激怒しながらも、現状に甘んずるしかなかった。自国に住みながらヨーロッパ人に雇われている国民は、なんとか生きていけるだけの賃金しかえられず、国内には貧困と病がはびこるようになっていたのだ。

数十年が経過しても状況は変わらず、イギリスの国策会社アングロ・イラニアン石油会社は、イランの石油利権をほしいままにしていた。彼らの経営するイラン南西部のアバダンの油田と製油所の労働条件は、信じられないほど劣悪だった。イギリスで教育を受けた王族の血を引くマヌシャール・ファーマンファーマイアンは、一九四〇年代半ばの様子を、『血と石油：ペルシャの王子の回想録』（『Blood and Oil : Memoirs of a Persian Prince』）でこう表現している。

労働者の賃金は一日五〇セント。用事があろうと病気であろうと休むことは許されず、仕事のせいで体に障がいを負っても何も補償されない。彼らは、掘立《ほったて》小屋が立ち並ぶ貧民街に住んでいる。そこには水道も電気もなく、ましてや食べ物を冷やすアイスボックスや送風機は手の届かない贅沢品《ぜいたくひん》である。冬には一帯は雨で冠水し、油の浮いた沼地と化す。膝まで埋まるので、移動には丸木舟を使う。雨が小やみになれば、よどんだ水からコバエが大量に発生し、鼻の中にまで入ってきたり、料理用の鍋《なべ》の縁《ふち》にびっしりととまったりする。そして、油でべとつく製油所の送風機も詰《つ》まらせるのだ。

一番ひどいのは夏だ。春の気配もなく、季節は突然夏に変わる。想像を絶する炎熱が体にしつこくまとわりつき、砂漠から高温の熱砂が激しく吹きつけてくる。……

アングロ・イラニアン石油会社の経営陣から見ると、イラン人労働者はただの働きバチだ。イギリス人経営者たちはアイロンの効いたクリーム色のシャツを着て、冷房の入ったオフィスで働いている。……アバダンのイギリス人居住地には、芝生、バラの花壇、テニスコート、プール、ナイトクラブまである。しかし、イラン人居住区にはそんなものはない。つつましい食べ物屋も水浴び場もなく、一本の木さえ植えられていない。……狭い路地ではドブネズミが駆け回り、ほそぼそと食べ物を売る雑貨屋の主人は、水を入れる樽《たる》に座って暑さをこらえている。

ムハンマド・モサッデクは、こうした様子をつぶさに見ていた。王家の血を引く裕福な名家の出身ではあったが、イランの国会議員を務めているうちに、祖国がイギリスの言いなりになっていることに気づいた。イギリスがイラン国民を食い物にして、利益を独占していることを知ったのだ。イギリスは力ずくでイランへ入りこみ、事実上イランを植民地化しようとしていた。そんなことは許せないとモサッデクは考えた。愛する祖国の天然資源はどんどん略奪され、国民の尊厳さえ蹂《じゅう》躙《りん》されている。彼はイギリスの横暴とイラン国民の窮状を理解してもらおうと、文書や演説などで国際社会に訴えた。国際連盟に対しても、石油の利権をイギリスがほぼ独占するような不公平な協定を糾弾《きゅうだん》する文書を送り、抗議のビラも配った。だが、なにより身にこたえたのは、絶望のあまり唯々《いい》諾々《だくだく》と現状を受け入れているイラン国民の姿だった。

モサッデクは君主制でも帝国主義でもなく、民主主義を強く信奉していた。ヨーロッパで教育を受けて、平等、友愛、自由という考えを知り、魅了された。彼は、腐敗し切った非道な圧政に苦しむ国民と民主主義の精神を分かち合おうと決心し、信頼される政治的指導者になった。外国勢力とシャーに立ち向かうために、イラン国民が待ち望んでいたリーダーになったのだ。

モサッデクは悲し気な透徹《とうてつ》した目でイランの現状を見つめ、全国民が経済的に豊かになる未来を夢見た。彼はイランの議会で演説した。「イランという国を管理するのに最高の人材は、イラン国民である」この言葉で、モサッデクは国民の心をがっちりとつかんだ。独立は戦って奪還するだけの価値がある。外国の言いなりになっているシャーの専制に、もはや国民は我慢する必要はないのだ。イギリスの支配に真正面から立ち向かうことができれば、本物の自由を勝ち取って未来の世代へ引き継《つ》いでいけるはずだ、と彼は考えた。

モサッデクの夢

労働者と雇用主との信じがたい不平等さに耐えられず、イランでも共産主義にひかれていく者がふえていった。大学教授や知識人、活動家たちのグループが結束し、共産主義を標榜《ひょうぼう》するトゥーデ党を結成した。彼らは、アバダンのような劣悪な条件下で働かされている労働者のために闘うことを党是《とうぜ》とし、労働条件改善を要求し、血も涙もない雇用主から労働者を保護するために奮闘した。党員は若く、楽観的でエネルギーにあふれていた。

トゥーデ党は、シャーに憤《いきどお》る国民にしだいに受け入れられていく。一九四四年にはソ連と政治的な協力関係を結び、カール・マルクスの理論に傾倒していった。この頃から支持者が急増し、一九四六年五月一日、トゥーデ党は多数の人々を街頭へ送り出して、メーデーのデモ行進を主導した。

党員は、首都テヘランの他各地の都市にも繰《く》り出し、労働者の権利獲得を訴えて横断幕を掲《かか》げ、シュプレヒコールを上げた。もしもシャーたちがイギリスなど西側諸国を優遇しつづけるなら、国民には闘う覚悟《かくご》があると宣言したのだ。最低賃金と週四〇時間労働の保障、さらには女性の産休を求めた。また、児童労働の禁止も要求した。幼い子どもをアバダンのような過酷な労働環境で働かせてはならない。

十分すぎるほど苦しんできたイラン国民は、こうして、人間らしい暮らしと自分の土地を取りもどそうと立ち上がった。地平線に新しい日が昇ることを確信して、一九四九年一〇月一三日、モサッデクはイランの民主化を求める者は集まってほしいと国民に呼びかけた。そして、呼びかけに応じた何千もの人々とともに、時のシャー、ムハンマド・レザ・パフラビーの住むゴレスターン宮殿まで、テヘランをデモ行進した。デモ隊は正門に到着すると、民主化を求めるシュプレヒコールを上げた。それからモサッデクが人々の背後から現れ、宮殿に向かってシャーを非難する熱烈《ねつれつ》な演説をして、シャーが公正な選挙の実施を約束するまでここから一歩も動かない、と宣言した。彼は市民的不服従という手段に訴えたのだ。モサッデクら数十人は、宮殿前の芝生で七二時間のハンガーストライキに入った。その犠牲《ぎせい》は報われた。シャーは折れて公正な選挙の実施を誓い、アメリカへ逃亡した。

モサッデクはトゥーデ党に理解を示したものの、ソ連と協力関係にあることを不快に感じていた。彼には祖国イランだけが大切だった。イランが別の帝国、つまりソ連の支配下に置かれるのを見たくなかったのだ。そこでモサッデクは、国民の労働環境の向上を真剣に考えながらも、トゥーデ党員と同じ共産主義者であるというレッテルを貼《は》られまいと慎重《しんちょう》に行動した。同様にトゥーデ党も、モサッデクにはイギリスに立ち向かうだけの力はないと考え、彼を支持しなかった。やがてモサッデクは、国民戦線と呼ばれる新党を結成した。イランに新時代を呼びこむためには、なんとしても石油利権を奪還しなければならないと彼は考えていた。

石油国有化宣言

一九五一年四月二八日、イラン議会は公正な選挙により、モサッデクを首相に指名した。イギリスからの完全な主権回復を目指すモサッデクは、ただちにアングロ・イラニアン石油会社を国有化し、アバダンの油田と精油所を国の管理下に置く法案を提出した。五月一日、法案は議会で可決されて石油国有化法が成立した。モサッデクが首相に就任してから、四日後のことだった。絶対にありえないと思っていたことが起きたのだ。モサッデクは真正面から大国イギリスに向かって、石油はイランのものだと宣言したのである。作家のゴラムレザ・サブリタブリジは書いている。

あの頃、人々は喜びと恐れ、確信と猜疑心《さいぎしん》で混乱しがちだった。それでも、イラン国民であるという自覚を日々強固にしていった。モサッデクの指揮下、イラン史上初めて、民主的な選挙による政権が樹立したことを誇りに思い、歓喜《かんき》していたのだ。イランの市井《しせい》の人々は、国家的威信と国民的結束という深い絆《きずな》で結ばれた。モサッデクは抑圧されていた国民の解放者だった。

アメリカも一七五年前、同様に母国イギリスと戦って独立したという歴史をもっている。そのため、当初は多くの者がモサッデクに好意的だった。国務省は、アメリカ国民は「イラン国の主権を改めて承認し、石油産業の発達により生ずる利益を国家へ還元したいというイラン国の要求を全面的に支持する」という公式声明を出した。

当時は多くのイラン人もまた、アメリカに友好的だった。アメリカ人は友人だと考えていたのだ。あるイラン人は、イラン在住のアメリカ人への感謝をこう語っている。「アメリカ人はどこでも称賛され、親愛の情をもたれていた。……また、イラン社会の向上を支援し……紛争の絶えない貧しい国なのに、敬意を払ってくれた。少数のアメリカ人が、信じられないほど大きな貢献をイランのためにしてくれたのだ」

イラン国民はアメリカ国務省の声明に深く感銘《かんめい》した。植民地的忍従《にんじゅう》からの解放と民主主義への渇望《かつぼう》を、アメリカは理解してくれると感じた。そう信じるに足る理由は多数あったのだ。たとえば、一九四四年、当時の大統領フランクリン・ローズヴェルトは、アフリカのガンビアに対するイギリス統治をこう非難していた。「生まれてこの方、あんなにひどい光景は目にしたことがない。……現地民の暮らしは、私たちのものより五〇〇〇年も遅れていた。イギリスが支配しはじめてから、二〇〇年経過しているのだ。イギリスは、ガンビアに一ドル投下するたび、一〇ドルとりあげている。これが植民地からの搾取《さくしゅ》でなくてなんであろう」そして、後継のトルーマン大統領は、アングロ・イラニアン石油会社の会長ウィリアム・フレーザーを、「時代遅れの典型的な植民地搾取者」と罵《ば》倒《とう》していたのだ。

「マン・オブ・ザ・イヤー」

トルーマンはモサッデクに好意的だったが、同時にアメリカがもっとも頼りにしている同盟国イギリスとの関係にも気をもんでいた。ソ連の勢力拡大を阻止するためには、イギリスとの友好関係を維持していくことが肝要だからだ。そこで彼は、イラン側からなんらかの妥協を引き出そうと仲介に入ることにした。大統領の迎賓館《げいひんかん》ブレアハウスでトルーマンが書いた手紙は、モサッデク懐柔《かいじゅう》をねらうものだった。

本問題はイギリスを始めとする全自由主義諸国との関係において、貴国の繁栄《はんえい》を左右しかねない多くの危険をはらんでいる。よって、熟慮の末の私見をここに表明させてもらいたい。……貴国とイギリスとの協議の中絶と、貴国における石油産業崩壊への予兆を、私は懸念《けねん》をもって注視している。貴国と世界が結果的に損失をこうむることは明白である。まさしく本件のような衝突は、政治を司《つかさど》る者としてもっとも回避すべき悲劇と呼ばなければならない。

トルーマンは国際経験豊かで財政にも明るいアヴェリル・ハリマンをテヘランへ送った。モサッデクには、交渉に応ずる気などなかった。イランは今、イギリスの圧政的な植民地支配から解放されるために、波浪《はろう》に耐えなければならない時期なのだと覚悟《かくご》していた。イギリスをイランから追放するためなら、死ぬことさえいとわない構えだった。モサッデクはハリマンに答えた。「イギリスがいかに狡猾《こうかつ》なのか、貴国は知らない。あの国がどんなに邪悪なのか、どんなふうに触《ふ》れたものを次々と穢《けが》してしまうのか、アメリカには理解できないのだ」

それでも会談を重ねた結果、ついにハリマンはモサッデクに、イギリスとの交渉を約束させた。ところが、頑固《がんこ》なイギリスはまったく歩み寄ろうとしない。石油事業を国有化する権利がイランにあることを少しも顧慮《こりょ》せず、イランもまた一歩も譲歩《じょうほ》しなかった。

大英帝国に真正面から立ち向かうモサッデクは、世界的に注目されるようになった。独立後も旧宗主国イギリスの圧力に苦しむエジプトを訪問した際には、せめて一目だけでも姿を拝みたいというエジプト国民から、熱烈《ねつれつ》な歓迎を受けた。エジプトのメディアは、モサッデクは「過去のしがらみを断ち切り、祖国の自由と尊厳を奪回した」国民の擁護者《ようごしゃ》である、いや、救い主だとまで称賛した。国王ファルークと首相ナハス・パシャは彼への忠誠を誓い、「イランとエジプトは結束してイギリスの帝国主義を粉砕《ふんさい》する」と宣言した。

一九五二年一月七日、タイム誌は「今年の人《マン・オブ・ザ・イヤー》」にモサッデクを選んだ。人気雑誌の表紙を飾るモサッデクの顔には、「彼はカオスという運命の紡《つむ》ぎ車に油をさしたのだ」というキャプションが添えられていた。特集記事では、モサッデクを「強情《ごうじょう》な坊や」とか「山奥に住まう偏屈《へんくつ》な老魔法使い」と揶揄《やゆ》しながらも、「ほぼあらゆる場所で嫌われ、信用されていないイギリス」に挑《いど》んでいくだけの屈強さをもつ唯一の存在であると称賛していた。

世界中でもてはやされているモサッデクを見て、ついにイギリスは黙っていられなくなった。さまざまな国が次々と彼に賛同の意を表するにつれて、イランと同様に支配下にある他の国も、イギリスの帝国主義的支配に異議を申し立ててくるのではないかと恐れたのだ。モサッデクは、イギリスの石油供給に対する脅威であるだけでなく、大英帝国の存続自体に対する重大な脅威だった。ウィンストン・チャーチルを筆頭とするイギリスの政府高官は、心を決めた。モサッデクは排除しなければならない。そこで彼らは、もっとも懇意《こんい》な同盟国アメリカに助けを求めた。

エイジャックス作戦

トルーマンが、モサッデクと交渉を継続していくつもりであることをイギリスは承知していた。事あるごとにトルーマンは、モサッデクを失脚させることなど不可能だと言っていたのだ。ところがアイゼンハワーは違った。一九五二年一一月、アイゼンハワーの大統領就任が決まった時、イギリスはほくそ笑んだ。話し合いでなんとかできると考えるような者がアメリカのトップでは困るのだ。アイゼンハワーが選挙で大勝した日の二週間後、イギリス政府高官がワシントンＤＣに降り立った。モサッデク打倒をＣＩＡへ依頼しにきたのだ。民主的に選ばれたモサッデクは、九五％から九八％の支持率を誇っていた。もしもイランの石油会社国有化を認めてしまったら、トゥーデ党がアバダン油田の管理権をもぎとり、石油を直接ソ連へ送ってしまうかもしれない。そうなれば、イランは鉄のカーテンの向こうへ取りこまれるだろう。当時、アメリカは東アジアに共産主義を広げまいとして、朝鮮半島で激烈《げきれつ》に戦闘中だった。アメリカは当然、イランにソ連の手がのびるのを阻止したいと思うはずだ。そこまで読んでいたイギリスは、モサッデク排除への支援をとりつけるためにこのタイミングを選んだのである。外交交渉でなんとかできる時期はとうに過ぎていた。事態は深刻なのだ。

イギリスは、アイゼンハワー政権の国務長官ジョン・フォスター・ダレスとその弟でCIA長官のアレン・ダレスから色よい返事をえた。この兄弟は特権階級の名家出身で、筋金入りの反共主義者だった。イランの石油をソ連から遠ざけておくことの意義を深く認識していた。世界中が安い石油に依存するようになると考えれば、イランを支配しつづけることがイギリスにとっていかに重要であるかにも、彼らは理解を示した。トルーマンに比して、アイゼンハワー政権ははるかにイギリスに協力的だったのだ。

ダレス兄弟はカーミット・ローズヴェルトを呼び出した。彼はセオドア・ローズヴェルトの孫で、中東専門のCIA要員だ。彼らはワシントンのオフィスビルの隠し部屋で深更《しんこう》、「狂人モサッデク」

を失脚させる方法を話し合った。モサッデクを支持する九五％のイラン国民と世界中の多数の支持者を彼にそむかせ、その政権を転覆させるにはどうすべきか。イギリスかアメリカが派兵すれば、主権国家への軍事介入だと非難されるのは目に見えている。とにかく秘密裏《り》にやらなければならない。イラン国民はもちろん、アメリカ国民にもイギリス国民にも気づかれないように、事は運ばなければならないのだ。議会に諮《はか》ることなく、ＣＩＡ長官はテヘランのＣＩＡ支部に一〇〇万ドルを送金し、「モサッデクを失脚させるために役立つことならなんにでも使え」と指示した。この秘密作戦は後年「エイジャックス作戦」として知られることになるが、アメリカの利権の脅威とみなされる政権ならどこの国であれ転覆させるという、ＣＩＡの秘密作戦の危険な前例となったのだ。

作戦内容は単純だった。イラン国民がモサッデクにそっぽを向くように、ＣＩＡ要員とイギリスのスパイが画策するだけだ。彼らは「モサッデクとその政権に対し、大衆が敵意、不信、恐怖を抱くように仕向け、その反感を促進、拡大させていく」だけでよかった。そこでＣＩＡは、イラン人のジャーナリスト、聖職者、軍人、警察官、国会議員を買収して、モサッデク非難を展開させた。また、イスラーム原理主義の一団「イスラームの戦士《ウォリアーズ・オブ・イスラーム》」にも資金援助し、モサッデクの支持者を暴力的に脅迫させた。

この作戦の目的は、モサッデクはソ連共産主義の手先であり、自由のための闘士ではないと思わせることだった。自分たちの首相は国有化した石油をソ連へ送るつもりなのだとイラン国民に信じこませられたら、彼らは裏切られたと思うだろう。「モサッデクはトゥーデ党及びソ連と結託している」「モサッデクはイスラームの敵だ」「モサッデクは軍隊の士気低下をねらっている」「モサッデクは国家財政の破綻《はたん》を画策している」「首相になったとたんモサッデクは腐敗した」ＣＩＡは、こうした内容の小冊子、ポスターなどを多数作製し、テヘランほかイランの大都市に配布し、貼《は》り出した。

一九五三年八月、カーミット・ローズヴェルトは金で雇った暴徒たちを大量に街角へ放ち、テヘラン市内を大混乱に陥《おとしい》れた。そして、国民の大多数を占《し》めるシーア派のイスラーム教徒に、モサッデクはユダヤ人だと流言飛語をふりまいた。一方、トゥーデ党員になりすました暴徒たちはイスラームの聖職者を襲い、モスクを破壊した。八月一九日、テヘランは完全な無政府状態になった。ローズヴェルトは、元イラン軍の将軍ファズロラ・ザヘディをＣＩＡの隠れ家から連れ出し、新首相にすえて臨時政府樹立を宣言させた。モサッデク支持派の軍隊と、ＣＩＡにそそのかされて反対派に回った軍との戦闘の後、モサッデクと何千もの支持者は、反対派に逮捕された。モサッデクは国家反逆罪に問われて投獄され、多くの者が処刑された。こうしてＣＩＡは、軍部のクーデターと見せかけて一国の政府を転覆させ、最初の秘密作戦をまんまと成功させたのである。

「アメリカに死を」

イランの石油をイラン国民の手に奪回するというモサッデクの夢は、悪夢となっておわった。復権を果たした国王ムハマド・レザー・パフラビーは、一九五三年から七九年にかけて、イランの天然資源をさらに他国や海外資本の会社に売却し、いよいよ私腹を肥《こ》やし、イギリスだけでなく、秘密作戦を遂行《すいこう》したアメリカともますます関係を深めていく。そしてCIAの支援で、秘密警察サバクを編成した。サバク要員は、パフラビーに抗議する何千もの人々を拷問《ごうもん》し、殺害した。抵抗する者を鞭打《むちう》ち、殴打《おうだ》し、タバコの火でやけどさせ、電気ショックを与え、爪をはぎ、歯を抜き、煮えたぎる湯に投げこみ、強姦《ごうかん》した。

オイルマネーで勢いづくパフラビーは、アメリカから二億ドル相当の武器を購入した。同時に、イランの裁判制度を崩壊させ、国民から個人の自由と市民的自由を奪った。ある記事はこう伝えている。「パフラビーは、中世から現代へ無理やり連れてこられた未開人のように国民を扱って、その尊厳を徹底的に踏みにじった。我々の社会では、創造的、芸術的、知的な産物は、なんであれほぼすべてが弾圧され禁止された」

一九七九年、イギリスとアメリカに祖国が食い物にされていることに耐え切れなくなり、イラン国民は再び立ち上がった。「アメリカに死を」と唱える人々が、イラン革命を成功させたのだ。あまりにも長い間、資本主義に翻弄《ほんろう》されてきたイラン国民にとって、シーア派イスラーム学者の最高位「アヤトラ」の称号を付して呼ばれるホメイニの説くイスラーム原理主義は、きわめて魅力的だった。国民の宿敵パフラビーは逃亡し、その入国をアメリカが受け入れた。これを知ったイランの学生たちは怒りを爆発させ、テヘランのアメリカ大使館へ殺到し、五二名のアメリカ人を人質にとり大使館を占拠《せんきょ》した。こうして、イランは新たな抑圧と政情不安の時代に入った。

モサッデクの下で民主主義が花開いていたら、おそらくイランとアメリカは現在よりまともな関係を築いていただろう。そして、イラン国民は世代を重ねるごとに富をふやし、豊かな文化を発展させていたにちがいない。しかし、現在両国は全世界を巻きこみかねないほど険悪に敵対している。

16

CIAの秘密作戦:グアテマラ

一九五〇年代、アメリカで一番人気があった果物はバナナだった。アメリカ政府が朝鮮半島で共産主義と戦い、イランで民主的な政府を転覆させている間にも、アメリカ人はバナナクリームパイ、バナナシフォンケーキ、バナナマフィン、バナナクッキーを焼いていた。朝起きると、スライスしたバナナをシリアルに混ぜて食べ、ランチにはハムを巻いたバナナを持参し、おやつの時間には、バナナとクッキーを重ねてカスタードクリームをかけたバナナプディングをこしらえ、ディナーのごちそうには缶詰《かんづめ》のブタ挽肉《ひきにく》とバナナを揚げててんぷら《フリッター》を作り、バナナ添えのアイスクリームをデザートにした。バナナの皮はどこにでも落ちていた。ごみ箱のふたの上にも、公園のベンチにも、地下鉄の床にも。

「キング・オブ・ロックンロール」と呼ばれたエルヴィス・プレスリーも大のバナナ好きで、特大ボール一杯分のバナナプディングをたいらげていた。一番の好物は、バナナとピーナツバターのサンドイッチだ。軽くトーストした白いパンの片面にピーナツバターを塗り、その上によく熟したバナナの薄切りをのせ、白いパンでふたをしてから、バターでこんがりと両面をいためるのだ。彼はそれを朝も昼も夜も、ナイフとフォークで食べた。この「エルヴィス・サンド」は、エルヴィスのようになりたいと憧《あこが》れる熱狂的なファンにも大人気だった。

ニューオリンズのレストランの老舗《しにせ》ブレナンズで、ラム酒風味の逸品《いっぴん》デザート、バナナフォスターに舌鼓《したつづみ》を打つ人も、近所の食堂《ダイナー》でバナナパンケーキをたいらげている人も、国民みんなが大好きなバナナのために、ＣＩＡが秘密作戦を仕掛けつつあることなど誰《だれ》も知らなかった。この戦いは、中央アメリカにあるグアテマラ全土に死と破壊をもたらした。一九五四年、ＣＩＡはアメリカの果物会社ユナイテッドフルーツ社（訳注：現チキータ・ブランズ・インターナショナル）を支援して、民主的に選出されたグアテマラの指導者を共産主義者だと国民に信じこませて失脚させ、フルーツ社に友好的な者にすげかえたのだ。かくして、フルーツ社が何百万ドルも稼《かせ》ぐ一方で、グアテマラの人々は何十年間も貧困に苦しむことになった。冷戦は中央アメリカでも戦われていたのである。

バナナの歴史

バナナは初めから人気があって、いつでも手に入る安価な食べ物だったわけではない。エルヴィスが大好物のサンドイッチをガツガツ食べていた頃から七五年以上もさかのぼると、実のところ、バナナはなかなか手に入らない珍味だった。一八七六年、フィラデルフィア万国博覧会の食堂で、七歳のフレデリック・アプハム・アダムスは、三日月型の黄色い見慣れない果物に一〇セント支払った。それはアルミ箔《はく》に包まれ、ナイフとフォークを添えて供された。後年、作家兼《けん》発明家になったアダムスは、その時の経験をこう語っている。「感受性の鋭い幼い子どもにとって、広い展示館で目にした数知れない風変わりなものの中でも、とりわけ現実離れして見えたのがバナナでした。実際目の前にあって、食べることさえできるのに、はるかに遠い熱帯について意味深長に物語ってくれる神秘そのものに思われたのです」

バナナの歴史は一九世紀後半、あごひげともみあげを蓄えた、どら声の商船船長ロレンツォ・ベーカーからはじまる。ベーカーは、一攫千金《いっかくせんきん》を夢見てベネズエラまで金鉱探しに出かける者たちを、ニューイングランドの港から船で運ぶことを商売にしていた。ある時、一〇人の金鉱掘りをベネズエラに降ろして引き返す途中、船が大きく損傷して浸水しはじめた。一番近いジャマイカまで

船長ロレンツォ・ベーカー。バナナを初めてジャマイカからアメリカへもちこんで大成功を収め、商人に転身した。

なんとかたどりつき、島民に修理をさせて数日間そこで過ごした。

その時、ベーカーは、大きな濃い緑色の葉をつけた木から、誘惑《ゆうわく》するようにぶら下がっている、黄色くて甘い熱帯の果物のとりこにされてしまったのだ。早速、三二〇〇房《ふさ》のバナナを船に積みこんだ。一一日後、ニュージャージー州のジャージーシティに到着すると、バナナは一房二ドルでたちまち売り切れた。

彼の船テレグラフ号はそれまで、何も積まないで帰港することが多かった。だが、船にバナナを満載してアメリカで売る方が、ベネズエラへ金鉱掘りを運ぶよりずっともうかることに気づいたのだ。そこでベーカーはジャマイカに土地を買って大邸宅《ていたく》を建て、広い敷地にバナナの木を植えた。バナナの木の生長は速かった。早速ベーカーはプランテーション（訳注：単一作物の大規模農園）経営に乗り出し、人を雇ってバナナを収穫させ、自分はアメリカとジャマイカの長い航路を往復することにした。

バナナを満載してボストン港につくと、地元の商人アンドリュー・プレストンが待ち受けている。ベーカーとの話し合いで値段が決まるや、プレストンがバナナを荷馬車に積みかえ、市場まで運んでいくのだ。バナナはとてもよく売れた。ボストンの人々はすぐにバナナ好きになり、いくらでも払ってくれた。きっとバナナはアメリカ中で売れるにちがいない、と二人は考えた。

バナナの唯一の欠点は、とても傷《いた》みやすいことだった。熱帯の港から、三週間近くかかってアメリカ北東部の街へ到着するまでには、腐ってしまうものも多かった。それを防ぐためには、バナナを冷やすしかない。ベーカーとプレストンは、バナナを冷蔵する方法を考え出した。船内では氷で冷やし、アメリカ各地には冷蔵倉庫を建てて、もっと遠方でも販売できるようにしたのだ。冷蔵倉庫も氷で冷やす仕様だったので、製氷業という商売が港や鉄道線路沿いに登場した。

冷蔵技術のおかげで、バナナブームが起きた。豊富に出回るにつれて、バナナの値段はどんどん下がった。ついには、約二五〇〇キロメートル離れた海の向こうから運ばれてくるバナナは、大都市郊外の果樹園で収穫されるリンゴの半値になり、ますます売れるようになった。ベーカーとプレストンは大成功したのだ。

二人はボストンフルーツという会社を設立し、一八八九年、ユナイテッドフルーツ社と社名変更した。この会社はアメリカ史上、もっとも強力でもっとも冷酷な大植民地企業に成長していくことになる。

ねらわれたグアテマラ

時が経過するうちに、ユナイテッドフルーツ社は一つの問題にぶちあたった。バナナを栽培する土地が足りなくなったのだ。そこでベーカーとプレストンは中央アメリカに目をつけた。そこなら、気候もバナナ栽培にうってつけだ。

二〇世紀初頭、フルーツ社はグアテマラへ進出した。メキシコとエルサルバドルにはさまれたグアテマラは、かつてマヤ文明の中心地の一つだった。しかし、一六世紀にスペインがこの一帯を征服すると、マヤ族の人々は過酷な労働を強《し》いられてひどい待遇を受けるようになり、スペイン人の暴力と彼らがもちこんださまざまな病気とで、大幅に人口をへらした。

一八二一年、グアテマラはスペインから独立した。脆弱《ぜいじゃく》な政府が続いた後、一八九八年、不正な選挙でマヌエル・エストラーダ・カブレラが大統領になった。カブレラは国民に、独立国家として自立する唯一の方法は国の近代化だと説いた。しかし、彼が興味をもっていたのは国の近代化ではなく、金と権力だった。だからこそカブレラは、フルーツ社の進出をもろ手を挙げて歓迎したのだ。

グアテマラ内陸部にバナナのプランテーションを建設するためには、鉄道が必要だし、プランテーション間の連絡には電信が不可欠だ。また、近代的な大型船の入港のためには、大きな新港が必要になるだろう。大統領カブレラは、フルーツ社に必要だと懇請《こんせい》されればなんでも造らせたし、工事によって、マヤ族の集落が破壊されてもまったく意に介さなかった。

マヤ族にはなす術《すべ》もなかった。フルーツ社がバナナの木を植えるために何百ヘクタールもの熱帯雨林をなぎ倒すと、マヤ族のいくつもの小さな漁村はほぼ一夜で消えてしまった。村人は三五〇年間もスペイン人に搾取《さくしゅ》されてきたのに、また新たな敵の侵入を受けたのだ。今度の敵、アメリカ人はバナナをほしがっている。フルーツ社が利益をあげるにつれて、グアテマラの人々はますます貧しくなっていった。

フルーツ社に抗議することは、非常な危険を伴《ともな》った。カブレラがメディアから報道の自由を奪ったからだ。彼は暗殺部隊を送りこみ、歯向かう者を殺害した。グアテマラの首都グアテマラシティには、自分の銅像を建てた。一方、フルーツ社は勢力を拡大し、さらに土地を買い上げ、うだるような猛暑の中、地元の人々に、ただ同然の賃金でバナナを収穫させた。労働者は、年季奉公《ねんきぼうこう》契約で働く者と基本的に同じだった。自分の雇い主から借金して、住まいと食事、生活必需品をまかなっていたのだ。借金が返せなくなることもしばしば起こり、その場合、多くの者は死ぬまでプランテーションで働かされた。

ついにフルーツ社は、グアテマラ政府を支配するだけでなく、国家財政のほぼ半分も管理するよ

ユナイテッドフルーツ社の農場からバナナを運び出す作業員たち。1926年撮影。

うになった。一九二〇年、カブレラはグアテマラの人々によって政権を追われた。しかし、劣悪な労働環境は改善されなかった。アメリカで社会経済や文化が華々《はなばな》しく発達した狂騒の二〇年代、アメリカ人はヒット曲『イエス・ウィ・ハブ・ノー・バナナ（訳注：そう、バナナがないの）』を上機嫌で歌いながら、バナナをあしらったカクテルとバターでいためたフライドバナナを楽しんでいた。だが、バナナ産業で働くグアテマラの人々は、さらに五人の独裁者にしいたげられた。そして一九三一年、将軍ホルヘ・ウビコが大統領の座についた。カブレラを始めとする六人の暴君も残忍だったが、ウビコは中央アメリカ史上、もっとも血に飢《う》えた暴虐《ぼうぎゃく》な独裁者だったのだ。

選挙後、ウビコはただちに、大統領職に終生とどまれるようにグアテマラの法律を変えた。フルーツ社はウビコの承認をえて、一九三〇年代を通してさらに多くの土地を買い上げた。ウビコはマヤ族の人々に、フルーツ社など大地主のために、一年に最低一〇〇日以上働くことを強要した。この命令に従わなかった者は、しばしばウビコの軍隊に銃殺された。アメリカ大使館は、ウビコを熱烈《ねつれつ》に支持しつづけた。

ウビコは大の共産党嫌いだった。労働者に抗議の気配を感じただけで、暴力的に反応した。「ストライキ」、「請願《せいがん》」、「労働組合」という言葉はもとより、「労働者」という言葉も書いたり話したりしてはならないと人々に命じた。そこで、フルーツ社のために働く者は「使用人」と呼ばれるようになった。

グアテマラは「バナナ共和国」にされていった。これは、アメリカの短編作家O・ヘンリーの造語で、バナナのような一次産品の輸出に依存している国をさす言葉だ。「バナナ共和国」では、フルーツ社のような外国企業が国土の大半を所有し、大多数の国民を雇い入れ、その国の政治経済をコントロールしている。実際、グアテマラでは人口の二％が国土の六〇％を所有し、国民の五〇％はわずか三％の土地でなんとか生計を立てていた。国民の半分近くを占《し》めるマヤ族の人々は、一日五〇セント未満で糊口《ここう》をしのいでいたのだ。

グアテマラの中流階級の人々の忍耐は限界に達していた。どうして自分の国は、世界一のバナナプランテーション国でなければならないのか。アメリカ資本の会社が乗りこんできて、国土の大半を買い占め、政府までほぼ支配しているとはどういうことなのか。なぜグアテマラ国民は、アメリカの人々と同じように、バナナと自由の両方を手に入れられないのだろう。フルーツ社と、同社を支持する歴代の独裁者に搾取《さくしゅ》されつづけてきた国民の怒りは、ついに爆発する。

一九四四年、グアテマラの人々は抗議のデモ行進に打って出た。先頭に立ったのは教師と学生だった。グアテマラの苦難の時代に幕をおろしたいと彼らは願っていた。フルーツ社は税金を納めていない。だから、新しい学校を建てたり、古い学校を修理したりする財源がないのだ。学校不足のため、子どもたちは午前と午後の組に分かれて勉強していた。

デモ行進を阻止するため、グアテマラシティの通りにはウビコの軍隊が投入されて、デモ隊へ発砲した。この暴挙に抗議しようと、さらに多くの人々が街頭にあふれた。デモに参加した学生は語る。「誰《だれ》も自由に息ができないような時代が続いてきました。……しかし、そんな抑圧下でも、新しい精神が生まれ、それは学生の勇気と教師の心からの支援によって大きく育っていったのです」

金持ちも貧者も、農民も事務職の者も、グアテマラの人々が一致団結してウビコの辞任を要求した。

一九四四年六月二四日、グアテマラシティは抗議デモでまひ状態に陥《おちい》った。学生と教師を先頭に、何万もの人々が無言で首都をデモ行進した。突然、ウビコの兵の一人が人々に向けて発砲し、銃弾は三一歳の教師マリア・チンチラに命中、彼女はまもなく息を引き取った。マリアはグアテマラ改革の殉教者《じゅんきょうしゃ》となった。翌日、この冷酷な仕儀《しぎ》に抗議して、すべての店、会社、給油所、新聞社が休業した。首都の人々はゼネストに入ったのだ。

人々の願いは聞き届けられた。同年七月一日、ウビコは辞職、逃亡した。これにより、グアテマラには、自分たちの未来を自分たちで決められる新たな時代、「グアテマラの春」が到来したのだ。それは、一九四四年から五四年にかけてのわずか一〇年間だったものの、各種の社会改革が断行され、人々は自由を満喫《まんきつ》した。国民は信じていた。長く厳しい圧政の冬はついに春の雪融《ゆきど》けを迎えたのだ、と。

新大統領ハコボ・アルベンス

一九五〇年、グアテマラ国民は、若くハンサムな大佐ハコボ・アルベンスを大統領に選出した。選挙自体も、かつてないほど自由で公正なものだった。カリスマ性のある新大統領アルベンスは就任式で、労働者の生活向上を約束し、富裕層には、国の社会福祉促進のための寄付を呼びかけた。そして、ユナイテッドフルーツ社に税金を課して、その税金で学校を近代化し、今よりもっと衛生的な飲み水を供給し、労働者のための住宅を新築すると公約したのだ。

グアテマラの財産をすべて集めたとしても、それは国民の中でももっとも貧しい人々の自由と尊厳、健康と幸福ほど大切ではありません。……我々はそうした財産を分配し、大多数を占《し》める貧しい人々がもっと利益を享受《きょうじゅ》できるようにしなければなりません。むろん、少数派である富裕層も多少なりとも恩恵はえられます。国民が直面している貧困と不健康、教育の欠如という問題を解決するには、まずはそうするしかないのです。

国民を食べさせるためには農業用の土地がもっと必要だ、とアルベンスは考えた。そこで、フルーツ社から九万五〇〇〇ヘクタールの土地を買い上げると発表した。フルーツ社が保有する土地の九〇%は未使用だったため、国民に有効活用させせようとしたのだ。フルーツ社には、六〇万ドルで購入したいと申し出た。それは、同社が申告していた土地評価額から算定した数字だった。フルーツ社は拒絶した。どんな用途《ようと》に供されようと、土地を手放す気など毛頭なかった。

フルーツ社のオーナーたちは危機感を抱いた。もう何十年間も、グアテマラでは思いどおりにやってきたのに、若い大統領が現れて正面切って挑戦してきたのだ。自分たちを脅《おど》すような者を許しておくわけにはいかない。アルベンスの評判を落としてやれば、グアテマラ国民は大統領にそっぽを向くはずだ。それに、アメリカの指導者はアルベンスに対して、なんらかの手段を講じてくれるだろう。彼らはそう考えた。

フルーツ社は、「広報（PR）の父」の異名をとるエドワード・バーネイズを雇い、アメリカと世界にとってアルベンスがいかに危険な存在であるかについて切々と訴えた。バーネイズは、精神分析の創始者オーストラリア人医師ジークムント・フロイトの甥《おい》だった。ニューヨーク・タイムズ紙など主要紙にコネクションをもつ彼は、アルベンスに対し否定的な情報を流して信頼を失わせるネガティブキャンペーンを開始した。まもなくタイムズ紙が、グアテマラは共産主義にねらわれているという主旨《しゅし》の記事を掲載しはじめた。上院議員ヘンリー・キャボット・ロッジを含め、多くの議員がこの記事を読んで、アルベンスは共産党員だと非難しはじめた。

一九五一年六月、タイムズ紙は次に、「グアテマラを蝕《むしば》むガン」という記事を載せ、「グアテマラの政治は、ロシア帝国主義の中央アメリカ的展開、いや、最前線の共産主義政策である」と断じた。その数カ月後、ワシントン・ポスト紙は「グアテマラに巣食う赤色分子」と題する社説を掲載し、アルベンスは赤、つまりは共産党の手先であると糾弾《きゅうだん》した。

多くのアメリカ人がこうした記事にだまされて、共産主義はアメリカのすぐそばまで迫ってきているると不安をつのらせていった。中央アメリカの指導者は自国の利益を守るために、今やアメリカ企業を脅《おびや》かしているらしい。とすれば、自由市場を奉ずるアメリカの資本主義が危険にさらされるのは時間の問題ではないかと震え上がったのだ。

秘密作戦再び

ユナイテッドフルーツ社は、アイゼンハワー政権の実力者に複数の友人をもっていた。CIA長官アレン・ダレスに加えて、その兄の国務長官ジョン・ダレスは、ニューヨークで弁護士をしていた時に、フルーツ社とグアテマラ政府との契約書を作成した本人だった。アメリカ大陸問題調整局の国務次官補ジョン・ムーアズ・キャボットは、フルーツ社の大株主だったし、その兄トマス・ダドリー・キャボットは数年前までフルーツ社の社長だった。国家安全保障会議の大統領補佐官ロバート・カトラー将軍は、フルーツ社の元取締役会長であり、第二次世界大戦の陸軍次官補ジョン・J・マクロイも取締役だった。さらにアイゼンハワー大統領の個人秘書は、フルーツ社の広報責任者エド・ホイットマンと結婚していた。

アメリカ国務省はグアテマラ政府に対し、その土地がほしいならフルーツ社に一六〇〇万ドル支払えと圧力をかけた。これはアルベンスが申し入れた額の二六倍以上にあたる。アルベンスは拒絶した。そこでCIAなどアイゼンハワー政権下の各部署が、自ら事態収拾に乗り出すことになった。今やグアテマラの大統領は、中央アメリカで商売をするアメリカ企業にとって、看過できない脅威となった。アルベンスを排除すべし。アメリカは再び、民主的に選ばれた指導者を打倒する作戦に出たのだ。

一九五三年八月、CIAはアルベンスに対し秘密作戦を強行する。長官ダレスは、作戦担当主任にトレイシー・バーンズをあてた。一方、アイゼンハワーは、グアテマラ大使にジョン・ピュリフォイを任命した。ピュリフォイは頑迷《がんめい》な反共主義者だった。しかも、ジョセフ・マッカーシーの崇拝者であり、国務省からリベラル派や左派を追放する手助けまでしていた。こうして、グアテマラ国民にアルベンスへの反感をもたせてその政権を倒し、フルーツ社に友好的な政府を樹立することを最終目的とする「ピービーサクセス作戦」なるものが開始された。

アメリカはグアテマラ軍のカスティージョ・アルマス大佐と組んで、ホンデュラス人とエルサルバドル人からなる軍隊を訓練させた。アルベンスはこの動きをキャッチし、やむなく東ヨーロッパの共産主義国チェコスロバキアに、武器を送ってほしいと依頼した。敵の侵入に備えて自衛するためだった。

チェコスロバキアで、武器はグアテマラ行きの船に積載された。CIAはこの事実を察知していたものの、グアテマラに荷揚《にあ》げされるまで静観していた。そして、共産主義国の船がグアテマラに着岸したとたん、そのニュースをアメリカへ流したのだ。これで、アルベンスは共産主義者であり、ソ連の手先なのだと、アメリカ国民を納得《なっとく》させるだけの証拠がそろった。

同じ頃、CIAは、グアテマラ国民がアルベンスに反感を抱くように、心理戦を展開しはじめた。首尾よく、アルベンスの政策に反対する学生グループをグアテマラシティで発見した。そこで、この学生グループ、さらにはアメリカ人とグアテマラ人の実業家たちに金を与え、反共主義を掲《かか》げるビラや横断幕、ステッカーを作製させたのだ。

一九五三年九月一五日、学生グループが、反共主義を謳《うた》う一〇万六〇〇〇枚ものステッカーを、首都の建物、道路標識や電柱などに貼《は》りつけた。それから、バスの運転手や列車の車掌に、乗客に渡してほしいと頼み、打倒アルベンスを訴える何万枚ものビラを託した。ビラは首都でバスや列車に乗った客により、別の街まで運ばれた。こうして、反共主義と打倒アルベンスのメッセージは、たちまち国全体に広がったのである。

CIAはひそかにマイアミのラジオ局を買収し、フルーツ社のラジオネットワークを利用して、反共主義のメッセージを放送しはじめた。反共を唱える歌を流すだけでなく、巧《たく》みにコメディーなどを織り交《ま》ぜ、グアテマラと西半球にとってアルベンスがどんなに危険な存在であるかを繰《く》り返し訴えた。新聞各紙は、アルベンスは自殺したとデマを流し、在グアテマラのアメリカ大使ピュリフォイは、遺体が写った複数の写真をメディアに提供した。アルベンスの軍隊に殺害された者たちだという触《ふ》れ込みだったが、実際にはそれは、先の地震で犠牲《ぎせい》になった市民たちだった。

一九五四年六月、CIAに訓練された数百人の反乱軍兵士が、アルマス大佐指揮の下、ホンデュラスとニカラグアの基地からグアテマラシティを急襲した。アメリカ空軍機もシティ上空からこれを援護し、空襲した。しかし、アルマスの反乱軍は、アルベンスに忠実なグアテマラ正規軍数千人によって、ホンデュラスへ退却させられる。

ところが緒戦《しょせん》で敗北しても、CIAはプロパガンダ戦を制していたのだ。反乱軍の度重なる攻撃と空襲に加え、反共や打倒アルベンスを唱えるおびただしい数のステッカーやビラ、ラジオ放送、新聞記事によって、多くのグアテマラ人がその虚偽《きょぎ》の内容を信じるようになっていた。アルベンス本人は、アメリカ軍が今にも侵攻してくるのではないか、とますます危惧《きぐ》するようになった。

1954年、支持者に演説する大統領ハコボ・アルベンス。彼が断行した社会政策に反対するユナイテッドフルーツ社の画策で共産主義者のレッテルを貼られ、CIAが仕組んだクーデターにより失脚させられた。

六月二七日、これ以上戦うことの無益さを悟《さと》り、アルベンスは大統領の座を降りた。その夜、彼は最後のラジオ演説で、「ユナイテッドフルーツ社こそが、アメリカの政界の大物と結託して、今我々に降りかかっていることを起こしているのだ」とグアテマラの人々に訴えた。さらに、「この先、独裁者による残虐《ざんぎゃく》な圧政が二〇年間は続くだろう」と警告して演説をおえた。それから空港へ向かい、メキシコ行きの飛行機に乗り、グアテマラには二度と足を踏み入れることはなかった。

安いバナナの秘密

アルベンスが去った後、ＣＩＡはグアテマラの主な軍事基地と政府のラジオ局を爆撃した。それからアルマス大佐が、アメリカ大使館専用機でグアテマラ入りし、新大統領に就任した。六月三〇日、国務長官ダラスはアメリカ国民に向けて、グアテマラの危機は「グアテマラ市民により収拾された」と報じ、これは「ソ連の共産主義に対する民主主義」の勝利であると称賛した。その後まもなく、新大統領アルマスがワシントンを訪れて、副大統領ニクソンに対し、自分はアメリカ合衆国、つまりはユナイテッドフルーツ社に忠誠を誓うと述べた。

アメリカ政府は続く二年間でアルマスに、九〇〇〇万ドルの資金援助をした。これは、「グアテマラの春」と呼ばれた民主的な政権が一〇年間で受けとった総額の一五〇倍だ。ＣＩＡ長官アレン・ダレスは、グアテマラは、「共産主義者の帝国主義」から救われたのだと語っている。アルマスは暴虐《ぼうぎゃく》な独裁制をしいたが、三年後に暗殺された。アルベンス政権転覆に加わったある退役《たいえき》海兵隊大佐は、「アメリカの秘密作戦成功によって、グアテマラでは軍事政権による圧政が三一年間続くことになった」と後に書いている。

二〇万人近くのグアテマラ人の命と引き換えに、アメリカのバナナの値段は安く抑えられていたのである。

17

キューバのチョコレート帝国

一九一五年、キャサリン・ハーシーはなんとか椅子《いす》に腰を下ろした。彼女はまだ四二歳だったが、もはや本を開くことも、ペンを握ることさえもできなかった。日々衰弱していき、外出もままならない。それでも、いざという時にはきちんと身支度《みじたく》し、笑顔《えがお》を浮かべて出かけていった。

その年三月、キャサリンは外出先でひどく体調を崩した。軽い肺炎を起こしている、と医者が告げた。確かに深刻な病気だがじきによくなるだろう、と医者は見立てた。しかし、キャサリンには、自分の命が尽《つ》きつつあることがよくわかっていた。ずいぶん前から体調の著しい衰《おとろ》えに苦しみながらも、周囲にはもちろん、最愛の夫にさえ、ずっとそのことを隠してきたのだ。

キャサリンが倒れたと知らされて、夫ミルトンがあわてて駆けつけた。ミルトン・ハーシーは、ハーシー・

チョコレート社（訳注：現ザ・ハーシー・カンパニー）の創業者だ。彼は苦しそうにベッドに横たわる妻のそばで、どうしたら元気にしてやれるだろうかと考えた。「飲みたいものはあるかい？」と尋《たず》ねると、彼女は一言「シャンパン」と答えた。妻の身を案じながらも、彼はベッド脇から立ち上がると、その願いを叶《かな》えるために足早に部屋を後にした。もどってきた時には手遅れだった。知的で社交的で、なにより意志の強かったキャサリン、一七年間、世界中をともに旅した最愛の妻は息絶えていた。

　これほどまでに深い孤独を感じたことは、人生で一度もなかった。何か生産的なことに気持ちを切り替えて、この大きな悲嘆から立ち直らなければならない。妻との思い出をそっと胸に秘め、仕事に全力を注ごうとハーシーは決心した。それから八八歳で死去するまでの三〇年間、ミルトン・ハーシーは、創立から一二年目のペンシルベニア州のチョコレート会社を、世界でもっとも有名な菓子メーカーの一つに成長させていくことになる。

「チョコレート王」ミルトン・ハーシー。1903年撮影。

　悲しみを振り払って前進するために、ハーシーは、当時の裕福なアメリカ人実業家の例にならった。手回り品を旅行かばんに詰《つ》めこみ、カリブ海に浮かぶ美しい島キューバへ向かったのだ。おそらく温暖な気候が仕事のアイディアをひらめかせ、悲しい境涯《きょうがい》さえ忘れさせてくれるだろう。しかし、徐々にわかってくるように、「アメリカ人の遊び場」への旅の理由はそれだけではなかった。

新しきフロンティア

ハーシーはキューバの首都ハバナに到着し、最高級ホテルの一つザ・プラザにチェックインした。とたんに、すべてがあわただしくなった。一九一五年頃のキューバは、裕福なアメリカ人にとって天国だった。快適な常夏《とこなつ》の気候と気取らない雰囲気《ふんいき》を楽しみながら、ビジネスチャンスもねらえる。わずか一七年前の一八九八年、アメリカ＝スペイン戦争でアメリカがこの島からスペイン人を追い出し、キューバは何世紀にもわたるスペインの植民地支配を脱した（訳注：一九〇二年にスペインもキューバの独立を承認）。

しかし、一九〇一年、アメリカは独立国のキューバにプラット修正条項を突きつけ、新憲法へ組み入れることを求めたのだ。

この修正条項は、キューバに対するアメリカの影響力を盤石《ばんじゃく》にするためのもので、アメリカの事前の承認なくして、外国に軍事基地を建設させたり、外国と協定を結んだりしてはならないと規定していた。また、アメリカにキューバの財政を調査する権限を与え、「石炭の積み込み、あるいは海軍基地建設」のために必要な土地を買い上げる権利、または賃貸する権利まで認めていた。そのため、キューバのグアンタナモ湾にはアメリカ軍基地があるのだ。しかし、もっとも脅威に思われたのは、必要が認められる場合にはいつでも、キューバの内政に干渉できるという条項だったろう。キューバ政府は渋々《しぶしぶ》この修正条項を憲法に編入した。

このようにプラット修正条項は、政治的・軍事的にキューバに干渉するアメリカの諸権限を明示していたが、一番著しい影響を及ぼしたのはアメリカ文化だったかもしれない。一九一〇年代後半から二〇年代にかけて、キューバはアメリカのフロンティアとして大々的に開発されたのだ。

第一次世界大戦の暗い記憶が薄らいでいくと、狂騒の二〇年代がやってきた。大戦前にアメリカ企業によって建設されたキューバのホテルは、今や金持ちのアメリカ人実業家で満室になっている。彼らはキューバにあるものはなんでも利用してやろうと目論《もくろ》んでいた。実際、ハバナではどんな望みでも叶《かな》いそうだった。気候は温暖、豪勢で近代的なホテルがあり、うまい酒は飲み放題、ギャンブルもダンスも楽しめて、夜の娯楽《ごらく》もそろっている。キューバの旅行会社のパンフレットはこう謳《うた》っていた。「最高のくつろぎを提供する美しい島キューバ。ここはどんな願いでも叶う国。世界でもっとも活気に満ちた、大人の遊び場ハバナへようこそ！」

一九一九年、ビルトモア・ホテルチェーンの伝説のオーナー、ジョン・マケンティ・ボウマンは、ハバナの老舗《しにせ》セビーリャ・ホテルを買い上げて改装した。翌年、セビーリャ・ビルトモアと改名して華々《はなばな》しくリニューアルオープンさせたが、わずか二年後、一〇階分を増築し、キューバで最高のホテルに変貌《へんぼう》させたのだ。そこには華やかに着飾った宿泊客が、パセオ・デル・プラド通りにある名店のショッピングバッグをさげて、引きも切らずに入ってくる。パセオ・デル・プラドは、バルセロナ、パリ、ローマにも見劣りしないヨーロッパ風の大通りだ。チェックインして部屋でさっぱりすると、客たちは空中庭園のような屋上レストランへ上がり、ラムベースのカクテル、モヒートをお代わりしながら、眼下に広がる美しい街並みにため息をつくのである。

ボウマンはサメのように貪欲《どんよく》にハバナの土地を買い上げていった。一九二〇年から三〇年にかけては、オリエンタル・パーク競馬場、競馬を管理するジョッキークラブ、グランカジノ・ナシオナルも買収した。いずれも、キューバとアメリカの財界の大物が、金に糸目をつけずに豪遊するハバナの名高いスポットだ。ボウマンはそれでも飽《あ》き足らず、アメリカ人とキューバ人の後援者を従えて、不動産投資会社を設立した。そして、「アメリカ人富裕層のための遊び場」という異名どおりに、キューバをハイクラスな社交場に変えていったのだ。

日中、カントリークラブの瀟洒《しょうしゃ》な貴賓室《きひんしつ》では、化学業界の巨人デュポン社の七代目社長イレネー・デュポンや、キューバの砂糖王フリオ・ロボが、ミニサンドイッチをつまみながらお茶を飲み、政界の陰の実力者とあれこれ話しこんでいる。日が沈むや、カリブ海の開放的な雰囲気《ふんいき》を楽しもうと彼らは外へ繰《く》り出し、暖かな風に吹かれながらパセオ通りをそぞろ歩く。こうした金離れのいい馴染《なじ》み客がドアを開けると、カジノ、バー、ナイトクラブ、そして高級娼家《しょうか》では、はでな歓迎の声が上がるのだ。

名実ともにキューバ随一《ずいいち》のクラブ、サンスーシの月に照らされた中庭では、世界でも名だたるバンドのホットな生演奏で、金持ちの男と女がダンスを楽しむ。そこまで金回りのよくない者たちは、乗りこんだクルーズ船がオールドハバナの船着き場に到着するや、すぐそばにあるドス・アーマナス・バーへ一直線だ。そこで名産の葉巻をくゆらせながら、キューバの自由《キューバ・リブレ》という名のカクテルを楽しみ、フロリダ海峡に昇る朝日をながめるのである。

しかし、オールドハバナで一番人気の気楽な酒場といえば、セビーリャ・ビルトモアの一ブロック先にあるスロッピー・ジョーズだろう。一九二〇年代初め、そこはアルコールに飢《う》えたアメリカ人旅行者の天国となった。一五〇キロメートル北の禁欲的な祖国では、禁酒法（訳注：一九二〇〜三三年に施行）が幅をきかせていたのだ。

セントラル・ハーシー

一九一五年当時ミルトン・ハーシーは、会社のヒット商品チョコレートバーの製造に関して、最大の難問に直面していた。砂糖の価格がどんどん上がっていくのだ。一九一四年から一八年にかけて、第一次世界大戦の戦場となったヨーロッパ諸国の砂糖生産高は劇的にへり、その値段は二倍にはね上がった。大戦がいつ終結するのかはまったくわからなかったものの、「チョコレート王」の異名をとるハーシーは、自社でサトウキビを栽培して製糖すれば、高い砂糖を買わずにすむことに気づいた。キューバは、サトウキビ栽培にもってこいの場所なのだ。

ハーシーは、数年前にアメリカで顔を合わせていたホアン・バチスタ・サロに相談した。サロは同じキューバ人で、島の製糖業に明るいアンゲル・オルティスと話をつけた。三人はハーシーの宿泊しているザ・プラザで落ち合い、運転手付きの車を借りて、海岸沿いの田舎《いなか》へ向かった。

彼らは巨大なサトウキビ畑を見ながら、北の海岸沿いを走った。有刺鉄線《ゆうしてっせん》をめぐらせた柵《さく》の向こうの畑では、自分の背丈《せたけ》の二倍以上もあるサトウキビを、キューバ人労働者が山刀《マチェーテ》でなぎ倒していた。数十本ほど束ねて台車に載せると、またマチェーテを振るう。焼けつくような熱帯の太陽の下では、たいへんな労力を要する仕事だ。コロノと呼ばれる地主が、労働者にノルマ分の作業をさせようとそばで目を光らせている。三人を乗せた車がその畑を通過すると、地平線から雨雲が湧《わ》き出してきた。

ハーシーはサロとオルティスの紹介で、セントラル・サン・ファン・バウティスタと呼ばれる地区にあるサトウキビ農園と製糖工場へ向かっていた。農園付近で、雨で滑《すべ》りやすくなった道がぬかるみはじめ、ついに車は泥にはまって動かなくなった。どうしたものかと困惑していると、牛の群れが遠くに見えた。牛を駆り立てていたのが、製糖工場の所有者F・F・アギレだった。泥道から車を引っ張り出すや、アギレは三人に製糖工場内を見せて回った。

案内がおわり、アギレは畑と工場の感想をハーシーに求めた。ハーシーは満足げに微笑《ほほえ》んだ。これなら五〇万ドルもかけずに、成長著しいチョコレート製造に十分な砂糖を供給してくれるサトウキビ農園と、もっと優秀な設備を完備した製糖工場を建設できるとわかったからだ。キューバで事業をしているアメリカ人実業家と同じく、安い労働力も地元で調達できるだろう。ハーシーはすぐにその土地を購入し、チョコ

伐採したサトウキビを台車に積みこむキューバ人労働者。

レート帝国の建設に着手した。そして、自分の名を冠《かん》して「セントラル・ハーシー」と地名を改めた。

カンパニータウン

ハーシーはキューバで長い時間を過ごすようになった。妻を失った悲しみを忘れようと、自社で働く労働者用のモダンな住宅を備えた企業町《カンパニータウン》建設に全エネルギーを注いだ。カンパニータウンの労働者用住居には電気が通り、屋内トイレがあり、青々とした庭があり、通りの先にはサッカー場、公園、学校、診療所、孤児院まであった。それは、ハーシー社本部を置いたペンシルベニア州ハーシーに造成したカンパニータウンと同じものだった。また、キューバで最初の鉄道線路を約二〇〇キロメートル敷設《ふせつ》し、セントラル・ハーシーから港まで自社製品を運べるようにした。ハーシーが雇った労働者たちは、モダンなカンパニータウンが会社の役に立つのかどうか半信半疑だった。はたして、セントラル・ハーシーで製造された自社製砂糖の貢献もあり、一九二一年、ハーシー・チョコレート社は、年間三六〇万キログラムのチョコレートを製造する世界一の砂糖菓子メーカーになったのだ。

一八九九年から一九二〇年にかけて、多数のアメリカ人実業家が、スペイン人の残していった更《さら》地《ち》にサトウキビ農園と製糖工場を建設し、事実上キューバを植民地化していった。勢いづいた実業家たちは金に飽《あ》かし、先を争ってキューバの土地を買いあさった。キューバには、信じがたい額の金がつぎこまれたのだ。その結果、一九〇五年にキューバの砂糖生産高の二一%を占《し》めていたアメリカ資本は、二六年には、その占有率を六三%にするほど、影響力を増大させていた。

多くの起業家がハーシーにならって、カンパニータウンを建設した。製糖工場に加え、規格化された良質な住宅、学校、教会、診療所、銀行、ホテル、店舗《てんぽ》、野球場、テニスコート、映画館、社交ホールが完備されていた。カンパニータウンで暮らした経験のあるジョルジュ・ブラガは話す。

「そこには、四万人ほどが住んでいました。製糖工場、学校や病院、教会の維持管理はすべて住民に任されていて、みんな責任をもって運営していました」

レポルテル・カルロス・マルティは、チャパラにあったキューバ・アメリカ製糖会社のカンパニータウンを、「はぶりのよい人たちが住むにぎやかな場所」だったと語る。「現代的な文化水準に合った暮らしぶり」で、「居心地《いごこち》のいいモダンな住宅には、会社支給の電気が引かれていた」という。スペイン人とキューバ人の血を引く作家エヴァ・カネルも、チャパラについて書いている。

「大きな通りが何本かあって、その両側に家族用の住宅が並んでいた。現代風の家と別荘風のしゃれた家の二種類があった。快適なホテルもあり、労働者はそこで会社のツケで、おいしいものを食べることができた。町は活気にあふれ、にぎわっていた。つまり肌の色や年齢を問わず男はみんな、身なりのいい女をくどいていて、ハバナに見劣りしないほどすべてが進歩的だった。

要するに、アメリカ人事業家が造ったカンパニータウンは、理想的な「アメリカンライフ」の具体化だった。人々の想像を上回る、健全で、清潔で、秩序正しく豊かな生活レベルを、キューバに提供したのだ。冒険家でジャーナリストのハーバート・ランクスは、セントラル・ハーシーについて述べている。

ハーシー社は、労働者の生活水準向上のために多大な貢献をした。モダンで快適な労働者用住宅が用意されたハーシー社のカンパニータウンは、キューバのモデル都市になった。学校や福利施設とともに各種の診療所も完備され、健康増進が配慮されていた。子どもたちの生活レベルを向上させる工夫もなされている。その成果は、通りで見かける子どもたちの外見に明確に現れているだろう。普通の町や村では、髪がぼさぼさの汚いなりをした子どもが物乞《ものご》いしているのが常《つね》だが、ハーシー社のカンパニータウンでは、子どもはみんな身だしなみがよく、ルールを守って遊んでいる。そして、話しかけられれば丁重に答えを返すことができるのだ。

第二のスペイン

しかし、大多数のキューバ人労働者は、モダンで快適なカンパニータウンとは無縁だった。そこは、中流から上流階級に属する、アメリカ人のための場所だったのだ。実際に、カンパニータウンの多くが、アメリカ人用とキューバ人用とに隔離されていた。サトウキビを収穫し製糖工場で働かされるのはキューバ人で、その生活環境はみじめなものだった。アメリカ人用エリアにある最新式水道施設や虫よけの網戸、明るい色で塗られたフェンスは、キューバ人にはまったく手が届かなかった。

アメリカ企業がさらに土地を買い上げるたび、キューバ人の暮らしはますますみじめになり、労働者階級と中流階級のキューバ人は、しだいにアメリカ人に反感を抱くようになっていった。多くのキューバ人にとって、アメリカはスペインに代わる宗主国でしかなかったのだ。確かにキューバは独立国だったが、プラット修正条項による締《し》め付けや裕福なアメリカ人観光客、権勢を誇る製糖業のせいで、自分たちは二流市民にすぎないと感じさせられていた。強欲《ごうよく》なアメリカ人を満足させるために、何はともあれ働かなくてはならなかったのだ。

他方アメリカ人は、ハーシー社の甘いチョコレートバーを食べ、甘いキャンディをなめ、甘いケーキを焼いて、ふんだんに砂糖を消費することで、キューバの人々の暮らしと文化に甚大《じんだい》な影響を与えていたのである。一九五九年までに、アメリカ企業はキューバの製糖業を牛耳るだけでなく、鉱山、牧場、石油精製所、電気・水道などの公益事業の八〇％と、鉄道の五〇％以上を支配するようになっていた。キューバは実質的に、アメリカ合衆国の植民地にされていたのだ。

キューバの独裁者たち

むろん、キューバ政府が盤石《ばんじゃく》だったら、アメリカ企業はただ金を稼《かせ》いでいただけだったろう。一八九八年から一九五九年まで、アメリカ政府はアメリカ企業の利得に理解があり、キューバ人に対しては冷酷なキューバ人指導者を支援してきたのだ。

一九二九年に大恐慌《きょうこう》が起きると、砂糖の価格は急落し、キューバの銀行のほぼすべてが経営破綻《はたん》した。それまでキューバの人々が地道に蓄えてきた財産の大半が消えてなくなったのだ。破産した多くのキューバ人たちは、自分が手放した土地を次々と買い上げていくアメリカ人銀行家を、はらわたが煮えくり返る思いで見ていた。やがて怒《いか》れるキューバ人は、その憤激を時の大統領モラレスにぶつけるようになった。

ヘラルド・マチャド・イ・モラレスは、一九二四年からキューバを支配していた独裁者だ。大恐慌《きょうこう》が起きても、権力の座にとどまるために、抗議する者を力ずくで黙らせてきた。私的な軍隊に拷問《ごうもん》をさせ、時には銃殺も命じた。憲法を無視したマチャドの所業を非難して、学生グループが抗議デモに出た時にも暴力で制圧した。国民の支持がほとんどないにもかかわらず、アメリカ政府は残忍なマチャド政権を断固として支援しつづけた。マチャドが大統領になってから、アメリカ企業はしこたま稼《かせ》いでいたのだ。大恐慌後に市民が抵抗運動に出ようとも、マチャドはキューバを支配していけるだろうとアメリカは楽観視していた。民主主義よりも、金もうけの方が大切だったからだ。

しかし、政権維持が不可能だとわかってくると、在キューバのアメリカ大使は彼に辞任を促した。ところが、マチャドがその手続きをするまもなく、一九三三年八月、軍部が反乱を起こし、マチャドは国外逃亡した。独裁者が逃亡したと聞いて、キューバ人は歓声を上げて通りへ繰《く》り出した。老いも若きも白人も黒人も、貧者も裕福な者もマチャドの逃亡を祝い、明るい未来の到来を願った。マチャドを始めとする歴代独裁者の長きにわたる圧政から解放されて、国民は喜びに沸《わ》いていたが、製糖業の大物たちが黙っているはずもなかった。

マチャドの逃亡後、脆弱《ぜいじゃく》な政権が続き、一九三四年一月、無力な大統領ラモン・グラウ・サン・マルティンを失脚させて政治の実権を握ったのは、参謀長《さんぼうちょう》フルヘンシオ・バティスタ・イ・サル

1938年11月11日の休戦記念日、大統領フランクリン・ローズヴェルトの到着をアーリントン墓地で待ちながら、アメリカ陸軍参謀総長マリン・クレイグと談笑するバティスタ(左)。

ディバルだった。バティスタは、安定した政府を築くための逸材《いつざい》に思われたし、実際にその存在はアメリカにとっては唯一の希望だった。アメリカ大使サムナー・ウェルズは、バティスタを「権威というものを体現できるキューバでただ一人の人物」と評していた。早速バティスタは、北の隣人アメリカに対抗するように見せかけるため、プラット修正条項を撤廃《てっぱい》した憲法を発布、アメリカは新憲法をただちに承認した。一九四〇年、バティスタは大統領に選出される。

アメリカの政府高官たちは安堵《あんど》した。バティスタは、キューバを操るには最適の人間だと見ていたからだ。しかも、キューバ国民もまた、アフリカ、スペイン、インド、中国の血を引くバティスタを、文字どおり自分たちの代表であると信じたのだ。バティスタ政権下でしばらく、物事はうまく進んでいた。第二次世界大戦が勃発《ぼっぱつ》すると、キューバ産の砂糖への需要が世界的に高まった。一九四〇年に二七〇〇万トンだった砂糖の生産高は、四四年には四二〇〇万トンへ急増した。こうして、喉《のど》から手が出るほどほしかった現金がキューバの国庫に入ってくるようになった。民主社会主義を標榜《ひょうぼう》するバティスタは社会福祉政策にその金を配分し、大恐慌《きょうこう》で甚大《じんだい》な打撃を受けた国民生活の再建を促進した。また、ヒトラー台頭に抵抗するため、キューバの共産党と共闘路線まで結んだ。しかし、キューバ経済のつねとして、安定した時代は長続きしなかった。

バティスタの恐怖政治

第二次世界大戦後から一九五〇年代にかけて、ヨーロッパ諸国の砂糖生産が回復してくると、キューバの経済はまたもや停滞しはじめた。バティスタは一九四四年の大統領選挙で敗れて、一度はアメリカへ逃れたものの、五二年、キューバへ舞いもどり、二度目の大統領選に挑《いど》んだ。しかし投票者の支持が集まらないとわかるや、キューバの軍部に助けを求めた。そして、国民の意思を踏みにじって選挙を中止し、大統領カルロス・プリオ・ソカラスに対しクーデターを起こして、大統領職についたのだ。大統領に返り咲いたバティスタは本物の独裁者に変貌《へんぼう》していた。そして、民主主義と自由選挙を標榜しているはずのアメリカは、再びバティスタ政権を支持したのだ。

バティスタの恐怖政治がはじまった。国民への支配を強化するため、バティスタは市民的自由を剝奪《はくだつ》し、政府や製糖業のボスに抵抗する者を厳しく取り締《し》まった。金持ちのアメリカ人やキューバ人実業家から賄賂《わいろ》を受け取り、私利私欲のために行動し、声高《こわだか》に逆らう者は誰《だれ》でも拷問《ごうもん》にかけて投獄した。バティスタが豪華な官邸でくつろぎ、贅沢《ぜいたく》な料理に舌鼓《したつづみ》を打ち、アメリカのホラー映画を楽しんでいる間にも、彼の秘密警察は何万人ものキューバ人を検挙し投獄していた。

バティスタは、拷問、公開処刑ほか残虐《ざんぎゃく》な暴力で国民を黙らせ、マスコミを検閲して記者たちを脅《おど》した。一九五二年から五九年にかけて、ワシントンから供与された金と武器で、一万人から二万人もの国民を殺害した。同時に、アメリカのマフィアにも便宜《べんぎ》を図り、キューバはギャンブル、ドラッグ、売春の巣窟《そうくつ》となり、金持ちと貧者の差はますます開いていった。

暴力によって口を封じられていたものの、多くのキューバ人は憤激をつのらせていた。バティスタは残虐非道な手の付けられない存在となり、世界中が遠巻きにキューバを見るようになった。一九五八年、あまりの暴虐《ぼうぎゃく》ぶりに、さすがのアメリカもバティスタ支持を撤回することにした。しかし、キューバはすでに深刻なダメージをこうむっていた。後に大統領ケネディの外交政策顧問となるアーサー・シュレジンガー・ジュニアは、キューバの国情について書いている。「腐敗し切った政府、残忍な警察組織、国民の教育や医療、住宅の必要性に対する国の無関心。こうしたことすべてが、社会正義と経済的正義の両面から、革命を起こしてくれと訴えているようなものだった」

こうして革命が起きるのだ。これより五年前の一九五三年七月二六日、二八歳のキューバ人弁護士フィデル・カストロが組織した一三〇名ほどの武装グループが、信じがたいほどの大胆不敵さで、バティスタ軍が起居するモンカダ兵営を襲撃した。しかし、カストロの部隊は大敗を喫し、殺害をまぬがれた少数の者が命からがら逃亡した。カストロは発見されて投獄されたが、二年後、政治犯の特赦《とくしゃ》により釈放されて、メキシコへ逃れる。一九五五年、そこでカストロはチェ・ゲバラと出会い、意気投合した。ゲバラはアルゼンチン出身の青年医師だったが、キューバの自由のために革命に参加することを決心したのだ。二人は、八〇人ほどの革命支持者を組織化し、バティスタからキューバを奪還する作戦を練った。

一九五六年一一月二五日、三〇歳のカストロと二八歳のゲバラに率いられた革命軍部隊は、「グランマ号」と命名された小さな木造船に乗りこみ、メキシコ湾岸沿いを進みはじめた。練りに練った作戦を実行に移し、バティスタを打倒する時がきたのだ。グランマ号はキューバの東へ進んだ。

メキシコ湾を横断してから、船はキューバ南東部の海岸で座礁《ざしょう》した。革命軍部隊は大破した船を捨て、胸までの深さの海中を歩き、マングローブが生い茂る沼沢地《しょうたく》に入った。鋭くとがった植物が容赦《ようしゃ》なく突き刺さってくる。しかし、そこにいたのは彼らだけではなかった。バティスタの軍隊が待ち伏せていたのだ。雨あられと銃弾が飛んできて、彼らは四散逃亡した。ゲバラは首に被弾し、苦悶《くもん》のうちに倒れた。後に彼は語っている。「あの時は万策尽《ばんさくつ》きたように思われて、従容《しょうよう》として死を受け入れるしかないと肚《はら》をくくった」

革命軍は十数人しか生き延びられなかった。死地を脱したカストロ、ゲバラ、カストロの弟ラウルは、深手を負い、喉《のど》の渇《かわ》きに苦しみ、疲労困憊《こんぱい》していたが、なんとか南東部のマエストラ山脈の深いジャングルへ逃げこんだ。彼らはそこを本拠地とし、体力の回復を待ちながら態勢を立て直すことにした。ここまでやってきたのだ。仲間の死をむだにするわけにはいかない。

やがて、カストロとゲバラが率いる革命軍は世界中に知られるようになり、歴史に残る革命への道筋が整えられていくのである。

ハバナにあるチェ・ゲバラの手描きの壁画。

18

キューバ革命

一九五七年一二月の穏やかな夕暮れ時、二九歳の小太りのアメリカ人ウィリアム・アレクサンダー・モーガンが、ハバナ港で下船した。旅行かばんを手に、ナイトクラブやホテル、カジノの明かりで華やかに照らし出された首都の通りを歩きはじめる。二五〇ドルもする白っぽいスーツに身を包み、真新しい靴をはいたモーガンは、その時の自分を後年こう回想した。「正真正銘《しょうめい》の、金満アメリカ人旅行者に見えたはずだ」

確かにそんな服装はしていたが、モーガンがキューバを訪れたのは、サンスーシで踊り明かすためでも、ドス・アーマナス・バーでキューバ・リブレを飲んでほろ酔《よ》い気分になるためでもなかった。もっと壮大な志を胸に秘めていたのだ。モーガンは人目を避けるようにパセオ通りを突っきり、何年も前にミルトン・ハーシーが宿泊していたザ・プラザを通り過ぎて、人けのない波止場からオールドハバナの裏通りへ入っていった。そこに約束した場所がある。興奮で胸が高鳴った。

モーガンは電話ボックスの陰で立ち止まり、息をひそめて、キューバ人の仲介者ロジャー・ロドリゲスを待った。二人は数年前、マイアミで顔を合わせていた。ロドリゲスは革命軍部隊の兵士で、バティスタ軍にマークされている。独裁者バティスタに抗議する街頭デモに参加中、警官隊に銃撃されてから、バティスタ打倒に怒りの炎を燃やしていると聞いた。

と、暗がりから、口ひげを蓄えたキューバ人ロドリゲスが近づいてきた。しばらくぶりだ。二人の男は笑顔《えがお》で抱擁《ほうよう》し合った。それから暗い裏通りを歩きながら、モーガンが着手しようとしている危険な冒険について小声で話し合った。

フィデル・カストロ率いる革命軍がキューバ国内に潜伏《せんぷく》しているという記事を、モーガンはニューヨーク・タイムズ紙で目にした。カストロは「自由と民主主義、社会正義を強く信奉し、キューバに憲法的秩序を回復する使命を担った人物である」と書かれた記事を読んで、祖国に対するカストロの献身に感激した。だから、彼の革命軍に加わり、バティスタの手からキューバを解放したいと思ったのだ。

しかし、アメリカ人の自分がキューバの革命のために命をかけて戦いたいと訴えても、不審がられるに決まっている。もっともらしい理由が必要だ。そこでモーガンは、でっち上げの親友の話をロドリゲスにした。自分の親友は先だって、革命軍のために銃を密輸しているところを発見され、バティスタ軍に逮捕されて、「拷問《ごうもん》にかけられた後、海へ投げこまれてサメに食われて惨殺《ざんさつ》された」だから、親友の仇《かたき》を討ちたいのだと。そして、この後ハバナからひたすら東へ走り、マエストラ山脈でカストロの革命軍と落ち合うことになっており、山中を案内してくれる革命軍の兵士とはすでに話がついている、と打ち明けた。

ロドリゲスは蒼白《そうはく》になった。その兵士のことなら知っている。実はそいつはバティスタの暗殺部隊のスパイなのだ。おそらくモーガンは拘束《こうそく》されて殺されるだろう。そこでロドリゲスは事実を告げて、自分が中部のエスカンブライ山脈まで案内し、反バティスタ勢力のグループに引き合わせようと申し出た。

二人は運転手付きの車を借りてハバナを発《た》ち、南東にあるシエンフエゴスへ向かった。もしも検問にあったら、モーガンはコーヒー農園のアメリカ人社長で、プランテーションの視察に行くところだと説明することにした。案の定《じょう》、走り出してまもなく、軍の道路封鎖にぶつかった。武装兵が車に近づいてくる。二人の胸の鼓動《こどう》が速くなった。なんとかこの場を乗り切らなければならない。兵士は車窓のそばまでくると、車内がよく見えるようにサングラスを鼻まで降ろした。冷たく鋭い目がモーガンの顔の上で留まった。「このしゃれた身なりのアメリカ人はどこへ行くつもりなんだ？」兵士が大声で尋《たず》ねる。「この人はプランテーションを見にいくところだ」とロドリゲスが返した。兵士は目をすえたまま、車から離れていった。作り話を信じたらしい。二人は大きくため息をついてから、スピードを上げて目的地へ向かった。

二人はバナオの村まで走った。そこで落ち合った一人の農民に、エスカンブライの山腹まで案内された。農民は山刀《マチェーテ》で背の高い植物をなぎ倒しながら、奥へ奥へと進んでいく。後をついていくだけでも骨が折れた。ついに、三人は開けた場所に出た。農民が両手を口の端《はし》にあてて、鋭く鳥笛を鳴らした。険しい山峡《さんきょう》に鳥笛が響き渡る。似たような鳥笛が返ってきたかと思うと、いきなり一人の兵士が木々の間から現れて、モーガンとロドリゲスを彼らのアジトへと導いた。水の入っていないたらいや銃が地面に散らばっている。三〇人ほどの男が、鬱蒼《うっそう》としたバナナの木の森に吊《つ》ったハンモック付近に固まっていた。ろくに水もなく、まともな物も食べていないようだ。そこが、反バティスタ勢力のキャンプだった。

兵士たちは胡散臭《うさんくさ》そうにモーガンを見た。秘密のアジトまでやってきたこのアメリカ人は、こっちの動向を探りにきたCIAのスパイじゃないのか。CIAは、ジャーナリストに見せかけたスパイを送りこんでくることがある。このアメリカ人もその類《たぐい》ではないのか。そう疑っていた。

モーガンは、グループの司令官、二三歳のエロイ・グティエレス・メノヨの前まで進むと、どんなにバティスタを憎んでいるか、いかに惨殺《ざんさつ》された親友の復讐《ふくしゅう》を願っているかを力説した。そして、自分はアメリカ陸軍にいたから、素手《すで》で敵を無力化させられれほど武術に長《た》けている、とアピールした。実際、モーガンは優秀な戦士だった。彼ならメノヨの部隊を訓練できるだろう。多くの者は、これまで一度もゲリラ活動をした経験がないのだ。

メノヨは信じていない。モーガンは彼の不信を察知し、実力のほどを証明することにした。ビジネススーツ姿のまま、誰《だれ》かナイフを貸してくれないかと呼びかけた。そして、ナイフをつかむと、二〇メートルほど離れた木に向かって投げた。命中。ナイフは丸みを帯びた幹にしっかりと突き刺さっていた。兵士たちはモーガンの腕に度肝《どぎも》を抜かれた。だが、まだ信用するわけにはいかない。彼らはさまざまな難題を吹っかけてモーガンを試した。

兵士たちは連日、険しい山地の中、モーガンを連れ回した。空腹と疲労で起き上がれなくなるまで、彼をしごいたのだ。スズメバチの巣があるとわかっていて、藪《やぶ》こぎをさせることもあった。モーガンはハチに刺され、顔も胸も真っ赤に腫《は》らして苦痛にのたうち、その夜はろくに眠れなかった。

しかし彼はくじけなかった。いくらしごかれても、元気いっぱいだった。またたく間に体重は一五キロもへり、顔にはむさくるしいヒゲが生えてきた。ある兵士は語っている。「あのアメリカ人はタフだった。それで、だんだん彼の粘《ねば》りに感心するようになった」

ある日、彼らが稜線《りょうせん》沿いに行軍していると、バティスタ軍の部隊二〇〇人が接近してくることに気づいた。この戦いに参加した当初から、ずっと危惧《きぐ》してきたことが現実になりつつあった。人数で圧倒的に劣勢なのだから、このままでは皆殺しにされる。

兵士たちはパニックに陥《おちい》った。すでに戦闘技術と忍耐力に関して、メノヨから称賛されるようになっていたモーガンが秘策を授けた。岩場を背に、稜線を囲むように半円に展開せよと命じたのだ。心臓を激しく鼓動《こどう》させ、ライフル銃を強く握りしめながら、彼らは姿勢を低くして待ち伏せた。

バティスタ軍がどんどん近づいてくる。反乱軍は物音一つ立てず待ち受ける。ついに、敵軍が彼らの潜《ひそ》んでいる岩場の上をよろよろと歩きはじめた。その時、メノヨが攻撃開始を命じた。銃撃音が森全体に反響する。と、モーガンが岩陰《いわかげ》から飛び出した。狙《ねら》いをはずすことなく次々と敵を倒していく。仲間が後退してもそこにとどまり、部隊を守ろうと銃を撃《う》ちつづけた。

作戦は成功した。いきなり包囲射撃を受けて、バティスタ軍が後退しはじめたのだ。兵士の一人アルマンド・フレイテスは語る。「敵が後退していくのがわかった。……こちらの完璧《かんぺき》な勝利だった」この時から、兵士たちはモーガンに大きな敬意を払うようになった。ついに彼はみんなの信頼を獲得したのだ。やがてこのグループは、「エスカンブライ第二戦線」と名乗るようになる。

まもなくモーガンはスペイン語をマスターし、「自分の命を賭《と》してこのひとかけらの自由な土地を守るために戦い」、「戦闘に関するすべての秘密を守り」、「裏切者を告発する」と誓いを立てた。アメリカ中西部で生まれ育ち、カトリックの学校へ通い、ボーイスカウトで最高位を受賞したアメリカ人は、こうしてフィデル・カストロの革命に参加することになったのだ。

モーガンは子どもの頃からはみ出し者で夢見がちだった。また、自分でも、自分の行動が予測できなかった。きわめて成績優秀だったのに、学校嫌いでもあった。ニューヨーカー誌は、彼の子ども時代をこう書いている。

彼はしばしば冒険物語の世界へ入りこんでしまうような少年だった。とりわけ、『アーサー王と円卓《えんたく》の騎士《きし》』に夢中で、部屋の窓から隣近所の景色をながめていても、別世界の風変わりな景色で頭の中をいっぱいにしていた。母親は、彼は「とても想像力豊かな子」だったと話す。自分で空想したものを実際に作ってみることもあった。中でも、古典ＳＦ『海底二万里』に登場する「ダイビング用ヘルメット」は、作者ジュール・ベルヌも顔負けの出来だったらしい。また、生来の「怖《こわ》いものなし」らしく、自作のパラシュートで、屋根の上から飛び降りようとしたことさえあった。

一五歳になる頃には、郊外での暮らしに飽《あ》き飽きしていた。隣近所との退屈な付き合いや狭苦《せまくる》しい学校生活から逃れ、人生の意味と冒険を求めて世界へ出ていきたいと心を燃やしていた。ある晩、両親が眠っている間に、モーガンは静かに階段を下りて父親の車のキーを盗み、音を立てないように家のドアをあけて車に滑《すべ》りこみ、オハイオ州トレドの通りを猛スピードで疾走《しっそう》した。警察に捕《つか》まって少年拘置所《こうちしょ》に収容されたが、そこも逃げ出す。懸命《けんめい》の捜索の末、父親がシカゴで彼を見つけ出した。モーガンは人気のサーカス団リングリング・ブラザーズで、ゾウの世話をしながら、火食い男を演じていたのだ。

父親に連れられて家に帰ってきたものの、長居はできなかった。九年生（中学三年）で学校を退学し、冒険と自由を求めてアメリカ中を旅するようになる。バスや船はただ乗りし、食い詰《つ》めないために雑多なアルバイトをした。スーパーで品物を袋詰めしたり、石炭掘りをしたり、牛の世話や映画館の席の案内係もしたし、マフィアの使い走りまでするようになった。その後入隊し、一九四六年には日本に駐留した。翌四七年に任務を放棄して脱走し、四八年、軍事法廷にかけられて不名誉除隊となり、脱走罪で五年の実刑判決を受ける。二年後の五〇年に出獄してから、五五年まで時々マフィアのために働いた。両親は彼のやることに腹を立てていたが、やがて父親は理解を示すようになった。父親の手紙にはこうある。「好きなだけ冒険しろ。だが、家に帰りたいと思ったら、いつでも帰ってこい」

そして一九五八年夏までに、モーガンは親の想像をはるかに超える、多くの冒険と恐怖を体験するようになっていた。キューバのジャングルの奥地で、彼とエスカンブライ第二戦線は、幾度となくバティスタ軍を撃退していた。戦闘は激しかった。モーガンは回想する。「三〇人対一人のように、我々はいつも人数で劣勢だった。……部隊は小さかったが、機動性にとみ、強靭《きょうじん》だった。そのうち、我々は〝エスカンブライの幽霊《ゆうれい》〟と呼ばれるようになった」

信じがたい光景を目にすることもあった。バティスタ軍は火を放って村を破壊し、至近距離から人々を撃《う》ち、老人の舌を切断することさえあった。そうした残忍きわまりない場面に出合うたび、キューバのために戦うのだというモーガンの決意は強固になっていった。人間が同じ人間にそんな残忍なことをしているのを、黙って見過ごすことはできなかったのだ。

アメリカ政府がバックについている政権に抗議する戦いではあったが、モーガンは自分がアメリカ生まれであることに誇りをもっていたし、祖国アメリカがおそらく標榜《ひょうぼう》している理想の多くに敬意も抱いていた。彼は、バティスタの独裁政権をアメリカ流の民主制に変えたいと思っていた。また、モーガンは熱烈《ねつれつ》な反共主義者でもあった。確かに当時フィデル・カストロは、「私はこれまで共産主義者だったことはないし、現に今もそうではない。もしもそうであるなら、そう公言することに躊躇《ちゅうちょ》はない」と発言していたのだ。
革命成功後の一九五九年、モーガンはニューヨーク・タイムズ紙に寄稿した。

自分がここにいるのは、自由な男のなすべきもっとも重要なことは、他人の自由を守ることだと確信しているからだ。自分の息子《むすこ》が成人した時、祖国以外の場所で戦ったり殺されたりすることがないように、自分はここにいる。男は独力で、あるいは仲間とともに、自らの自由を守るべきだ。そして、自由な男は武器をとってともに立ち上がり、人々の権利を奪おうとしている勢力や集団と戦い、滅ぼすべきだと確信している。

キューバ革命

エスカンブライ第二戦線がバティスタ軍と戦闘を繰《く》り返しているうちに、キューバ各地で激烈《げきれつ》なゲリラ戦を展開していた多数の革命軍は、最終攻勢へ移りはじめた。一九五八年一〇月、ゲバラの部隊が一〇〇人の兵士を従えてエスカンブライの山腹に到着し、モーガン率いるエスカンブライ第二戦線と合流して、山中を出て市街へ向かう準備に入った。ゲバラとモーガンは反《そ》りが合わなかった。マルクス主義に傾倒する真面目《まじめ》で気難しいインテリのゲバラと、反共主義者で人なつっこいアメリカ人とではうまくいくはずもなかった。とはいえ、当座、彼らには共通の敵がおり、バティスタ政権を倒すために協力は不可欠だった。

一二月、ゲバラ部隊とエスカンブライ第二戦線は、首都攻略へ向けて進軍する時機だと判断した。その頃までに彼らは、ゲリラ戦に精通した屈強な戦闘集団に成長していた。総勢一〇〇〇人強でバティスタ軍を撃退し、大都市サンタクララを包囲した。この戦いがターニングポイントとなり、まもなく、マニカラグア、エル・ホヨ、ラ・モサ、サンファン・デ・ロス・イヤーズを占拠《せんきょ》する。

ゲバラと第二戦線が南東からハバナへ接近している間に、フィデル・カストロ配下の部隊が西から大攻勢をかけ、弟ラウルが率いる部隊は北から首都攻略をうかがっていた。革命軍はバティスタ軍を包囲したのだ。ついに、ゲバラと第二戦線は、首都からわずか二五〇キロメートルのトペソ・デコランテスに達した。その時、バティスタ軍将校が声明を発表した。「参謀本部はもはや応戦できない。戦闘継続は望んでいない」

一九五九年一月一日、ハバナでは、大統領主催《しゅさい》の新年祝賀パーティが催《もよお》されていた。CIA要員デイヴィッド・アトレー・フィリップスは、シャンパンで新年を祝した。と、不審な物音を聞きつけ、星のまたたく夜空を見上げた。奇妙なことに、星の一つが明滅《めいめつ》しながら遠ざかっていく。フィリップスがあわてていたボスに電話すると、驚くべき情報を聞かされた。「バティスタが今飛行機で逃亡した。ドミニカ共和国へ亡命する気だ」

翌日、キューバの人々は、長きにわたり祖国を食い物にしてきた独裁者バティスタが間違いなく国外逃亡したことを知った。彼らは歓喜《かんき》に躍《おど》り上がって通りにあふれた。そして政府系の新聞社に火を放ち、カジノを襲撃し、外国の航空会社の切符売り場をあさり、アメリカ資本の銀行を略奪した。それからバティスタ軍の旗を引きずりおろして、燃やしたのだ。

革命軍はハバナを占拠《せんきょ》していた。しかし、バティスタ軍の最後の反撃に備えて、車やトラックを徴発《ちょうはつ》して市街中心部へ走らせ、バリケードを築いて待機した。しかし、誰《だれ》も応戦してこない。通りに繰《く》り出してきたのは、喜びを爆発させた大勢の市民だった。葉巻を片手にラム酒を浴びるように飲みながら、多数の革命軍兵士とその支持者が勝利に酔《よ》いしれた。一月八日、フィデル・カストロがハバナに凱旋《がいせん》し、キューバ革命は達成された。キューバは、新たな時代を迎えたのである。

一月一二日、美しいサンホアン渓谷《けいこく》を見下ろす原野で、ラウル・カストロ率いる革命軍が、数百人ものバティスタ軍兵士を横一列に整列させた。彼らはすでに後ろ手に縄《なわ》で縛《しば》られている。一歩下がれ、と革命軍が命じたとたん、マシンガンが一斉《いっせい》に火を噴《ふ》き、兵士たちはあらかじめ掘られていた穴へ落ちていった。兵士の多くはまだ一〇代だった。バティスタ軍に入隊したのは、あまりにも貧しくて食うに事欠いていたからだ。しかし、ラウル・カストロは頓着《とんちゃく》しなかった。彼らは敵兵なのだ。それは、新政府にたてつく者は同じ運命をたどる、という見せしめの処刑だった。カストロ兄弟は、すべてのキューバ国民が平等に扱われる社会を目指していたが、この処刑は、目標達成に必要ならば、暴力と脅《おど》しを手段とすることもいとわない彼らの姿勢を示していた。

CIAの誤算

キューバ革命成功の報は、アイゼンハワー政権にとって寝耳に水だった。CIAはあわてて、カストロ兄弟を監視しはじめた。兄フィデルを、コードネームAMTHUGで呼ぶことも決定された。弟ラウルが筋金入りの共産主義者であることは、よく知られていた。彼は一八歳で共産主義青年運動に加わり、鉄のカーテンを越えてルーマニアとチェコスロバキアを訪問している。また、ソ連の政界実力者とも親交があり、東ヨーロッパ滞在中に、外交官ニコライ・レオノフとも面談していた。両者が懇意《こんい》な間柄《あいだがら》であることは有名で、友好関係はずっと継続していた。

CIAは頭をかかえた。フィデルが弟ラウルに感化されて、公式に共産主義を擁護《ようご》するようになる可能性はきわめて高い。それは、フロリダからたった一五〇キロメートルしか離れていない場所

群衆とともに歩くソ連首相フルシチョフ（中央）とフィデル・カストロ（その後方、ひげの人物）1960年。

に、アメリカに敵意をもった共産主義国が誕生することを意味していた。グアテマラも近いが、キューバは目と鼻の先なのだ。そのキューバの国家元首となったフィデル・カストロは脅威そのものだという危機感を、CIAはますます強めていく。たとえ現在彼が、自分は共産主義には反対で、一年半以内に自由で公正な選挙を実施すると公約していたとしても、そんな言葉など当てにはできない。

しかし、イランとグアテマラで秘密作戦を成功裏に完了させたばかりのCIAは、モサッデクやアルベンス同様にカストロを排除し、アメリカに友好的な指導者にすげかえるのは簡単だと高をくくっていた。なんといっても、アメリカはこれまで六〇年間もキューバを操ってきたのだから、そんなことはたやすいはずだ。だが、キューバ国民は、バティスタ政権を倒したカストロ兄弟とゲバラに心酔《しんすい》し切っている。事はさほど容易ではなかった。

奇妙な事件

一九六〇年八月二六日、フロリダ最南端にあるホームステッドは暑く、じめじめしていた。その夜、一六歳のジョン・キーオは、養鶏場《ようけいじょう》の柵《さく》の隙間《すきま》から逃げ出した何羽ものニワトリを、うんざりしながら追いかけていた。性悪《しょうわる》なニワトリはてんでに走り回っている。友達数人を電話で呼び出して手伝わせた。みんなで追いかけたものの、全部を囲いの中へもどすことはなかなかできない。そのうちニワトリ集めに飽《あ》き飽きした少年たちは、ジョンの軽トラックに乗り、何か飲みながら女の子の話でもしようと近くの雑貨屋へ向かった。その途中、少年の一人が、出稼《でかせ》ぎ労働者が集まるキャンプで変なものを見た、と言い出した。夜遅く、労働者たちは「キャンプファイヤーの周りで踊ったり、なんだか変なことをしている」というのだ。少年たちは自分の目で確かめることにした。そこでソーダを飲み干して代金を払うと、キャンプ地を目指した。

キャンプ地につくと、フェンスの向こうでは、友達が言ったとおり、労働者たちが確かに奇妙なことをやっている。少年たちは彼らの注意をひくことにした。一人が爆竹《ばくちく》をとり出すと、他の少年たちがにやりとした。その少年が爆竹に火をつけ、フェンスの向こうへ放り投げた。男たちが振り返る。そのとたん、ジョンは思った。違う、こいつらは普通の労働者じゃない。それから後のことはあいまいにしか覚えていない。男たちのマシンガンが火を噴《ふ》いたのだ。少年たちは一斉《いっせい》に軽トラックへ走り飛び乗った。が、発進する直前、一発の銃弾がトラックの後ろの窓を貫通、ジョンの頭に命中した。その瞬間、彼は視力を失った。

警官が急行して、ここで何をしていたのかと労働者たちに問いただした。しっかり武装しているところを見ると、サトウキビ刈《が》りにきたわけでないことは明らかだ。何か企《たく》んでいるにちがいない。すると労働者は、自分たちはあの革命の後、国から追放された亡命キューバ人で、キューバに攻めこんでカストロ政権を転覆させるために、ここホームステッドで訓練を受けているのだと話し出した。警察は呆気《あっけ》にとられた。あまりにも現実離れした話なので、まともに耳を貸さなかった。ともかく労働者たちは一六歳の少年を銃撃し、少年の視力を奪ったのだ。警察はその一五人を逮捕し、うち二人を殺人未遂で起訴《きそ》した。

そんな重大事犯で起訴されたにもかかわらず、裁判は規定どおりに開かれなかった。いや、一度も開廷されなかったのだ。短期間の拘束《こうそく》の後、警察はこっそりと男たち全員を釈放した。起訴された犯罪者が裁判なしで解放されたことを不審に思い、マイアミ・ヘラルド紙の記者デイヴィッド・クラスローが取材を開始した。すると、全員を釈放してこの件は不問に付せと言ってきたのは、国務省だということがわかった。

いったい全体なぜ国務省は、殺人未遂という重大犯罪を犯《おか》した亡命キューバ人を釈放させたのだろう。クラスローは真相を解明しようとさらに調査を進めた。やがて、キューバに侵攻してカストロ政権転覆をねらうという、とてつもない作戦の兵士として、あの男たちがＣＩＡによって軍事訓練されていたことが判明した。ＣＩＡはキューバ革命後ひそかに、カストロに反感を抱くキューバ人の兵士や学生、労働者を集めていた。カストロのせいで人生をめちゃくちゃにされ、仕事を失い、家族や友人を殺害され、祖国から追放された者たちだ。革命以前、キューバにあったアメリカ企業に雇われていた中流階級の者も含まれている。しかし、今や彼らは祖国を追われ、無一文同然だ。家を失い、仕事を失い、多くの物を失った。カストロは、アメリカ企業に対し、キューバでの事業をあきらめるか、キューバ政府の支配下に入るかどちらかを選べと迫ったのだ。命令に従わなかった経営者は迫害され、殺されることまであった。

自分が突き止めた事実ながら、クラスローには信じられなかった。ＣＩＡがキューバに対し、秘密作戦を仕掛けようとしているとは！　亡命キューバ人がキューバ国内で蜂起《ほうき》しても、外からは内戦にしか見えず、ＣＩＡがバックにいるとは気づかれにくいだろう。だが、世界最強国アメリカが小さな隣国政府の転覆をねらっていることが発覚したら、世界中から激しく非難されることは必至だ。ＣＩＡにはわかっているのだろうか。クラスローは憤《いきどお》りながら記事を書き上げ、承認をもらおうと編集デスクに提出した。

記事を読んだ編集者たちはきわめて用心深かった。政府の重大な政策にかかわる記事を掲載することに難色を示した。当時の新聞は、政府が記事にしてくれと言ってきたことを報じるのが通常だったし、軍事に関する事柄《ことがら》はなおさらそうだった。ところがクラスローの記事は、外国へ不法侵入するという軍事機密作戦の詳細《しょうさい》に立ち入っている。これは爆弾ニュースだ。何度も協議した結果、さらなる情報を収集するため、クラスロー自身がアイゼンハワー政権に取材することになった。

握りつぶされた記事

クラスローは首都へ飛んだ。関係部署をいろいろと訪ねたが、亡命キューバ人の話など何も聞いていない、とみなが口をそろえる。尋常《じんじょう》でないことが進行中であるとは誰《だれ》も認めなかった。ついに彼は、ＣＩＡ長官アレン・ダレスに連絡をとった。「アメリカ最高のスパイ」と称賛されている人物だ。

最高のスパイから直接答えをもらうしかない、とクラスローは肚《はら》をくくった。ダレスのオフィス行きのエレベーターに乗り、いらいらしながら待合室で待った。ついにダレスの部屋へ呼ばれた。

クラスローはうわずる声を抑えながら、自分が突き止めたことを話した。「これが真実だと認めますか?」長官に尋《たず》ねた。丸フレームの眼鏡越しにダレスがクラスローを凝視《ぎょうし》している。その淡《あわ》いブルーの目に表情はまったくない。ダレスはパイプを数度ふかすと、親指と人差し指でしきりに口ひげをなでた。クラスローの質問を面白がっているようにも見えた。

亡命キューバ人の訓練はCIAの作戦のほんの一部でしかないことを、クラスローは知らなかった。彼らはキューバ侵攻以外にも、奇想天外《きそうてんがい》な方法によるカストロ暗殺を画策していたのだ。その五カ月前、ダレスは副大統領ニクソンに対し、キューバ国民がカストロは精神に異常をきたしたと思うような薬を、カストロの食べ物に混入させることを提案していた。また、カストロの靴に体中の毛が抜け落ちる粉末の薬を振りまくという方法も考慮中だった。成功すれば、トレードマークのあのひげもなくなる。

それは、いかにもジェームズ・ボンドが活躍する小説に出てきそうな策謀《さくぼう》だった。ダレスはこのスパイ小説の大ファンだから、偶然の一致とも言い切れない。ボンドが使用するスパイ道具には非常に関心を抱いていると、彼は公言している。たとえば、「小型レーダーで追跡できて、遠距離からでも相手の位置を特定できる……ボンドが敵の車に仕込む車両追跡用の特殊な発信器」だ。事実ダレスは、同様の発信器を作れと部下に命じたが、実戦使用できるほどのものは製作できなかったという。

クラスローが答えを迫った。すると、ダレスは椅子《いす》から立ち上がり、ガラスの灰皿にパイプをあてて灰を落とした。それから目を大きく開いて、クラスローを真正面から見据《みす》えると、脅《おど》すように言った。「そうした類《たぐい》の情報が記事になれば、国家の安全保障は深刻に侵害されるだろう」

クラスローはびっくり仰天《ぎょうてん》し、マイアミへもどった。彼の話を聞いた編集デスクは、結局ダレスの意向に従うことにした。マイアミ・ヘラルド紙は、クラスローの記事をお蔵入りにしたのだ。アメリカ国民は、政府の画策している秘密作戦について、蚊帳《かや》の外に置かれている。議会、ひいては国民の同意なしに事実上の戦争を仕掛けようとしているＣＩＡは憲法に違反している、とクラスローにはわかっていた。しかし、社の方針に従わなかったら自分は失職するだろう。それから六カ月後に真実が公《おおやけ》になるとは彼には知る由《よし》もなかった。文字どおり、その記事は爆弾ニュースだったのである。

第5部

人類史上もっとも危険な瞬間

19

ジョン・F・ケネディ

一九六〇年九月二六日、ジョン・キーオがホームステッドで銃撃された日の一カ月後、若くハンサムでカリスマ性のあるジョン・F・ケネディは、シカゴのホテルの屋上で、長椅子《いす》に脚をのばしていた。このマサチューセッツ出身の上院議員は、東にあるミシガン湖に目をやった。大きなサンパラソルが生暖かい風を受けて、ゆっくりと揺れる。ケネディは一瞬睡魔《すいま》に襲われたが、すぐにセオドア・ソレンセンに現実へ引きもどされた。ソレンセンは、彼の友人でありスピーチライターでもある。ソレンセンもまた、ケネディの隣でくつろいでいる。しかし、そろそろ仕事にもどる時間だ。今夜は長い夜になるだろう。

二人の男の間に置かれた小ぶりのガラステーブルには、はがき大のカードが山になっていた。ケネディはゆっくりと長椅子から体を起こし、日焼け用ローションを再び

1953年9月12日、ケネディとジャクリーン・ブーヴィエとの結婚式。

たっぷりと顔に塗った。それから、べっこう縁《ぶち》の眼鏡の奥から自分を凝視《ぎょうし》している友人に注意をもどした。彼らはもう何時間も想定問答の練習をしている。すでにそれは日課になっていた。ソレンセンがテーブルに積まれたカードを一枚抜き取り、そこに書かれた質問を読み上げ、ケネディが答えるのだ。何度も繰《く》り返しているうちに、彼の返答はますます冴《さ》えてくる。不適切な言い方があれば、ソレンセンが改善すべき点をアドバイスした。また、彼はあえて意表を突くような質問を出すこともあったが、ケネディは器用に受け答えした。ついに二人は、これで準備万端《ばんたん》だと確信した。いや、控え目に言っても、これまでにない仕上がりだ。ケネディは自分の部屋へ降りて、仮眠《かみん》をとった。しばらくしてソレンセンが彼を起こすために部屋へ入っていくと、ケネディはカードの散らばったベッドでぐっすりと眠っていた。

一九六〇年九月二六日まで、ジョン・F・ケネディの知名度はさほど高くなかった。大統領に立候補するにはきわめて若い四三歳であること、また、彼が勝てばアメリカで最初のカトリック教徒の大統領になるということはかなり知られていた。一方、彼が既婚《きこん》で、妻は才気あふれるジャクリーンという魅力的な女性であり、彼女が二番目の子を妊娠中であるということは、ほんのひと握りの者しか知らなかった。

恵まれた環境

ケネディは一見若々しく健康そうに見えたが、終生さまざまな病につきまとわれた。ごく幼い時に、はしか、水疱瘡《みずぼうそう》、百日咳《ひゃくにちぜき》にかかった。三歳になる直前には重篤《じゅうとく》な猩紅熱《しょうこうねつ》にかかっている。一九二〇年代初め、この病気は幼い子どもの命を奪う恐ろしい病だった。その死病からなんとか回復したものの、つねに何らかの病気に苦しめられており、それは生涯《しょうがい》続くことになる。

少年期のケネディは、毎夏、家族とともに、マサチューセッツ州ケープコッドにあるハイアニスポートの避暑地に出かけた。父のジョセフ・ケネディ・シニアはウォール街の投資家で、株と不動産の売買で莫大《ばくだい》な財産を築いた。そのため、ケネディ家の暮らしはたいへん恵まれていた。それは、夏の別荘での過ごし方によく表れている。そこで彼は兄弟姉妹と海で泳ぎ、ヨットを操り、フットボールをし、広々とした裏庭の芝生で日向《ひなた》ぼっこした。父親は子どもたちに屈強であれと望み、互いに競《きそ》い合うことを奨励《しょうれい》した。息子《むすこ》たちに対しては、とくにスポーツでは勝者であってほしいと思っていた。父親の口癖《くちぐせ》は、「状況が困難になれば、屈強な者が道をひらく」だった。ケネディはこの言葉を胸に刻んで、成長した。

コネティカット州のカトリック系の寄宿学校では、ケネディはとても人気があって、同級生に慕われた。また、たいへんな読書好きで、次から次へと本を読みあさった。つねに国際問題に興味を抱いており、子どもながら、ニューヨーク・タイムズ紙を定期購読し毎日読んでいた。校長によれば、ケネディは「聡明《そうめい》だが、わが道を行くタイプ」であり、成績は首席ではなかったという。彼は、本当に面白いと思った歴史と英語しか、まともに勉強しなかった。

高校を卒業するとハーバード大学に入り、フットボール部に入部した。ベストプレイヤーではなかったが、相手にボールを奪われないだけの技量はあった。ポール・ロブソンのように真剣にフットボールに打ちこみ、情熱的にフィールドを走り回った。ある午後のこと、彼はダウンフィールド（訳注：相手側の陣地）をダッシュし、相手選手に猛然とタックルして押し倒した。その拍子に自分も地面にたたきつけられ、背中に激痛を感じた。椎間板《ついかんばん》を損傷したのだ。さまざまな治療を試みたものの、その傷が完全に回復することはなく、背中の痛みは生涯《しょうがい》彼を苦しませることになる。

第二次世界大戦の英雄

大学卒業後、ケネディは海軍へ入隊した。第二次世界大戦中は南太平洋へ配置され、そこで哨戒《しょうかい》魚雷艇《ぎょらいてい》ＰＴ109の艇長を務めた。一九四三年八月一日午前二時すぎ、日本軍艦船を発見すべく、ソロモン諸島海域を哨戒中のことだった。乗員が半狂乱で甲板《かんぱん》のケネディを呼んだ。巨大な駆逐艦《くちくかん》が暗《くら》闇《やみ》の中、彼らの船に向かって高速で突進してくる。ケネディは衝突を回避しようと舵《かじ》を切ったが、手遅れだった。日本海軍駆逐艦天霧《あまぎり》に衝突され、ＰＴボートは真っ二つに引き裂《さ》かれた。燃料に引火したボートは激しい火炎に包まれ、乗員二名が即死した。

衝突のショックで、ケネディは背中を激しく舵輪軸《だりんじく》にぶつけ、海に落ちた。生き残った乗員もまた海中へ投げ出された。と、海面に浮かぶがれきの中から、助けを呼ぶ悲痛な声が聞こえてくる。乗員のパトリック・マクマホンが必死に顔を突き出していた。爆発で重度のやけどを負ったらしい。ケネディ自身、背中の激痛で容易に動けない状態であるにもかかわらず、背後からマクマホンを捕《つか》まえ、ボート後部まで彼をかかえて泳いだ。それから乗員は船のがれきにつかまり、冷たい太平洋の波に揺すぶられながら、夜明けを待った。

朝になった。大学の水泳部にも所属していたケネディは、マクマホンの救命胴衣をベルトで結び、ベルトの反対端を口でくわえて、遠くに見える島へ向かって泳ぎ出した。他の乗員が、やはり負傷して泳げない仲間をそれぞれに引っ張って後に続いた。ついにその島に泳ぎついた。彼らは口もきけないほど疲れ果て、どさりと浜に倒れこんだ。その島には、食べる物も水もほとんどなかったが、二日間そこで過ごした。

八月四日、この小島にいても飢《う》え死にするだけではないかと感じ、ケネディは別の島へ移動して食べ物を探すことを決断した。再びマクマホンをベルトに結びつけ、他の乗員とともに泳ぎはじめた。ついに遠くに島影が見えてきた。疲労困憊《こんぱい》した体を動かし、必死に島を目指して泳いだ。足の裏に砂を感じ、身を起こした。なんとかたどりついたのだ。

しばらく休憩《きゅうけい》した後、手分けして食べられるものを探しに出かけた。何も見つからなかった。突然、乗員の一人が歓声を上げた。大木の下の鬱蒼《うっそう》とした茂みの陰に、日本軍が隠しておいた箱を発見したのだ。中にはキャンディが入っていた。飲料水の入った容器と小さな丸木舟も見つかった。彼らはほっとしてキャンディを口に入れ、水を飲んだ。それから、食料を分け合いながら、救出の望みを捨てずに、さらに三日間をその島で過ごした。

ケネディはその間も毎日、遭難《そうなん》していることを友軍に伝える方法はないかと探索に出ていた。それがいかに危険な行為であるかは承知していた。パトロール中の日本兵に遭遇《そうぐう》するかもしれないし、敵対的な島民に見とがめられる恐れもある。それでも行動しなければならないと考えたのだ。八月六日、ケネディと乗員ジョージ・ロスはばったり二人の島民に出会い、救助を求めた。驚いたことに、その島民は諸島一帯を丸木舟で回っていて、アメリカ軍がどこにいるかを知っていたのだ。ケネディは喜びに胸を躍《おど》らせた。ココナツの皮にメッセージを刻み、仲間のアメリカ兵に届けてくれ、とそれを島民に託した。翌七日の夜、アメリカ軍の船が救出にやってきた。そして、翌朝早くPTボートの乗員はアメリカ軍基地に到着したのである。

この時の勇敢な行動と的確な指揮に対し、ケネディは名誉負傷章に加え、戦時の英雄的行為に対して与えられる海軍海兵隊勲章《くんしょう》も授与された。

大戦後の一九四六年、ケネディはマサチューセッツ州議会議員に立候補して当選し、政界デビューを果たす。その後、任期二年の民主党下院議員に三回続けて当選し、五二年には上院議員に初当選した。

ミサイルギャップ問題

まぎれもない戦争の英雄だったにもかかわらず、ケネディは太平洋上で見せたような屈強さを、議会ではなかなか発揮しなかった。赤狩《あかが》りが激化していた時期、その急先鋒《きゅうせんぽう》に立っていたリチャード・ニクソンなどを支持し、ジョセフ・マッカーシーを非難することさえ避けていた。しかも、一九五四年一二月の上院でのマッカーシー譴責《けんせき》決議案の投票には棄権した。弟のロバート・ケネディは、マッカーシーの補佐役だったのだ。

一九五七年、ケネディは、ノンフィクション『勇気ある人々』（英治出版刊）でピューリッツァー賞を受賞する。それは周囲からの圧力にもひるまず、自分の信念を貫《つらぬ》き通した八人の勇気ある上院議員の物語だった。この本が出版されると、故フランクリン・ローズヴェルトの妻エレノアは、ケネディを、「華やかな経歴よりも、もう少し発言力がほしいところだ」と評したという。ケネディは、エレノアはもとより、民主党のリベラル派を味方につけたかったが、万全《ばんぜん》の支持をえることはできなかった。

上院議員としてのケネディは、アメリカよりソ連の方が多数のミサイルを保有していると、国民の不安をあおるような発言をしていた。かなり早い時期から、ソ連の軍事的優勢は、「過去の戦争で経験してきたいかなる危険より、よほど差し迫った致命的な脅威である」と警告していたのだ。側近から、ソ連は一九六三年までに二〇〇〇発の大陸間弾道ミサイルを保有するようになるはずだと報告を受けていたからだ。現に、一九五七年に大統領アイゼンハワーに提出された軍事報告書

「ゲイサーレポート」は、軍事力においてアメリカはソ連に大きく遅れをとっていると警告し、我が国は一九五九年までに六〇〇発の大陸間弾道ミサイルを建造、配備し、二四〇発の中距離弾道ミサイルをヨーロッパに配備すべきだ、と進言していたのである。保有ミサイル数でアメリカがソ連にはるかに遅れをとっているという考えは「ミサイルギャップ」と呼ばれ、アメリカ人を極度の不安に陥《おとしい》れていた。

アイゼンハワーは、ケネディの発言は笑止千万《しょうしせんばん》、大間違いだと非難していた。大統領は、自国がソ連よりはるかに多数のミサイルを保有していることを知っていたからだ。アメリカ政府はずっとU2偵察機でソ連を監視しており、新たなミサイルは一基も発見していなかった。ところが、ケネディは定期的にミサイルギャップ問題を引き合いに出し、論敵より自分の方がソ連に対して強硬であるように演出した。そうすれば、国民は自分に投票するだろうと踏んでいたのだ。この戦法は、もちろん初のテレビ討論会でも採用された。

冷戦戦士のテレビ対決

一九六〇年九月二六日午後、ケネディはシカゴのホテルで仮眠《かみん》から目覚めた。そして、もう一度屋上へ上がり、新鮮な夕方の空気を吸いこむと部屋へもどり、想定問答カードを一つにまとめ、黒いスーツに濃色のネクタイを締《し》めてロビーへ降りていった。数分後、車へ乗りこみ、アイゼンハワー政権の副大統領である共和党のリチャード・ニクソンと討論するため、テレビスタジオへ向かった。

1960年9月26日、シカゴCBSテレビスタジオでのケネディ(左)とニクソン(右)によるテレビ討論会。

これから、次期大統領候補の討論会が、史上初めてテレビ放映されるのだ。スタジオの空気は張り詰《つ》め、二人の候補者も緊張していた。七四〇〇万のアメリカ人がチャンネルを合わせ、現職の副大統領と、理想主義を掲《かか》げる若い上院議員とが議論に火花を散らすのを今か今かと待ち受けていた。

まだ薄暗いステージで、二人の大統領候補は握手をかわし、それぞれの席に腰を下ろした。ステージ中央の木製のデスクに座っているのは、司会進行役を務めるCBS記者ハワード・K・スミスだ。スタジオはしんとしている。カメラクルーが位置についた。スミスが質問の書かれたファイルをさっとめくって、咳払いをする。二人の候補者はじっと動かない。

スタジオがぱっと明るくなり、テレビ討論会の放送がはじまった。少し前まで入院していたニクソンは顔色が冴《さ》えず、やせ細っており、病人の印象がぬぐい切れない。背中を硬直させて、居心地《いごこち》悪そうにステージの向かって右に座っている。淡色《たんしょく》のスーツのせいで、青白い顔色がなおさら白く見えた。顔に汗が噴《ふ》き出している。

片や、ステージ左のケネディは落ち着き払い、泰然《たいぜん》と椅子《いす》に腰かけていた。そして足取り軽く演壇へ向かうと、オープニングスピーチを行った。威厳《いげん》のある端正《たんせい》な若い顔と、みごとに櫛《くし》の通った髪がアップになる。ケネディは、過去を振り返るのではなく、未来を希望しようと訴えかけているように、溌剌《はつらつ》として見えた。冷戦という恐怖の時代を生き延びてきたアメリカ人の夢と希望を代弁し、現状を改革してくれる人材に見えたのだ。

討論会は合計で四回が予定されており、今夜の第一回討論会では、医療、教育、税金、財政赤字の国内問題が議論されることになっていた。ところが、両候補とも、最大の関心事は共産主義とソ連であるのは明らかだった。二人はオープニングスピーチから、激しく火花を散らしている。

この年五月、アメリカの偵察機U２がソ連に撃墜《げきつい》され、パイロットのフランシス・ゲーリー・パワーズが拘束《こうそく》された。ソ連は、長年上空からアメリカに偵察されていたことに気づいていたのだ。まずソ連は、スプートニク打ち上げ直後のフルシチョフによる和解の呼びかけを、アイゼンハワーに黙殺された。次に、アメリカが軍事費を大幅に増額する予定であることを知った。そして今や、アメリカが実際にソ連上空を侵犯し、発電所や大都市、軍事基地を盗撮していたことが明らかになったのだ。アメリカはソ連への侵攻を企《たくら》んでいるにちがいない、とロシア人が考えたとしても無理はない。

ケネディはこの日のオープニングスピーチで、ミサイルギャップ問題に関して一段と踏みこんだ発言をした。ソ連はつねに、アメリカの「二倍の専門家と技術者」を開発に従事させており、一九七五年までには、我が国より多くの兵器製造に成功するだろうと不吉な予言をした。そして、ソ連との確執《かくしつ》を、自由を重じるアメリカと奴隷制《どれいせい》支持のソ連との対立であるとたとえてみせてから、アイゼンハワー政権は、ソ連の脅威に対し何らの対処もしていないと非難した。しかも、強硬派として知られるニクソンより、共産主義対策に関しては自分の方がもっと強硬であると、国民に向かって断言したのだ。

さらに、アイゼンハワー政権は、経済成長のために有効な政策も打ち出さなかったと糾弾《きゅうだん》し、経済的脆弱《ぜいじゃく》さが原因で、アメリカはソ連にさらに遅れをとるのではないかと疑問を提示した。内心ケネディは、ソ連がアメリカを攻撃してくるとは思っていなかったが、運任せにしておくわけにはいかない。自分が当選したら、アイゼンハワー政権より、大幅に国防費を増額すると約束したのだ。

テレビ討論会終了後の記念撮影。

討論会を観《み》ていた人々は、激しい言葉でソ連を非難する民主党員をこの時初めて目にした。彼らは、ヘンリー・ウォレスやアドレー・スティーブンソン、あるいはニューディール時代からのベテラン議員たちの、重要なのは国際協力と平和的な競争だという主張に慣れっこになっていた。ところがケネディは、自分は冷戦時代の新しい民主党闘士であり、反共で鳴らしてきた共和党より、強硬さにおいては負けていないと訴えているのだ。ソ連との緊張が高まりつづけてきた一五年間で、民主党も共和党も主戦論者の政党になっていたのである。

リチャード・ニクソンは困惑した。共産主義に対し、共和党より民主党のケネディの方が強硬であると、どうして国民が信じるだろうか。ニクソンはずっと、国内の共産主義者らしき者をたたくことでキャリアを積み上げてきた。フルシチョフからの和解の呼びかけに応じる気はないというアイゼンハワーの決断を強く支持し、副大統領として、イランやグアテマラの共産主義的政府の転覆を秘密裏《り》に指揮してきたのだ。それなのに、ウォール街の金満銀行家の息子《むすこ》が、この自分を軟弱だと非難するとは……。

ケネディの勝利

　四回のテレビ討論会で、ケネディはことあるごとにキューバ問題をもち出した。そして、国威を増強させていくカストロを阻止《そし》するため、「自由を擁護《ようご》する闘士」たる自分への支持を、アメリカだけでなく、世界の自由主義国に訴えかけた。

　一〇月の最後の討論会では、もしも自分が当選したら、キューバを共産主義から解放するため、必要があれば軍事介入してカストロを打倒する覚悟《かくご》があると言い切った。そのうえ、キューバは氷山の一角にすぎない、カストロの勝利により、メキシコ、パナマ、ボリビア、コロンビアの共産主義者がさらに勢いづく危険があるとも警告した。そして、アメリカからわずか一五〇キロメートル南に共産主義国が生まれようとしているのに、政府は何一つしていないではないかと、ニクソンとアイゼンハワーを激しく糾弾《きゅうだん》したのだ。

「何一つしていない」と非難されて、ニクソンはひるんだ。知らないからそんなことが言えるのだ。まさにこの時、アイゼンハワー政権はキューバへの極秘《ごくひ》侵攻を準備中だった。マイアミ・ヘラルド紙のデビッド・クラスローが一カ月前に知ったように、アイゼンハワーとニクソンの指揮下で、C

IAは亡命キューバ人をフロリダと中央アメリカで訓練し、カストロ政府転覆をねらう作戦を進行させていたのだ。

しかし、副大統領は返答に窮《きゅう》した。この極秘《ごくひ》作戦を口外することなどできない。作戦に触《ふ》れることなく、ケネディの攻撃をかわさなければならないのだ。そこでニクソンは、キューバへの軍事介入というケネディの考えこそ「無責任きわまりない危険な行為」だと応酬《おうしゅう》した。ところが、この発言によって、対キューバ政策に関しては、ニクソンの方がケネディより弱腰だ、という印象を与えることになってしまった。後年ニクソンは語っている。「カストロと共産主義に関する限り、彼の方が私より強硬であるというイメージを六〇〇〇万のアメリカ国民に与えることに、ケネディは成功したのだ」

選挙結果は、アメリカ史上もっとも伯仲《はくちゅう》したものの一つとなり、一般投票数でおよそ一二万票差で、ケネディがニクソンに辛勝《しんしょう》した。共産主義に対して弱腰だ、とニクソンをたたいた作戦が奏功したのだ。こうして第三五代アメリカ合衆国大統領が誕生した。

大統領就任式には、八六歳のロバート・フロストが参列し、大統領就任式で詩を朗読する最初の詩人となった。国歌は、アフリカ系アメリカ人のシンガー、マリアン・アンダーソンが斉唱《せいしょう》した。彼女は過去に、ワシントンDCの憲法ホールでの公演をアメリカ愛国婦人会から拒否されるという差別を受けていた。

それからケネディが高らかに就任演説をした。選挙戦では、屈強な冷戦の闘士として闘ったが、ソ連に対しては、友情と信頼を再構築したいという和解の言葉を贈っている。そして、「もっとも危険にさらされている時代に、自由を防衛する機会」が自分たちの世代に与えられたことを光栄に感じると同時に、そのためには「いかなる代償《だいしょう》をも払い、あらゆる重荷をも耐えしのび、どんな苦難にも立ち向かう」ことを誓ったのだ。

一九六一年一月、あたり一面が真新しい雪に覆《おお》われた日、ケネディとその若い家族はホワイトハウスへ入った。新大統領は、「ベスト・アンド・ブライテスト（訳注：最良かつもっとも聡明《そうめい》な人々）」と呼ばれるようになる、高い業績を誇る頭脳明晰《めいせき》な補佐官でがっちりと脇を固めた。彼らは頭はよかったが、同時にほとんどの者が傲慢《ごうまん》で、複雑な国際事情には疎《うと》かった。まさに彼らは冷戦時代の産物であり、世界を黒か白か、つまり共産主義か反共主義かの観点でしかとらえることができなかったのだ。

すでに彼らは、キューバへの対応に頭を悩ませていた。ケネディの大統領就任時までに、カストロは、エッソやテキサコのようなアメリカの石油会社の財産を接収していた。アメリカは、キューバから買い入れる砂糖の量をへらし、これに対抗した。するとカストロは、ソ連にさらに多くの砂糖を輸出するようになった。しかもソ連に加えて中国までが、キューバに武器を供与しはじめたのだ。フロリダからわずか一五〇キロメートル南で、嵐を呼ぶ暗雲は急速に形を整えつつあった。

若き大統領にとって、あまりにも明白な事実が一つだけあった。共産主義に対していかに自分が強硬かを国民に信じこませた以上、これからは冷戦の屈強な闘士という評価どおりに行動しなければならないのだ。選挙戦では言いたいだけ言った。あとは実行あるのみ。

20

CIAの秘密作戦:キューバ

ケネディが大統領に就任する頃には、アメリカとキューバの関係はさらに深刻化していた。フィデル・カストロは、ソ連とますます親交を深めていたのだ。ケネディは、アイゼンハワー政権下で立案された侵攻作戦を実行すべきかどうか、考えあぐねていた。

就任から一七日目、ケネディは国家安全保障担当補佐官マクジョージ・バンディに意見を求めた。ＣＩＡはキューバ侵攻にきわめて積極的で、キューバの海岸に上陸させる兵士をグアテマラで軍事訓練している、とバンディは話した。しかし、侵攻が計画どおりに進まなかった場合、アメリカは世界的に威信を失う恐れがある。キューバで内戦を勃発《ぼっぱつ》させるため、アメリカが亡命キューバ人を訓練していたことが発覚すれば、ソ連はさらにキューバを支援するだろうし、カストロに核兵器を供与する恐れさえ出てくるのではないか。

バンディは理性的で明敏《めいびん》だった。「侵攻という賭《か》け」が大失態につながる危険性を大統領に警告したのだ。国務長官ディーン・ラスクを始めとして、国務次官チェスター・ボールズ、大統領補佐官アーサー・シュレジンガー・ジュニアとリチャード・グッドウィンも、この作戦には大きな問題があると考えていた。上院外交委員会委員長J・ウィリアム・フルブライトは、作戦の存在自体を忘れるようにと大統領に忠告した。シュレジンガーはまた、たとえ侵攻に成功したとしても、アメリカが後ろ盾《だて》になっていることはすぐに露見《ろけん》するだろうし、アメリカに対する激しい抗議や反発をラテンアメリカ諸国で惹起《じゃっき》させる恐れまである、とも忠言した。結果として、大統領は、自立のために奮闘している小さな隣国へ侵攻するような、極悪《ごくあく》非道な大国の指導者だと思われるだろう。つまり、狙《ねら》いと正反対の結果になる危険があると意見したのだ。

ケネディは側近たちの意見に耳を傾けた。彼らの意見を尊重し、その判断を信じた。おそらく彼らが正しいのだ。たぶんその作戦は、大統領としての評判と、アメリカの名誉を危険にさらしてまでやるほどの価値はないのだ。

ところが、CIAの考えは違った。一九六一年までに、CIAは多くの時間をこの侵攻作戦の準備に費やしてきたのだ。カストロはただちにアメリカが排除しなければならない、と思いこんでいた。さもないと、キューバはソ連と結託して強力な共産主義国に成長する危険がある。その結果、ラテンアメリカ諸国が共産主義化し、ドミノ倒しのように次々と各国がソ連の傘下《さんか》に入ってしまう可能性だってある。共産主義はアメリカ本土にますます接近してきて、ついにはアメリカ自体がソ連の手中に落ちてしまわないとも限らない。ＣＩＡはそうまくし立てた。

早く行動を起こさないと、カストロが急速に力をつけて排除できなくなる恐れさえあると、ＣＩＡは食い下がった。亡命キューバ人部隊は準備万端《ばんたん》整って、戦闘意欲も高い。彼らはこの作戦に自分の命を捧《ささ》げようとしている。侵攻作戦にゴーを出さない新大統領は、いくじなしの偽善者《ぎぜんしゃ》だと思われるだろう。おまけに、大統領が侵攻作戦を実施しないまま、カストロがますます強大化したら、好機を逸《いっ》して侵攻しなかった大統領をアメリカ国民は許さないだろうと言いつのった。司法長官を務めた弟のロバート・ケネディは後年語った。「作戦を承認しない限り、大統領は軟弱だと、みんなが言い出しかねない雰囲気《ふんいき》だった」

シュレジンガーの大反対にもかかわらず、ついに大統領は侵攻作戦を承認した。ただし、三つの条件をつけた。一つ目は、カストロに気づかれないように、上陸はキューバの人けのない地点で開始すること。二つ目は、キューバ国内の不満分子が亡命者に呼応して、打倒カストロの戦闘にかならずや参加することをＣＩＡが保証すること。三つ目は、アメリカ政府は作戦のどの段階でも、けっして表には出ないということだった。

ＣＩＡはこれに応《こた》え、上陸地点をキューバ島南岸の人里離れたコチノス（英語名ピッグス）湾に変更した。またＣＩＡは請《う》け合った。国内の多数のキューバ人がかならず反カストロ運動に参加する、参加しないことなどありえない、と。さらに、何か問題が起きても、実質的にはアメリカの軍事介入だと知られるわけにはいかないから、亡命キューバ人救出のため、アメリカが航空機やヘリコプターを飛ばすこともないという点でも合意した。

ケネディが認識しておらず、ＣＩＡが大統領に告げなかったことが一つだけあった。人里離れた場所から上陸すれば、反カストロ運動を島全体に広げるには時間がかかるだろうという点だ。何が起きているかが人の耳に入らなければ、誰《だれ》もカストロ打倒運動に参加できないではないか。それでもＣＩＡはこの作戦は成功するはずだと信じ、欠陥があることを承知しながら着手した。

侵攻前夜

一九六一年四月一五日、一四〇〇人の亡命キューバ人部隊が、六隻《せき》の艦船に分乗してカリブ海を渡りはじめた。四隻はカストロを憎悪《ぞうお》しているキューバ人の運送会社ガルシアラインからＣＩＡがリースしたもので、他の二隻はＣＩＡ所有の船舶《せんぱく》だ。太陽光が右舷《うげん》と甲板《かんぱん》にいる兵士たちの顔を容《よう》赦《しゃ》なく照らし出す。彼らは祖国をめちゃくちゃにしたカストロと革命軍に対する復讐心《ふくしゅうしん》に燃え上がっていた。

船内ではカードゲームをしたり、ジョークを言い合ったり、自分たちのミッションについて熱っぽく話したりする者もいたが、大半の者は不安げにタバコを喫《す》っていた。コチノス湾に到着したら、何が起きるかまったくわからないうえ、大多数の者には実戦経験がなかったのだ。医師、弁護士、学生も混じっていた。二年前には、祖国に武力で抗議することなど想像もしていなかったのに、今や彼らは冷戦の最前線に置かれている。だが、上陸時に異変が起きれば、カストロ軍に捕《つか》まらないように、アメリカ軍機が飛来して救出してくれるはずだ。彼らはそう信じていた。

夜になった。眠ろうとしたがむだだった。穏やかな波に揺られていても眠気はやってこない。クラッカー、硬くなったパン、冷たいソーセージのほか食べ物はほとんどなかった。甲板《かんぱん》の下で音を立てている何千リットルもの燃料に引火するのではないかと思うと、火を使う調理をする気も起きない。おまけに、船にはトイレも、トイレ替わりのバケツさえなかった。我慢できなくなると、海に向かって突き出した平板の上をそろそろと進み、落ちないように祈りながら用を足した。海中には、サメがうようよしている。

四月一六日午後六時、兵士たちは自分の持ち場から、のっそりと甲板へ集合した。亡命キューバ人部隊総司令官であるペペ・サン・ロマンと、カストロ打倒後の臨時政府首班に指名されているマヌエル・アルチメが、作戦の重要性を説く演説を熱情こめてぶち上げた。「我々はカストロの束縛《そくばく》から祖国を解放しにいくのである！」男たちは旗竿《はたざお》にキューバ国旗を掲揚《けいよう》し、かつてなく決然とした面持《おもも》ちで二人のリーダーに敬礼した。そして国歌を斉唱《せいしょう》し、心の限りに祈った。

バックパックに詰《つ》めた装備の最終点検にかかる。ハンティングナイフ、雨用ポンチョ、サンバイザー。そして、M1ガーランド・セミオートマチックライフル銃を握りしめ、四五口径の自動拳銃を腰にさげた。迷彩柄《めいさいがら》のユニフォームに着替《きが》えると、彼らは覚悟《かくご》を決めた。

侵攻開始

四月一七日真夜中すぎ、コチノス湾は静かで穏やかだった。ところどころに岩が飛び出した砂浜に、波がひたひたと寄せている。もしも月が出ていたら、光る波頭の中に、湾の入り口に高速で接近してくる六隻《せき》の船影がちらりとでも見分けられたかもしれない。しかし、月はなかった。岸から船影を発見することはほぼ不可能なはずだ。減速すると、二隻は湾の奥にあるラルガ浜へ向かい、残る四隻はコチノス湾に入りヒロン浜方向へ進んだ。

その四隻《せき》のうち、補給船一隻が湾の入り口付近でとまり、他の三隻はヒロン浜の一・五キロメートル手前で停止した。それ以上進めば船体を損傷させる危険がある。と、一隻の船から、ウエットスーツを着た五人が降りて、そっと小型モーターボートに乗り移った。彼らはマシンガンと弾薬、救命具で武装しており、顔はグリースで黒く塗っている。モーターボートでさらに岸へ接近すると、上陸用の小舟《こぶね》に乗り換えた。

ついにヒロン浜が見えてきた。ところがおかしなことに、砂浜は投光器でまぶしく照らされ、陽気な音楽まで聞こえてくる。ヤシノキの下に、建設作業員らしき一団が座っていた。新しいリゾートホテルの建築工事で一日働いた後なのか、飲んだり騒いだりしている。

小舟に乗った亡命軍は息をのんだ。ありえないはずだ。CIAは、人けのない浜辺だと言っていたではないか。それなのに、想定外のことが起きている。このまま上陸を強行していいのだろうか。すぐに気づかれて、キューバ軍に通報されるのではないか。前進すべきかどうか逡巡《しゅんじゅん》しているうちに、小舟が硬いサンゴ礁《しょう》にぶつかって停止した。自分たちに続いて今夜上陸するはずの何百人もの兵士にとって、これはとんでもない異常事態だ。

小舟はサンゴ礁に引っかかったまま、動かない。突然、暗闇《くらやみ》から砂浜に軍用ジープが走りこんでくるのが見えた。ジープは小舟を照らし出そうと、まぶしいヘッドライトを向けてくる。キューバ兵二人が乗っているのが確認できた。キューバ兵は、こちらをサンゴ礁《しょう》に引っかかった漁師の小舟《こぶね》だと思いこみ、救助しようと走ってくるつもりらしい。亡命軍は凍りついた。一番恐れていたことが起きてしまった。こっちにくる。キューバ兵の顔がはっきり見える。まだ上陸していないのに！ 亡命軍は硬直したまま、ライフル銃に手をのばした。

銃が火を噴《ふ》いた。ジープにむちゃくちゃに銃弾を浴びせる。突然、浜の明かりが消え、まったくの闇《やみ》になった。ジープは方向転換し、猛スピードで浜を突っ切って消えた。侵入者がいると伝えにいったのだろう。小舟の亡命軍は、沖で待機している僚船《りょうせん》にあわてふためいて無線を送った。「船を進めろ。こっちは援護が必要だ、今すぐに！」

彼らが応援を待っている間に、ヒロンの村では何十人もの男がトラックに飛び乗り、浜へ急行してきた。サンゴ礁に引っかかったままの亡命軍は、再び発砲した。今度は、相手も銃で応戦してくる。激しい銃撃戦で、暗い浜辺が明るくなる。ついに、亡命軍の船が一隻、なんとか浜辺近くまで進んできて、ヒロン浜に向けて大砲を放った。それに仰天《ぎょうてん》して、キューバ人はトラックに乗り退却した。

しかし、知られてしまったのだ。キューバ侵攻は開始された。

21

コチノス湾侵攻

亡命キューバ人部隊は知る由《よし》もなかったが、カストロは、アメリカがマイアミで新兵を補充し、グアテマラでその亡命キューバ人たちに訓練を施《ほどこ》していることを知っていた。また、近々アメリカの侵攻があるとの内報も受けとっていた。よって数カ月前から、何万もの兵を戦闘態勢につかせ、南海岸全域を監視させて海からの侵攻に備えていたのだ。ＣＩＡの作戦は筒抜《つつぬ》けだったのである。

ヒロン浜では、亡命軍の司令官たちが、待機していた艦船を少しでも浜近くへ進めようと奮闘していたが、サンゴ礁《しょう》のせいで前進は叶《かな》わず、すでに降ろしていたモーターボートの損傷も著しかった。うまくいかない時は何をやってもうまくいかないものだ。仕方なく兵士たちはボートを捨て、ずっしりと重いフル装備を背負い、サンゴ礁が突き出す海中を歩き出した。ボートがあちこちで座礁《ざしょう》している。なんとか浮かんでいるボートも、燃料系統の不具合でエンジントラブルを起こしていたし、風下へ流されていくものまであった。

ついに上陸用の小舟《こぶね》八艘《そう》に望みをかけることになったが、一艘の定員は一〇人だ。まだ四〇〇人も上陸待機していたのだから、作戦はしょっぱなから大幅に遅れることになった。

亡命キューバ人部隊がヒロン浜へ向けて、サンゴ礁《しょう》だらけの海を徒渉《としょう》している頃、一六〇〇キロメートル離れた首都ワシントンは大混乱に陥《おちい》っていた。ＣＩＡ副長官チャールズ・カベルは、作戦が失敗しつつあるとの一報を耳にした。ベッドから飛び起き、目に入った服を身につけると、車のキーをつかんで部屋から飛び出した。今すぐ大統領と話さなければならない。もしもこのままキューバの海岸に亡命キューバ人部隊を置き去りにしたら、侵攻作戦は失敗し、目も当てられない結果が待ち受けている。生き残った亡命軍兵士は、アメリカ政府は緊急時には救出すると約束しておきながら、肝心《かんじん》の時に自分たちを見捨てたと憤激するにちがいない。多くの者が逮捕され、拷問《ごうもん》されて殺されるだろう。この作戦を救う方法は一つしかない。アメリカ軍機をキューバへ投入し、空から援護射撃をしている間に兵士たちを船へ収容するのだ。さもないと、カストロ軍の航空機がこちらの船を爆撃して浜を制圧するだろう。となれば、湾からの脱出は不可能になる。一刻を争うのだ。今頃キューバの南海岸へは、何万ものカストロ軍が急行しているはずだ。

カベルはアクセルを踏みこんでシェラトン・パークホテルへ走った。そこでは国務長官ディーン・ラスクが作戦状況をモニタリングしていた。現在時刻、午前四時一五分。

カベルはタイヤをきしませてホテルの前に駐車すると、ラスクの部屋まで上がり、無我夢中でドアをたたいた。ラスクがバスローブ姿で応じた。カベルは包み隠さずすべてを報告し、船を援護してほしいと声をうわずらせて訴えた。二人で頭をかかえているうちに五時になった。ついにラスクは、大統領と直接電話で話すことをカベルに許可した。航空機を飛ばしてほしいと、カベルは大統領に直訴《じきそ》した。そして、空からの援護なしでは、作戦は失敗におわると告げた。

ケネディは自分の耳を疑った。アメリカ政府としては航空機も艦船も出さない、というのが条件のはずだ。後ろにアメリカがいることを知られてはならない。そういう約束ではなかったか。だが、事態は急変し、決断を迫られている。亡命軍救出のために航空機を投入すれば、アメリカが小さな隣国へ不法侵入したことは世界中に知られるだろう。ならば、当初の計画どおり、亡命軍に徹底抗戦させて、アメリカの関与を否定すべきだろうか。航空機を送った場合、それをソ連が知ったらどうなるのか。ソ連は報復として西ベルリンを攻撃するはずだ。いや、アメリカ本土を直接攻撃してくるかもしれない。

ソ連に対して強硬な発言をしてきたにもかかわらず、ケネディは大規模戦争につながるリスクは冒《おか》したくなかった。カベルの必死の懇願《こんがん》を聞いた後、ラスクと話したいと大統領は言った。ケネディは心を決めていた。アメリカ政府としては航空機も艦船も投入しない。カベルには言葉もなかった。その瞬間、作戦の命運は尽《つ》きた。

ヒロン浜の戦い

カベルがラスクの部屋を辞去してから四時間後、キューバ空軍パイロット、エンリケ・カレーラスはプロペラ式艦上戦闘機シーフューリーの機首をコチノス湾に向けた。燃料満タンで、多数の弾薬も搭載《とうさい》している。たちまち亡命軍の物資補給船リオ・エスコンディドが見えてきた。燃料、弾薬、爆弾、食料、CIAとの連絡用の無線を積載しているこの船こそが、作戦成功の鍵を握っているのだ。甲板《かんぱん》の兵士たちが一斉《いっせい》に叫んだ。「シーフューリーだ、シーフューリー来襲!」

ぎらつく太陽で機体を光らせながら、カレーラスはどんどん高度を下げていく。攻撃開始。ロケット弾を浴びせられて、兵士たちははじけるように海へ飛びこんだ。砲弾が船倉に命中し、貨物室にある何千リットルもの燃料に引火した。耳をつんざく轟音《ごうおん》とともに、船は巨大な炎のかたまりとなって爆発した。宙に破片を飛び散らせ、どす黒い煙を吐き、補給船は撃沈《げきちん》された。

カベルの予想どおり、アメリカ軍機の援護なしでは亡命軍に勝算はまったくない。他の二隻《せき》は撃《げき》沈《ちん》を回避しようと、湾から沖へ退避しはじめた。こうしてヒロン浜には自衛するしかない兵士がとり残された。上陸してから一日中果敢《かかん》に戦いつづけ、消耗《しょうもう》し腹をすかせた亡命軍兵士は、アメリカ軍機が救出にくるはずだという望みにすがっていた。

四月一八日真夜中〇時三〇分、亡命軍司令官マキシモ・クルスは、自分の部隊目指してキューバ軍の戦車隊が突進してくることに気づいた。とっさに部下に発砲を命じた。バズーカ砲、迫撃砲、もっと小型の火器など、手元にあるあらゆる武器で攻撃した。真っ暗な浜辺に火花が飛び散る。しかし、戦車隊は前進してくる。銃砲装備で圧倒されて、もうじき死ぬのだと思いながらも、亡命軍は抵抗をやめなかった。戦車隊が、負傷して倒れている者やすでに息絶えた者の体を押しつぶす。ヒロン浜ではこんな戦いが何時間も展開されていた。

その時、亡命軍兵士ジルベルト・フェルナンデスが茂みの陰から飛び出し、一台の戦車の前に立ちふさがった。握ったライフル銃で、巨大な戦車へ向かって発砲する。装甲《そうこう》が強化されている戦車はびくともしないが、操縦していたキューバ軍兵士は恐怖のあまり投降した。

勇気ある行動に出たジルベルトを、仲間たちは「獰猛《どうもう》ジルベルト」と呼んで称賛した。勢いづいたジルベルトは別の戦車にも挑《いど》んでいった。しかし、今度はついていなかった。その戦車の射手は、獰猛ジルベルトに照準を定めて射殺した。まもなく、司令官マキシモ・クルスも、榴散弾《りゅうさんだん》に手を吹き飛ばされて絶命した。亡命軍とキューバ軍が競《せ》り合ったこの戦闘は「ロツンダの戦い」として有名になったが、亡命軍の奮闘もここまでだった。もう一隻《せき》の補給船も撃沈《げきちん》され、残った二隻の艦船は湾外へ退避してしまった以上、無事に退却できる望みはなかった。

ロツンダの戦いが白熱している頃、ケネディ、副大統領ジョンソン、国防長官マクナマラ、国務長官ラスクは、ホワイトハウスで、統合参謀本部議長ライマン・レムニッツァー大将、海軍作戦部長アーレイ・バーク大将、CIA作戦本部長リチャード・ビッセルと協議していた。バーク大将とビッセルは、航空機で支援し地上軍を投入するように、とケネディに談判すること三時間に及んだ。これだけ迫れば若くて経験のない大統領は折れるだろうと、彼らは高をくっていたのだ。後にケネディは、「私が屈服して、ゴーサインを出すはずだと彼らは確信していた」と語っている。大将レムニッツァーは、亡命軍を救出しないとは、「足を掬《すく》うような、厳に非難されるべき、犯罪にも等しい行為」だと大統領を痛罵《つうば》した。しかし、ケネディは決然としていた。ある友人には、「この国の狂信的な主戦派が、国家の良識より自分たちのメンツを優先させているからといって、我々まで無責任な行動に走るわけにはいかない」と語ったという。

大失態

コチノス湾侵攻はまったくの失敗におわった。亡命軍はヒロン浜に封じこめられ、四月一九日に投降した。一一四人が命を落とし、圧勝したキューバ軍は一一八九人を捕虜にした。ケネディは最後までアメリカの直接関与を許さなかったが、この侵攻の裏にCIAがいたことは世界中の誰《だれ》が見ても明らかだった。完璧《かんぺき》に亡命軍を粉砕《ふんさい》した後、カストロは、キューバ軍がアメリカ軍を撃退し、「帝国主義者ども」をくじいたのだと高らかに勝利宣言した。カストロはハバナで熱烈《ねつれつ》な演説をしてケネディを激しく指弾《しだん》、キューバはアメリカ企業からだけでなく、あらゆる外国勢力からも自立するとぶち上げた。小さな島国でも、世界の超大国と一対一で対峙《たいじ》し、撃退しうるほどの存在であることを世界に示したのだ。

カストロは、共産主義世界の英雄になった。キューバ国民

コチノス湾の戦いで投降し、捕虜となってキューバ軍に連行される亡命キューバ人たち。

の間では、アメリカを打ち破ったことで、ほとんど神のように信奉されるようになった。この年五月の演説で、キューバは「社会主義国」であるとカストロは宣言した。それはアメリカへの脅《おど》しではなく、キューバ全国民のための、平等と希望の指針だった。カストロはアメリカへ直接呼びかけた。「貴国の安全を脅《おびや》かすものは、アメリカ国内にいる主戦論者の攻撃的な政策である。北アメリカに住む者とその家族の安全を脅かすものは、そうした暴力、つまり、アメリカ以外の国に住む人々の諸権利と独立を踏みにじる好戦的な政策なのである」この時、アメリカ政府ははっきりと知ることになった。ぶざまにおわったコチノス湾侵攻こそが、キューバを共産主義者による独裁制へと押しやってしまったのだと。

四月二〇日朝、目覚めたアメリカ人は、政府がひそかに画策していたキューバ侵攻作戦が大失敗におわったことを知らされた。デトロイト・ニュース紙は一面に大きく「侵攻、大失敗」と掲《かか》げ、サンフランシスコ・クロニクル紙は、「カストロ、亡命軍壊滅の勝利宣言」と報じ、シカゴ・トリビューン紙は「キューバ侵攻の主な成果は、カストロ独裁制がかつてなく強化され、共産主義者が世界中に勢力を拡大する好機を獲得し、アメリカがみじめな敗北を喫したことである」と簡潔に述べていた。ウォールストリート・ジャーナル紙は「アメリカは哀れなほどの混乱状態にあり、……世界中で悪《あ》しざまに罵《ののし》られている。……ところが、とりわけ共産主義圏《けん》では、その信じがたい脆弱《ぜいじゃく》さに対して、大きな驚きが広がっているようだ」と嘆いた。

世界中が驚愕《きょうがく》した。アメリカがこれほどの醜態《しゅうたい》をさらすとは、どの国もにわかには信じられなかった。もちろんケネディも衝撃を受けていた。ＣＩＡが約束を破るとは想像もしなかったのだ。ＣＩＡは、イランやグアテマラの秘密作戦と同じく、キューバ侵攻も簡単に成功させられると請《う》け合った。ところが、予想外のみじめな敗北に直面しているではないか。一方カストロは、日々ますます影響力を増強している。ソ連はキューバから砂糖を買いつけ、あの小国にきわめて強力な武器を供与しているのだ。

信用を裏切ったＣＩＡに激高するあまり、ケネディはＣＩＡをつぶしてやると誓った。「ＣＩＡを粉微塵《こなみじん》にして、残りかすは風に吹き飛ばしてやる」と公言していたほどだ。この若い大統領は、アイゼンハワーが大統領退任演説で警告していたことの意味を理解しはじめた。軍部やＣＩＡの好き放題にやらせていたら、結果は悲惨《ひさん》なものになるのだ。ケネディは、ＣＩＡ長官アレン・ダレス、作戦本部長リチャード・ビッセルを更迭《こうてつ》した。要職にある他のＣＩＡ要員と軍人にも辞任を迫った。そして、一九六六年までに、ＣＩＡの予算を二〇％削減《さくげん》することを目指した。ＣＩＡには煮え湯を飲まされた。二度とそんな目に遭《あ》うつもりはないと大統領は誓ったのである。

カストロを暗殺せよ

コチノス湾侵攻が大失敗におわっても、ケネディは依然《いぜん》としてカストロ排除をねらっていた。いや、作戦失敗によって、その決意はさらに強固になったのだ。一九六二年一月、司法長官ロバート・ケネディは、カストロ打倒が「アメリカ政府の最優先課題だ」と語っている。

それに先立つ一九六一年一一月、ケネディは、新生CIAによる奇《き》っ怪《かい》なテロ作戦「マングース作戦」を承認した。目的は、キューバ人工作員にスパイ活動や破壊工作をさせてキューバ国内を混乱させ、経済を破綻《はたん》させてカストロを暗殺することだ。ケネディは、破壊工作の専門家エドワード・ランズデールをこの任につかせた。ランズデールは南フロリダに、六〇〇人のCIA要員と約五〇〇〇人の契約工作員を集結させた。

カストロは、地上でもっとも厳重に警護されている人物の一人だ。そんな人間の暗殺はたやすいことではない。作戦チームは、キューバの製油所や製糖工場を爆破し、サトウキビ農園を丸焼けにして、キューバでは暮らしていけないと人々を絶望させる作戦を考案した。そうすれば、キューバ人はカストロに反感を抱き、殺そうとするだろう。この作戦が奏功しない場合には、カストロの好物の葉巻に爆発物か、致死性《ちしせい》の毒を仕こむことも考えられる。また、カストロはスキューバダイビング好きで有名だから、タンクの空気中に致死性《ちしせい》の薬剤《やくざい》か天然毒を混入させるという手もあるだろう。あるいは、カストロが近づけば起爆するような爆弾を仕掛けた貝を、海底に置いておくという作戦も考えられる。とすればその貝は、カストロの気をひくような明るい色でなくてはならない。さらには、カストロのウエットスーツに、激しい皮膚病《ひふびょう》を起こす特殊な菌を塗りこむことも考案された。

またCIAは、カストロのガールフレンドの一人をスパイとして雇い、カストロ毒殺を試みた。彼女は毒薬を美容クリームの容器に隠しておいた。カストロが眠ってから、毒薬をとり出そうとすると、それは容器の中で溶けていたという。

さらにCIAは、パナマでの演説中にカストロを爆死させる計画も実行に移した。爆発物九〇キロを、カストロが使用する演壇の下に仕掛けておいたのだ。しかし、爆発時刻直前に、カストロの部下によって発見されてしまった。このように、CIAは再三カストロ暗殺を試みたものの、ことごとく失敗におわっている。

暗殺がきわめて困難だとわかると、キューバ国内への侵攻が再検討されることになった。それにはまず、アメリカ国民から軍事介入への支持を引き出さなければならない。コチノス湾で大失態を演じてしまった以上、簡単ではないだろうが、ともかく、キューバ侵攻は不可欠なのだと国民を納《なっ》得《とく》させればよいのだ。問題はその方法だった。

オートサック作戦

マングース作戦の作戦将校ウィリアム・クレイグ准将《じゅんしょう》には妙案があった。アメリカは近々、マーキュリー計画で地球周回の有人宇宙船を打ち上げる予定になっている。もしもこの打ち上げが失敗したら、キューバが電子妨害《ぼうがい》したせいだと非難するのだ。そうすれば国民はキューバへの軍事介入を支持するだろう。

しかし一九六二年三月、彼らは、もっと思い切った手段に訴えるべきだと考え、一連の偽装《ぎそう》工作作戦「ノースウッド作戦」を立案した。たとえば、アメリカ船籍の船を爆破して、カストロの仕業《しわざ》だと見せかけるのである。六四年前の一八九八年、当時スペイン領だったキューバ沖で突然アメリカの軍艦メイン号が爆沈し、多数のアメリカ人が死亡した時、アメリカ国内には、スペインを攻めろと大合唱が沸《わ》き起こった。しかし、同じようなやり方は通用しにくいかもしれない。

では、アメリカの民間航空機のハイジャック未遂事件を起こしてはどうだろう。あるいは、休暇旅行に出かけるアメリカ人大学生を満載した民間機を撃墜《げきつい》し、キューバ空軍の仕業だと非難するのもいいかもしれない。多数のアメリカ人が死亡すれば、国民は激怒するにちがいない。また、キューバにあるアメリカ軍基地グアンタナモ湾付近で爆弾を連続的に爆発させて、カストロがアメリカ軍基地を攻撃したように見せかけてはどうだろうか。契約工作員か亡命キューバ人を使い、基地内外での航空機炎上、連続爆発、艦船破壊、暴動教唆《きょうさ》など、考えうる破壊工作をすべて実行し、キューバ政府のせいにするのだ……。

軍事介入の口実を作るために、ＣＩＡがとんでもない方法を夢想しているうちに、軍部はすでに侵攻リハーサルを開始していた。一九六二年四月、四万のアメリカ兵が、キューバ侵攻を想定した二週間に及ぶ大軍事演習を実施した。五月には規模を縮小し、二回の軍事演習が行われた。そして、「オートサック作戦」と呼ばれる大規模演習を一〇月に実施するとの発表があった。カリブ海上の島に、七五〇〇人の海兵隊を模擬的に侵攻させるもので、目的はその島の政府を転覆させることとされていた。作戦の意図するところは明白だった。オートサック Ortsac の綴《つづ》りを逆から読むとカストロ Castro になるのだ。

だが、この演習が実施されることはなかった。

22

ベルリン危機

コチノス湾侵攻事件以降、世界は陰鬱《いんうつ》な雰囲気《ふんいき》に覆《おお》われた。何があろうとアメリカはキューバの革命政府打倒をあきらめないだろうと、カストロは承知していた。フルシチョフは、ケネディが軍部とＣＩＡにあっさりだまされたことに驚き、若い大統領が弱気になっている機に乗じて、アメリカはキューバ国民の意思を蹂躙《じゅうりん》した、と痛烈《つうれつ》にケネディを非難した。そして、後のウィーン会談で、アメリカ・イギリス・フランスは、西ベルリンから手を引け、と大胆な要求を押しつけてくることになるのだ。

第二次世界大戦後、ドイツはアメリカ・イギリス・フランス三国の占領地区である西ドイツ（訳注：ドイツ連邦共和国、首都ボン）と、ソ連の占領地区である東ドイツ（訳注：ドイツ民主共和国、首都東ベルリン）とに分割された。そして、東ドイツ国内に位置するベルリンもまた、西側が管理する西ベルリンと、ソ連が管理する東ベルリンに分割され、西ベルリンは西ドイツの飛び地になっていた。戦後の西側諸国の急速な復興に呼応して、西ドイツは新たな仕事を提供する場として発展著しかったが、東ドイツは遅れをとっており、ソ連はこれを屈辱《くつじょく》的に感じていた。一九四〇年代後半から六一年にかけて、二八〇万もの人々が東ドイツから西ドイツへ脱出した。

一九五二年、東ドイツが西ドイツとの国境を封鎖したため、西ドイツへの脱出を望む者はベルリンを経由するようになった。ソ連の監視兵が西ベルリンへ入る東ドイツ市民を阻止しようとしたが、その趨勢《すうせい》は止められるものではなかった。多数の東ベルリン居住者が国境線を越えて西ベルリンへ通学し、出勤していた。毎日、約六万人が西へ渡り、東へもどらない者も多かった。一九六一年までには、西ベルリン人口は東ベルリン人口の二倍以上になり、東ベルリンは貧困と失業に苦しむようになっていた。

フルシチョフも、東ベルリンから西ベルリンへの大量脱出に危機感をつのらせていた。しかし、彼がもっと警戒していたのは、東ドイツがますます脆弱《ぜいじゃく》になっていくことだった。医師、弁護士、技術者、教師、芸術家などが毎日西へ流れていく。東ドイツがこのまま衰退《すいたい》していけば、いずれ西側に吸収されるのではないか。そしていつかドイツは核兵器を保有するようになり、それをソ連に向けてくるのではないか。そう危惧《きぐ》していたのだ。

フルシチョフが恐れるのも無理はなかった。ドイツは二〇世紀に二回もロシアへ侵攻してきているのだ。二度とそんな事態を招くわけにはいかない。フルシチョフはアメリカ人ジャーナリストにこう語っている。「ドイツ政府がどれほどすばやく変貌《へんぼう》し、いかにあっさりと大量殺人を犯《おか》す軍団に成り下がってしまうのか、我々はずっと見てきた。……『ドイツ人に銃を与えれば、いずれは銃口をロシア人に向ける』という警句がある。……ドイツが世界的な核戦争を引き起こす可能性を、我々は危惧《きぐ》しているのだ。……君たちアメリカ人は何度やけどさせられても、ドイツ人の脅威を理解できないらしい」

ウィーン会談

一九六一年六月ウィーンにおいて、ケネディとフルシチョフの米ソ首脳会談が開催された。ソ連首相は初めから敵対的だった。コチノス湾事件以降、フルシチョフは、アメリカ大統領に敬意も払わなければ、容赦《ようしゃ》もしなくなっていた。そして、東ドイツにベルリン全域の管理を任せてほしい、と要求したのだ。ケネディは拒絶し、「今年の冬はひどく寒くなりそうですね」と答えた。西ベルリンの支配をソ連に渡すことなど、まったく考えられない話だった。

会談中、両者はずっと険悪だった。ベルリン防衛のために、ケネディは核兵器使用も視野に入れなければならなくなった。もしもソ連が西ベルリンを攻撃してきたら、アメリカは同盟国とともに東ベルリンに報復するだろう。そうなればソ連はヨーロッパかアメリカの諸都市に核兵器を発射し、応酬《おうしゅう》してくるかもしれない。ソ連に核攻撃を先制された場合、何百万というアメリカ国民が殺傷される前に、アメリカは効果的な報復攻撃を発動できるだろうか。

軍部は、西ベルリンが攻撃された場合にはただちに、アメリカは核兵器で報復するという作戦計画を策定済みだった。二四時間以内にソ連本土を核兵器で先制攻撃し、ミサイル基地、政府の建物、工業都市を撃滅し、徹底破壊をねらうのだ。

統合参謀本部は、そのような核戦争が起きたら、ソ連と中国で三億二五〇〇万人、東ヨーロッパで一億人が死亡し、放射性降下物が原因で、西ヨーロッパで一億人、フィンランド、スウェーデン、オーストリア、アフガニスタン、パキスタン、日本を含む周辺国で、最大一億人が死亡するだろうと被害想定していた。この数字にはソ連の核兵器による死者数は含まれていない。また、人類絶滅の危険をもたらす「核の冬」（訳注：核爆発でもたらされる大量の噴煙《ふんえん》が太陽光を遮《さえぎ》り、大幅に気温が低下するという仮説）が引き起こされる可能性が高いことも考慮されていなかった。

ケネディは、ソ連と核戦争をするような危険は冒《おか》せないと考えていたが、ソ連の西ベルリン侵攻もむろん許すことはできない。二人の指導者は、なんの合意に達することもできないままウィーンを去った。ケネディはこの会談を「人生でもっとも難しい話し合いだった」と語っている。今や冷戦は、熱い戦いへと舞台を整えつつあった。ウィーン会談の資料準備を担当した大統領顧問である前国務長官ディーン・アチソンは、フルシチョフに妥協する必要はまったくないとケネディに進言した。核戦争になるかどうか試してみるべきだ、と考えていたのだ。もしもソ連かその傘下《さんか》にある国が、西ベルリンでアメリカ軍と衝突するような事態になっても、アメリカには徹底的な核攻撃を仕掛ける準備が整っているのだ。

九月、統合参謀本部議長ライマン・レムニッツァーが、ソ連に対する全面的な先制核攻撃についての軍部の計画をケネディに説明した。この対立の行きつく先は核戦争しかないのか、とケネディは嘆息せずにいられなかった。ベルリンという一都市をめぐる争いのために、世界中の何億という人間が死ぬことになる。大殺戮《さつりく》や大量破壊に訴えずに、国際間の問題を解決することはできないのだろうか。こうした思いがケネディの脳裏《のうり》を駆けめぐっていた。何億、何十億という人命を奪うとわかっていながら、核のボタンを押す決断をしなければならない。そのことが彼をさいなんだ。アメリカの先制核攻撃ではじまった戦争で生き残ったアメリカ人は、少なくとも二週間は核シェルターに退避していなければならない。いや、もっと長いはずだ。冷戦の現実的な重みが、ずっしりと肩にのしかかっていた。彼は国務長官ラスクに、「それでも、我々は自分のことを人間と呼ぶのか」と吐き捨てるように言ったという。

ベルリン問題解決には核戦争しかないという考えを深く嫌悪《けんお》していたにもかかわらず、七月二五日、ケネディは国民に向かってソ連を敵視する演説を行い、状況をさらに悪化させた。

> 西ベルリンでは、人間の自由が差し迫った脅威にさらされています。しかし、その隔絶《かくぜつ》された土地の危機は、隔絶された問題ではありません。脅威は世界中に及んでいるのです。……我々は戦いを望んでいません。しかし、我々は戦ってきました。西側諸国は自分勝手で脆弱《ぜいじゃく》で結束していないために、ある国の自由が侵害されていても他国は等閑視《とうかんし》しているだけだろうと、かつてと同じ致命的な思い違いをしている国もあります。……世界規模の対立と緊張の元凶《げんきょう》はベルリンではなく、モスクワにあるのです。戦争が勃発《ぼっぱつ》するとしたら、それはベルリンではなく、モスクワではじまるのです。

そして、大統領は、三四億五〇〇〇万ドルを国防費に追加し、ソ連との戦争で必要になれば国民を徴兵すること、軍の規模を二五%増強し、核戦争に備えて全国に核シェルターを建設することも発表した。さらに、ソ連との核戦争について、「人類史上かつてなかった、もっとも壊滅的な爆弾が数時間にわたって降り注ぐことになる」だろうと警告したのだ。

この演説は、ソ連とアメリカの溝《みぞ》をさらに深めてしまった。核戦争という手段をいくら嫌悪《けんお》していても、ケネディはソ連から軟弱に見られることに耐えられなかった。コチノス湾事件は、実力行使の段になればケネディは腰砕《こしくだ》けになるという印象をフルシチョフに与えていたからだ。自分は屈強であらねばならない、と彼は思った。だからこそ、ベルリン問題では、核戦争勃発《ぼっぱつ》のリスクを冒《おか》す覚悟《かくご》がアメリカにはある、という強硬なメッセージをソ連に送ったのである。

ベルリンの壁

一九六一年八月一三日、東ドイツ軍が有刺《ゆうし》鉄線で東ベルリンの道路を封鎖し、西ベルリンへ脱出しようとする東ドイツ人を阻止しはじめた。まもなく有刺鉄線は、建設業者によってコンクリートの壁に強化された。こうしてベルリンの壁は築かれたのだ。ケネディはすぐさまアメリカ軍一五〇〇人を陸路で、西ドイツから西ベルリンへ送った。この部隊は、西ベルリンで副大統領ジョンソンによって出迎えられた。世界は核戦争勃発の、あやうい瀬戸際《せとぎわ》に立たされてしまったのだ。アメリカ、イギリス、フランスは壁に対する報復措置《そち》に出るのか。そうなれば、人類は生き残れるのだろうか。世界中の人々が息を詰《つ》めて成り行きを見守った。

その夜、後に作家となる一八歳のジェームズ・キャロルが、新設されたばかりの国防情報局の局長である父ジョセフ・キャロルを、国防総省《ペンタゴン》の本庁舎まで車で迎えにきた。奇妙な形の建物から出てきた父親は息子《むすこ》の車を見つけると、ゆっくりと歩いてきて、落ち着かなげな暗い表情で車に乗りこんだ。そして煙草《たばこ》に火をつけ、じっと息子を見た。後に発表された回顧録『アメリカの鎮魂歌《ちんこんか》‥神、我が父、我々を引き裂《さ》いた戦争』(“An American Requiem:God,My Father,and the War That Came Between Us”)の中で、キャロルは、人生でもっとも恐怖したという親子のやり取りを描いている。

父は車のウィンドウから灰を落としながら、煙草を喫《す》っていた。何も話さなかった。ついにダッシュボードの灰皿で煙草をもみ消すと、私に向き直って言った。「話しておきたいことがある。一度しか言わないし、質問は受けつけない、いいな。おまえは新聞を読んでいるから、ベルリンで何が起きているか知っているはずだ。……これから、私には家へ帰れない日がくるだろう。ある場所へ行くからだ。空軍幹部は全員行くのだ。その時には、母さんと弟たちのことを頼んだぞ」

「どういう意味だい？」

「母さんは知っているはずだ。だが、おまえも知っておいてほしい。家族全員を車に乗せて、南へ走れ。1号線に乗り、リッチモンドへ向かい、そこを通り過ぎてできるだけ遠くまで走りつづけるんだ」

父はそれ以上言わなかった。……私も黙っていた。それから家につくまで、二人ともずっと黙っていた。今でもはっきりと覚えている。……この時、初めて恐怖を感じた。……戦争の噂《うわさ》はつねにあったけれど、父や父のような立場の人たちが、戦争から守ってくれると信じていた。しかし、父自身がもはや私たちを守れないと感じていることに気づいたのだ。父の恐怖が伝わってきた。その時まで、父が恐怖することなどありえないと思っていた。その夜から、本当に怖《こわ》いと思いはじめた。恐怖はその後何年間も続くことになる。最初は、敵はどう出るのだろうと考えて怖くなり、やがてアメリカはどうするのだろうと思ってさらに怖くなった。

ジェームズ・キャロルにとっても世界にとっても幸運なことに、差し迫った危機は回避された。武力に訴えることもできたが、ケネディは壁の構築に対しては報復しない、と決断したのだ。西ベルリンがソ連軍の侵攻を受けることもなかった。しかし、今や壁によって、東ドイツの人々の脱出は困難になった。ベルリンは文字どおり分断され、この状態は一九八九年まで続くことになる。それでもケネディは、胸をなでおろして補佐官に話した。「最高の解決策とは言えないまでも、壁の方が戦争よりは断然マシじゃないか」そして言葉を継《つ》いだ。「これでベルリン危機は回避された。ソ連側は、こっちよりずっと戦々恐々《せんせんきょうきょう》としていただろう。……とにかく、全部おわった。向こうが西ベルリンへ侵攻してくることはないはずだ」

ケネディはきわめて短期間に多くを学んだ。紛糾《ふんきゅう》した状況では、毅然《きぜん》としていることが肝要だとわかったのだ。また、平静を保ち、衝動的に決断しないことの重要性も学んだ。核の時代においては、一つの誤った行動が、誰《だれ》も想像できないほど悲惨《ひさん》な戦争を招く可能性が高いことを理解したのである。

「汝《なんじ》の隣人を撃《う》て」

ジェームズ・キャロルの描写からわかるように、ベルリン危機は多くの人々を恐怖に陥《おとしい》れた。世界はかつてなく核戦争へ近づいたのだ。ソ連が実際にこの国に爆弾の雨を降らせたらどうなるのだろうと、アメリカ人は震え上がった。一九六一年には、大半の国民が、政府は頼りにならないことに気づいていた。そこで自衛するしかないと考える者が出てきたのだ。

当時、地下に設置する家庭用核シェルターは数千ドルもしたので、それを作れるほど余裕のある家庭は少なかった。そこで、カリフォルニア大学ロサンジェルス校の原子力専門家で、ノーベル化学賞受賞者であるウィラード・リビーが、「貧者の核シェルター」という解決策を提案した。カリフォルニア州ベルエアの自宅の裏に、家庭用シェルターを三〇ドルで手作りしてみせたのだ。そして、「自分の人生に三〇ドル分の値打ちがあると思うなら、誰《だれ》でも核シェルターがもてる」と宣伝したのである。

まず、丘の側面に、幅一・五メートル、高さ二メートル、奥行き一・五メートルの穴を掘る。それから長さ二・五メートルの枕木《まくらぎ》一六本を組み合わせて天井《てんじょう》を作り、穴の両脇と入り口と天井に、放射能を吸収させるための土嚢《どのう》を一〇〇個配置すればよいというのだ。しかし、リビーは不運だった。一九六一年二月、サンタモニカ山地はひどい山火事に見舞われ、リビーの家も燃えてしまった。彼の妻が家からもち出せたのはたった二つ、リビーのノーベル賞メダルと、彼女のミンクのコートだった。

では、リビー考案の核シェルターはどうなったのだろう。あいにく核シェルターも全焼した、とワシントン・ポスト紙は報じた。この核シェルターがあれば核攻撃から生き延びられると説いていたにもかかわらず、それは山火事にも耐えられなかったのだ。物理学者レオ・シラードは、今回の件は、「神の存在だけでなく、神にはユーモアのセンスがあることを証明している」とコメントした。

アメリカ国民は、ソ連に核攻撃されたらどうやって暮らしていけばいいのだろう、ニューヨークやシカゴ、ロサンジェルスのような大都市はどうなるのだろうと話し合うようになった。公共の大規模シェルターがないことは、誰《だれ》もが知っていた。やはり自分たちで用意しなくてはならないのだろうか。しかし、ちゃんとしたシェルターは高価で、設置できる者はごく限られていたのだ。

では、核爆弾が投下されたら、貴重なシェルターの持ち主は他人もそこに避難させるべきなのか。一九六一年八月、タイム誌は「汝《なんじ》の隣人を撃《う》て」と題する記事を掲載した。そこにはシカゴ郊外に住む男性の言葉が引用されていた。「自宅のシェルターが完成したら、出入り口にはマシンガンを設置して、爆弾が落とされた時、近所の住民が寄りつかないようにするつもりだ。

民間防衛動員局設計による家庭用核シェルターのモデル。1961年のベルリン危機勃発により、アメリカでは激しい核シェルター論議が巻きおこった。

これは真面目《まじめ》な話だ。他の人間は愚《おろ》かにも自衛策をとるまでもないと思っているらしいが、自分の家族を守るためにわざわざ設置したシェルターが、いざという時に使えないようなへまをやらかす気は毛頭ない」

核シェルターを設置した者は、隣人や親しい友人に、シェルターに入ってきたら発砲する、と公然と申し渡すようになった。さらに、隣人を見殺しにしてよいかどうかの道義的論争には、聖職者も加わった。

神父L・C・マクヒューは、イエズス会機関誌『アメリカ』に寄稿した。「家族用のシェルターへ、友人や隣人、通りすがりの者を避難させようと拙速《せっそく》に決めてはなりません。……自宅のシェルターに無理やり押し入ろうとする者は……あらゆる手段を使って、効率的に撃退すべきです。……また思慮《しりょ》分別があれば、サバイバルキットとして『護身用品』を備えることも当然でしょう。たとえば、拳銃は、自分のシェルターに殺到した他人を追い払うのに役立ちます。実際にどうするかは個々人の状況に照らし、各人で判断すべきです」

他方、ワシントンのアメリカ聖公会アンガス・ダン主教は、家族だけが助かればよいという考えは、「不道徳で正義に反し、国益を損《そこ》なう」と述べた。彼は「核戦争後の世界でもっとも必要とされる人材は、隣人を避難させるスペースもない小さなモグラの穴を掘るような者ではない」と考えていたのである。

冷戦と核戦争への恐怖に駆られて、たちまち親しい者同士が敵対し合うようになり、人々は当惑《とうわく》した。アメリカの学術雑誌『原子科学者会報』の編集主幹で物理学者のユージン・ラビノヴィッチは、家庭用核シェルターを「罪作りな存在だ」と評した。核戦争が起きたら、友人や隣人を撃《う》つことも辞さないと真剣に話すようになったアメリカ人に、彼は深く失望させられたのだ。

あるナイトクラブでは、核戦争が起きたら隣人が自分のシェルターへ押し入ってくるとわかっているのに、今その隣人を射殺してどこが悪いのか、とうそぶく寸劇《コント》が演じられていた。ボブ・ディランは『レット・ミー・ダイ・イン・マイ・フットステップス（訳注：自分のペースで死なせてくれ）』という曲を吹きこんだ。「僕は地下へ降りていかない、死が迫っていると誰《だれ》かに言われても」という歌詞でこの曲ははじまる。また、ある者は「ポータブル核シェルター」というラベルを貼《は》った傘《かさ》を持ち歩いた。これは、隣人を殺してまでも生き残りたいという風潮に抗議する、もっとも独創的な例だろう。傘の先端部にある石突《いしづき》には、「シェルターのない隣人を突き殺す武器」というラベルまで貼ってあった。

ベルリン危機は、世界情勢は限りなく核戦争に近いのだという現実を人々に突きつけた。どんな手順で地下の核シェルターへもぐり、どうすれば隣人を寄せつけないでおけるかということを、アメリカ人は真剣に考えた。だが、同じことで頭を悩ませる日がもう一度やってこようとは、誰《だれ》も想像していなかった。これから起きようとしている危機に比べれば、ベルリン危機はさほど深刻ではなかったのだ。

23
人類史上もっとも危険な瞬間

一九六二年一〇月一三日土曜日、U2偵察機がエドワーズ空軍基地を離陸した。南カリフォルニアの砂漠上空で針路を東へとり、キューバへ入る。長くスリムな機体に月光が反射している。時刻は午後一一時三〇分。翌朝未明まで、キューバ西上空を航行する予定だ。高度二万メートルの超高空からは、地球が丸いことが視認できた。しかし、パイロットのリチャード・ハイザーの関心は別にあった。眼下には深い森が広がっている。この一帯で不審な軍事行動が報告されているのだ。彼の任務は、通常とは異なる動きはないかを偵察し、最新型の超高感度カメラで写真撮影してくることだ。

まもなく、ハイザーはフロリダのマッコイ空軍基地に帰着した。与圧《よあつ》スーツのストラップをはずしコックピットから降りて、待機していたパイロットに写真フィルムを渡す。そのパイロットはただちにワシントンへ飛び立った。首都に到着するや、フィルムは国家写真解析センターに運ばれ、現像と写真分析へ回された。専門家が何か疑わしいものはないかと、穴のあくほど仔細《しさい》に調べた。

突然、一人が声を上げた。サンクリストバル山中に、ソ連製SS４準中距離弾道ミサイル数基が写っていたのだ。ミサイルの有効射程距離は一六〇〇キロメートル。これがキューバ西部から発射されれば、アトランタ、ダラス、ニューオリンズのような大都市をかかえるアメリカ南部が広く射程内に入る。さらにはワシントンＤＣまでが含まれるのだ。

必死に動揺を抑えながら、センター長はワシントン中のオフィスに電話連絡を開始した。ＳＳ４ミサイルは、一メガトンの核弾頭を搭載《とうさい》できる。いったん組み立てられたら、アメリカだけでなく全世界にとって、きわめて明白な脅威となるだろう。一〇月一五日午後遅くまで、アメリカ各地の政府関係部署では電話が鳴りっぱなしだった。ソ連がキューバにミサイルを配備したのは本当なのか、誰《だれ》もが確かめたがっていた。

一六日朝早く、国家安全保障担当補佐官マクジョージ・バンディがホワイトハウスに到着し、足早に正面ドアへ向かった。大統領に報告しなければならない最悪のニュースに憤激していた。イーストウイングから入り柱廊《ちゅうろう》通路を通って、大統領執務室でケネディに会った。バンディが口をひらいた。「大統領閣下、ついに動かぬ証拠が出ました。……ソ連はキューバに攻撃ミサイルを配備しています」

ケネディは厳しい表情でうなずいた。ずっとこうなるのではないかと危惧《きぐ》してきたのだ。いずれソ連はキューバに核ミサイルを配備するだろうと、ＣＩＡや共和党の指導者から警告されていた。その場合にはすみやかに実効的な対応をする、と彼は答えていた。そして、くるものがきた。もはや仮定の問題ではない。現実なのだ。

フルシチョフの賭《か》け

なぜソ連はキューバにミサイルを配備したのだろうか。ソ連がもっとも回避したかったのは、アメリカとの直接戦争だった。ソ連には、アメリカ本土に到達可能な大陸間弾道ミサイルは一〇基しかなく、核弾頭も三〇〇から五〇〇発しか保有していなかった。二〇〇〇基近い大陸間弾道ミサイルと五〇〇〇発の核爆弾、それを搭載《とうさい》できる爆撃機を保有するアメリカに、勝てる見込みはないとわかっていたのだ。

その結果、いざ戦争になった場合、アメリカの先制攻撃を恐れるソ連は、キューバにミサイルを配備して先制攻撃を思いとどまらせるという賭けに出たのだ。同時にミサイル配備によって、キューバをアメリカの侵攻から防衛することもできる。またフルシチョフはずっと、モスクワの強硬派から、アメリカと力ずくで対決しろと迫られていた。この賭《か》けはフルシチョフにとって、アメリカがソ連とキューバを恫喝《どうかつ》してきた場合に対する措置《そち》はちゃんと講じてあると、強硬派に示すための安上がりな方法でもあったのだ。

ここ数年間でアメリカは、ソ連と国境を接する西ヨーロッパやトルコにミサイルを配備してきた。フルシチョフは、キューバにミサイルを配備することによって、「自分たちがやられたように、アメリカ人に苦い薬を飲ませてやった」と説明した。アメリカがソ連国境付近へのミサイル配備で脅《おど》してくるなら、こちらも同様のことをするまでだ。「アメリカが、子どもの尻《しり》をたたくようなことを我々にできたのは昔の話だ。今度はこちらがやつらの尻をたたいてやる番だ」と考えたのである。

一方ケネディには、ソ連がこんな挑発的な行動に出た理由が解《げ》せなかった。大統領は、疑うように補佐官たちに目を注いで言った。「これはまるで、我々が突然、トルコに相当数のミサイルを配備するようなものではないか。なぜわざわざそんな危険なことをするんだ?」大統領執務室がしんとした。誰《だれ》も口をきかない。ついにバンディがおずおずと答えた。「そうですね、大統領閣下、我々が先に配備しておいたのです」ケネディは、トルコにアメリカのミサイルが配備されていることを知らなかったのだ。

大統領は茫然《ぼうぜん》とした。キューバに運びこまれた核ミサイルの組み立て完了は、なんとしても阻止しなければならない。三日間、彼は補佐官たちと打開策を考えた。事は慎重《しんちょう》を要する。ベルリン危機でもそうだったように、一つの間違った判断が悲劇的結末をもたらしかねないのだ。

一〇月一九日、ケネディは統合参謀本部と協議をもった。彼らの多くが、キューバを爆撃してミサイルを破壊すべきだと考えていた。ソ連と戦争して、永久にたたきつぶしてやるべきだと主張する者までいた。参謀本部議長カーティス・ルメイ大将はこうまで言った。「ロシアのクマはいつだって、カリブ海に足を突っこみたくてうずうずしているのです。今こそ罠《わな》を仕掛けてとっ捕《つか》まえて、股間《こかん》あたりで脚を切り落としてやりましょう。いや、タマももぎ取ってしまうのがよろしい」

空軍大将カーティス・ルメイ。

ルメイは、キューバにあるミサイルを攻撃しても、ソ連はなんの反応も示さないだろうと大統領に請《う》け合った。コチノス湾事件以来、軍部の意見を聞くことに慎重になっていたケネディは、ソ連は反応せずにいられないだろう、場合によってはキューバでなく、ベルリンで報復に出ることも考えられると答えた。ルメイは、それも結構ではないかと応じた。キューバとソ連を一気にたたきつぶす最高のチャンスになる、と考えたからだ。

ケネディはルメイの言葉を聞きとがめた。こちらがキューバを攻撃した後、ソ連が核で報復攻撃してくる可能性をなぜ想定しないのだろうといぶかしんだ。ルメイは一九四五年三月一〇日の夜間焼夷弾《しょういだん》爆撃で、一五万人もの犠牲者《ぎせいしゃ》を出した東京大空襲の司令官だ。戦争に勝つためなら、きわめて多数の民間人を殺害しても、まるで良心の呵責《かしゃく》を感じないらしい。会合後、ケネディは補佐官ケネス・オドネルに言った。「よくもルメイはあんなことが言えるものだ。軍の上層部は、なんでも自分に都合よく解釈できるらしい。彼らの言うとおりにしていたら、全員殺されて、連中の間違いを指摘してやる者さえ残らなくなってしまう」

海上封鎖

統合参謀本部の多数の者は、キューバのミサイルを空爆後、地上侵攻すべきだと考えていた。少数派の考えはもっと慎重《しんちょう》だった。彼らは大統領に、さらにミサイルが運びこまれないように、キューバを海上封鎖すべきだと進言したのだ。ケネディはこの案に賛成した。しかし、すでに配備されているミサイルは、なんとしてもキューバから撤去させなければならない。ミサイルの存在を許してしまえば、ラテンアメリカ諸国の指導者がソ連と取引して、自国にミサイルを配備させようと考えるかもしれないし、ケネディを弱腰だと見なしている国内の大物たちは、いろいろと文句をつけてくるだろう。ケネディには、大統領として弾劾《だんがい》される恐れさえあった。

ケネディは決心した。軍艦でキューバを海上封鎖することにしたのだ。キューバに入ろうとするソ連の貨物船すべてを臨検し、攻撃的な軍事装備などが発見された場合には、例外なく帰港させる。封鎖線を突破しようとする船舶《せんぱく》に対しては、発砲も辞さない。ルメイほかの軍部は激怒した。侵攻しないとは軟弱すぎると大統領を非難した。しかし、キューバ侵攻がほぼ間違いなく、世界規模の核戦争の引き金となるだろうことをケネディは確信していたのだ。

六日間、緊張は高まりつづけた。アメリカ国民に状況説明する時期だとケネディは心を固めた。一〇月二二日午後、彼は大統領執務室からテレビ演説を行った。それは、歴代アメリカ大統領の演説の中でも、もっとも身も凍る内容のものになった。国中の人々がテレビ画面に釘付《くぎづ》けになった。ケネディの、強気だが苦悩の見え隠れする顔をカメラが映し出す。大統領就任から一年半、さまざまなことがあったが、今度は何が起きるというのだろうと、国民は不安をつのらせて待った。ケネディが話しはじめた。

「……政府は、キューバ島におけるソ連の軍備増強を詳細《しょうさい》にわたり監視してきました。ここ一週間で、あの孤立した島に一連の攻撃ミサイル発射施設が建設中であるという事実が、まぎれもない証拠により確認されました。こうしたミサイル基地は、西半球への核攻撃を可能にするものにほかなりません」

ケネディは、そのミサイル配備は「全アメリカ国民の平和と安全に対する明白な脅威」であり、アメリカのみならず、世界のどんな国も、このような「ある国民に対する意図的な欺瞞《ぎまん》や攻撃的な威嚇《いかく》を容認する」ことはできないと続けた。そして、アメリカ軍によるキューバの海上封鎖を発表したが、「封鎖」（blockade）を「検疫《けんえき》」（quarantine）という柔《やわ》らかい言葉に置き換えて伝えた。また、現在、軍は戦争準備状態に入っており、ソ連が攻撃ミサイル組み立てを続行するならば、戦争行為は正当化されるだろうとも話した。最後に、「西半球上のいずれかの国へ、キューバから核ミサイルが発射された場合、我々はそれをソ連によるアメリカへの攻撃とみなし、ソ連に対し全面的な報復措置《そち》を発動することを我が国の方針とする」と、最悪の事態についての警告を発したのである。

アメリカがソ連から攻撃される？　そして、アメリカが全面的な報復措置をとる？　この演説は、アメリカ国民を死ぬほど縮み上がらせた。何年間も核戦争の可能性について熟慮し、核兵器を使った場合の戦略を練り、核兵器の備蓄を増強させてきて、大統領はついに、核戦争が本当に起きる事態が切迫していると語ったのだ。もしもソ連の船が封鎖を突破したらどうなるのだろう。政府は核兵器で報復するのだろうか。そして、もしもソ連がキューバからミサイルを撤去しなかったら、アメリカはキューバへ侵攻するのだろうか。

大パニック

あまりの恐怖にアメリカ人は言葉を失った。国全体がパニックに襲われた。当時七歳だった亡命キューバ人のマルタ・マリア・ダービーは、家族と一緒に大統領の演説を聞いた。彼女はこう回顧《かいこ》する。「もう全部ダメになるんだ、と思いました。……どこが最初に攻撃されるのだろうとも思いました。……真っ先にやられるのはきっとニューヨークだ、と大人たちは言っていました。私は眠れなくなりました。本当に恐ろしかったです」マルタはキューバ人の友達とマイアミの学校へ通っていた。戦争になるかもしれないと、友達とも話したという。「第二次世界大戦の時、日本人が強制収容所に入れられたように、私たちにも同じことが起きるんじゃないかとびくびくしていました。私たちキューバ人は捕《つか》まえられて、どこか別の場所に閉じこめられるという噂《うわさ》も流れていて、とても怖《こわ》かったです」

小学生だったジョン・ティアニーは、デンバーにある自分の家のそばに、今にもミサイルが落ちてくるのではないかと気が気でなかったという。演説の翌日、彼は学校へ行った。「ランチタイムがおわって、同じ五年生同士で、達者で暮らせよ、なんて変な言い方をして校庭で別れました。わざとふざけていたけれど、内心みんな怖《こわ》くてたまりませんでした」

九歳だったバーバラ・バーネットはこう話す。「あの頃は、戦争になるかもしれない、戦争になったらどうしようと、それしか考えられなくなって、毎日震えていました。それから、きっと私たちの国は木っ端微塵《こっぱみじん》にされるんだろうな、とも思いました」学校の先生は言ったという。「たぶん戦争が起きて、ロシア人が攻撃してくると思います。そうなったら、最初に標的にされるのは私たちでしょう。なぜなら私たちは基地のそばに住んでいるからです」

全国各地の子どもがそうだったように、アトランタ郊外にあるワズワース小学校の五年生も、戦争についてメモを回し合った。ある女の子は隣の席の男の子にメモを書いた。「こわい?」男の子は「こわくない」と返事、女の子は「わたしはこわいの」と返した。マサチューセッツに住む少女は友達にこんなメモを送った。「もうクリスマスも感謝祭もイースターも誕生日もダンスパーティも、それにハロウィーンもこないなんて信じられる?……私たち、まだすごく若いのにね」

ニューイングランドの寄宿学校で学ぶ少年は半べそをかきながら、父親に電話した。「パパ、家に帰ってもいい？」父親は答えた。「ピーター、おまえは一生懸命《けんめい》自分の勉強をしなさい。私も自分の仕事をちゃんとやるから。私たちはみんな大丈夫だよ」サウスダコタ州の七年生の教師は事態を深刻に考えていなかった。「もしも歴史のテストの最中にロシアが攻撃してきたら、本当にいい迷惑だと思いますよ」

ニュージャージーに住む若き海軍士官ルー・オシュマンは、羽目をはずすことにした。「ニューヨーク行きのバスに乗りました。間違いなくニューヨークは標的にされると思っていましたが、まあ、とにかく、どこかへ行きたかったのです。そこでは何日間も美術館めぐりをしました。バーも何軒かはしごしました。どうせあと数日で死ぬんだったら、もっと楽しまなきゃと思ったのです。それで、ずいぶん気が楽になりました」

キューバ危機勃発に伴い、ニューヨーク国連本部の前に集まった女性たち。「大統領、慎重に行動して下さい!」などのプラカードを掲げ、平和的解決を訴えた。

ノースカロライナ州で白人の家の掃除を請《う》け負っていたアフリカ系アメリカ人女性のクロイス・ウィリアムズは、ケネディの演説の翌日仕事へ出かけた。その日訪ねた家の女性は、「私に掃除機をもたせて地下室へ降りていき、壁のひび割れをチェックして、クモの巣を払いました。地下室を核シェルターにするつもりだったのです。正直に言えば、私はフルシチョフより、その暗い地下室の方が恐ろしかったです。地下室を掃除して何になるんだろうと思いました。いくらきれいにしたって、戦争になればどうだってよくなるのに」

民間防衛局が、戦争勃発《ぼっぱつ》の際にはすべての商店を休業とすると発表するや、全国各地で、人々がスーパーマーケットへ殺到した。ある女性は飲料水を二〇ケース買った。別の女性はインスタントコーヒーを四〇袋買ったが、水は買わなかった。ロサンジェルス州のヴォンズ・グローサリーストアの店員は取材にこう答えた。「どの店の電話も鳴りっぱなしで、とくにパンなどの必需品や缶詰《かんづめ》はケース単位で売れに売れています」

デフコン2

一〇月二四日、アメリカ戦略空軍総司令部は、アメリカ史上初めて、防衛準備態勢《デフコン》をレベル2に引き上げた。ソ連を攻撃目標とする、戦争の一歩手前の準戦時態勢だ。大統領に諮《はか》ることなく決定する権限をもつトーマス・パワー将軍が、事態をさらに核戦争へ追いこむような決断を下したのだ。もっと悪いことには、パワーはソ連を挑発するように、この命令を暗号化せず平文《ひらぶん》で伝達した。デフコン2の下、三〇〇〇発の核爆弾を搭載《とうさい》したアメリカの爆撃機は、世界各地で空中待機態勢に入った。数億の人間を殺す威力をもった核兵器が空を飛んでいたのである。

アメリカ全土の人々が、砂糖、チョコレート、コーヒー、水、缶詰《かんづめ》、粉末飲料、ライフル銃、拳銃、散弾銃、そして弾薬を買いこんだ。テキサス州ダラス、フロリダ州セントピーターズバーグ、バージニア州リッチモンドでは、銃が飛ぶように売れた。リッチモンドの銃販売店のオーナーは、ソ連に対して自衛するというより、「シェルターを求めて田舎《いなか》にやってくるかもしれない都市居住者」を撃退するために、お客は銃を買うのだと説明した。

ニューオリンズのある店ではラジオが売り切れ、ヒューストンでは店頭から電池が消えた。サウスカロライナ州にある自動車部品店ではタイヤが売り切れ、人々は工具店へ殺到して、キャンプ用のコンロ、扇風機、ポータブルトイレを買った。テキサス州では、すべての新車がショールームから消えた。全国の銀行から預金が引き出された。持病のある者は薬局に駆けつけて、数カ月分の処方薬をもらった。地元の警察署には電話が殺到し、爆弾が落ちてきたらどうしたらいいのかと、切羽《せっぱ》詰《つ》まった声で人々は尋《たず》ねた。

緊張は日ごとに高まっていく。この危機がはじまって二週間近くが経過した。子どもたちは学校で机の下に隠れ、民間防衛局の役人は避難訓練を実施した。各都市は防衛準備態勢に入り、人々は祈った。

フルシチョフからの親書

一〇月二五日、ソ連の指導者たちはようやく、キューバからミサイルを撤去することを決断した。しかしまずは、アメリカに何かしてもらわなくてはならない。ソ連は、キューバからミサイルを撤去する見返りに、トルコに配備されているアメリカのミサイルの撤去を要求したいと考えた。フルシチョフは、ケネディとすぐにも交渉する構えだった。

ところが、その時、アメリカ軍によるキューバ侵攻が今にもはじまりそうだとの情報を聞かされた。核戦争だけは回避しなければと思い、フルシチョフは大あわてでケネディに電信でメッセージを送った。国務長官マクナマラは、その親書を「自分の知る限り、もっとも偉大な外交親書」だったと評している。

フルシチョフは、アメリカとソ連は核戦争に向かってまっしぐらに走っていることを認めて、こう書いていた。「本当に核戦争になった場合、我々の力ではそれを止めることはできません。……都市も村落も焼き尽《つ》くし、あらゆる場所に死と破壊をばらまくまで、戦争はけっして終結することはないのです」フルシチョフはただ、キューバへ侵攻しないと約束してほしいと訴えていた。彼は恐れていたのだ。すでに「偶発《ぐうはつ》的な事件」が連続的に起きていて、そのどれもが、両国の最高指導者がなんとか回避しようとしている核戦争の引き金になりうるものだったからだ。たとえば、カリフォルニアのヴァンデンバーグ空軍基地から、テスト用ミサイルがマーシャル諸島へ向けて発射された後、そんな事実は皆無《かいむ》だったのに、アメリカ政府は、フロリダ州タンパと中西部のミネソタ州が攻撃されていると誤報を伝えていたのだ。

人類史上もっとも危険な瞬間

一〇月二七日、世界は文字どおり核戦争一歩手前の崖《がけ》っぷちに立たされた。アーサー・シュレジンガー・ジュニアが、「冷戦期においてもっとも危険な瞬間だったばかりではない。人類史上、もっとも危険な瞬間だった」と後年書いた事件が起きたのだ。

この日、アメリカ軍がキューバ沖合《おきあい》にしいた海上封鎖線付近で、アメリカ艦船ランドルフが、ソ連の潜水艦B59を捕捉《ほそく》した。実はこの潜水艦は核魚雷を搭載《とうさい》していたのだ。もちろん、艦船の乗員はそんなことは知らない。そこで彼らは潜水艦を浮上させようと、爆雷を投下しはじめた。潜水艦に乗務していたソ連軍の通信将校ワディム・オルロフは後にこう証言している。「爆雷が船体のすぐそばに炸裂《さくれつ》しました。ドラム缶《かん》の中に入れられて、外から大きなハンマーでたたかれている気分でした。攻撃自体には驚きませんでしたが、まずいことになったと感じました」

潜水艦内では気温が急上昇し、とりわけ機関室は高温になった。停電で艦内は暗くなり、灯《あか》りは緊急非常灯だけになった。二酸化炭素濃度が上昇して、呼吸するのも困難になってきた。「当直士官の一人が気を失って倒れ、別の一人が倒れ、三人目が倒れ……ドミノ倒しのようでした。それでも我々はなんとか持ちこたえ、攻撃をかわそうとしていました。こんな状況が四時間も続いていたのです。ところがいきなり、爆雷攻撃がさらに激しくなったのです。……我々は思いました。もういい、おしまいにしようと」

乗員はパニックに陥《おちい》っていた。艦長ワレンティン・サヴィッキーが、海上の僚船《りょうせん》と連絡しようとしたがつながらない。海上の様子はまったくわからないのだ。サヴィッキーが核魚雷の発射準備を部下に命じ、叫ぶように言った。「ここで我々がなされるがままになっているうちに、上では戦争になってしまったようだ。これから核魚雷を発射する。我々は死ぬが、敵もすべて道連れだ。ソ連海軍の威信を穢《けが》すことはできない」

核魚雷発射のためには、他に将校二人の承認が必要だ。ところが、副長ヴァシリー・アルヒーポフが承認を拒否したのだ。その判断は本当に正しいのか、とアルヒーポフは艦長を問いただした。もしも間違っているのに核魚雷を発射したら、世界が滅亡する原因は自分たちが作ったことになる、と再考を促したのだ。緊迫《きんぱく》したやり取りが続いたが、ついにアルヒーポフが艦長をさとし、艦を浮上させるように進言した。こうして、副長アルヒーポフの冷静な判断によって、世界規模の全面核戦争は回避されたのである。人類がいかに終末のすぐそばにいたのか、当時、知る者はいなかった。

瀬戸際《せとぎわ》の駆け引き

海中の潜水艦内で、アルヒーポフが艦長を説得している頃、U2偵察機がキューバ上空で撃墜《げきつい》されたとの報が飛びこんできた。さらには、別のU２一機が誤ってシベリアのソ連領空内を侵犯した。そこを防衛していたのは、核ミサイルを搭載《とうさい》した戦闘機だった。同じ頃、ソ連はキューバの核ミサイルを、グアンタナモにあるアメリカ軍基地へ向けて発射する準備に入った。事態は一触即発《いっしょくそくはつ》の様相を呈してきた。

アメリカ軍司令官たちは、キューバへの即時空爆と侵攻開始をケネディに迫った。ソ連がキューバのミサイルを発射台に装着する準備を開始した、との情報が入った。ケネディは、「時間切れ」を認めた。そのミサイルを発射させるわけにはいかないのだ。アメリカ軍の侵攻準備は整っていた。二五万の兵が動員され、待機していた。あとはタイミングの問題だ。キューバでは、アメリカが侵攻してくる前にアメリカへ核攻撃しろと、カストロがフルシチョフをせっついていた。

その時ケネディは、フルシチョフから二通目の親書を受け取った。最初の親書とは違って、それはよそよそしく、冷淡で居丈高《いたけだか》ですらあった。アメリカはキューバに侵攻するな、そしてトルコからすべてのミサイルを撤去せよと求めていた。ケネディは茫然《ぼうぜん》とした。最初の親書では歩み寄りに前向きだったのに、この親書は要求してくるばかりだ。一通目と同じ人物が書いたものとも思えなかった。ソ連の軍部がクーデターを起こし、フルシチョフは失脚したのではないかともあやぶまれた。

とてつもないプレッシャーの下、ケネディは最初の親書に返信し、後の親書は無視することにした。キューバへは侵攻しないとケネディは請《う》け合った。トルコのミサイルは四〜五カ月以内に撤収《てっしゅう》するとも約束したが、この合意を内密にすることをフルシチョフに要求した。この直後ロバート・ケネディが、駐アメリカソ連大使アナトリー・ドブルイニンと極秘《ごくひ》会談し、ソ連がただちにミサイル撤去を約束しなければ、アメリカは攻撃を開始すると申し渡した。

ケネディはピリピリしながら、ソ連の回答を待つことになった。友人には「むざむざ自分の子どもたちが殺されるくらいなら、あの子たちが共産主義者になった方がマシだ」と話したという。国防長官マクナマラは、次の土曜日には自分はもうこの世にいないだろうと思いつつ、その夜ベッドに入った。

アメリカ側はフルシチョフの回答を待った。時間だけが過ぎていく。翌一〇月二八日朝早く、返答があった。フルシチョフは、ソ連の威信を保つために、数億もの人命を犠牲《ぎせい》にする必要はないという判断に達したのだ。彼はモスクワ放送で、アメリカがキューバに侵攻しないことと引き換えに、キューバのミサイルを撤去するとの声明を出した。武力衝突はこうして回避されたのだ。

アメリカは間一髪《かんいっぱつ》のところで、キューバ侵攻を思いとどまった。もし実行していたら、判明していたミサイルに加え、ソ連がすでに運びこんでいた戦術核兵器一〇〇発を発見していたことだろう。マクナマラは、この事実を一九九二年になって初めて知った。報告を聞いても、自分の耳が信じられなかった。もしもアメリカ軍を侵攻させていたら、一〇万の兵が殺害されていただろうし、そうなればアメリカは報復としてキューバを壊滅させていたはずだと、マクナマラは語った。その結果、世界を巻きこむ全面核戦争が起こり、何億もの人命が奪われていたにちがいない。しかもそれは、地上の全生命を絶滅させる戦争となった可能性がきわめて高いのである。

結び

世界は核戦争による全滅をからくもまぬがれた。しかし、一九四五年から六二年のわずか一七年間で、人類は地球を複数回破壊できるほどの攻撃能力を保持するようになってしまった。キューバ危機が解決されて、世界中の人々が安堵《あんど》したが、同時に人々の心には深い恐怖と強い不信感が刻みつけられた。こんな世界で、人間はずっと生きていけるのだろうか。

一九六二年一〇月三〇日、核兵器による大量殺戮《さつりく》の一歩手前という事態を体験したフルシチョフは、ケネディに長い書簡を送った。「史上最悪の経験はよき覚醒《かくせい》を運んできたようです。……つまり、今や人々は、核戦争の燃え上がる火炎の熱さをもっと切実に感じるようになり、軍拡競争をやめない限り、その脅威はずっと自分たちにのしかかっているという事実を、より明確に意識するようになったのです」さらに、「新たな危機を生み出しかねない両国関係にひそむ否定的な要素すべてを排除する」ために、互いに協力できないだろうかと記してもいた。

世界は一連の出来事を通じて、狂気に躍《おど》らされた冷戦の本質を深く理解したはずだ。わずか一七年間で、ヘンリー・ウォレスが「市井《しせい》の人々の世紀」と呼んだ平和的な共存共栄という未来へのビジョンは、核兵器による第三次世界大戦への現実的な恐怖に取って代わられた。世界中の人々が、アメリカにはびこるようになった好戦的な傾向を、強く不安視するようになった。

好戦的な傾向は国内外の両方において、アメリカが敵とみなした者に対する恐怖によって、一層激しくかき立てられることになった。国内では、ポール・ロブソン、ハリウッド・テンを始めとする何千何万という人々が、反共ヒステリーによって仕事や人生を破壊された。国外では、イラン、グアテマラなどの民主的な政府が、共産主義を封じこめ、ソ連に対抗しようとするアメリカ政府の策謀《さくぼう》によって転覆させられた。本書はアメリカの動きを中心に書いてきたが、冷戦時代のソ連の政策もまた、東ヨーロッパ全体に、計り知れない苦悩と死をもたらしていたことも忘れてはならない。

同時に、アメリカの一般市民が、核戦争という最悪のシナリオに恐怖しながらも、無意味な防衛訓練に抗議し、核シェルターをめぐって真剣に論争していた時、ロッキード、ボーイング、グラマン、ダウ・ケミカルなどの超巨大な軍需企業は、戦争で使用する軍艦、戦闘機、ミサイル、また弾薬や地雷などを製造して、アメリカ政府ばかりでなく諸外国に販売し、巨富を手にしていたのだ。

正気とも思われないこうした現状にストップをかけることは、どの国の指導者にもまったく不可能に見える。一九六一年、アイゼンハワーは大統領退任演説で、「軍産複合体」、つまり巨大な軍隊と富裕《ふゆう》な軍需企業との結びつきは民主主義の脅威になる、と国民に警告した。しかし、その頃にはすでに軍産複合体は巨大化し、制御不能な存在となっていたのだ。

当初、冷戦の屈強な戦士として自らを売り出したケネディは、やがて、アメリカが国家の最優先事項として戦争を掲《かか》げている限り、世界中の人々は、核戦争の脅威の下でつねにおびえて暮らさなければならない、ということに気づいた。そして、キューバ危機回避で見たように、全面核戦争の引き金となりかねない国家間の誤解を、軍事行動ではなく交渉で解決しようとした。そのため、ケネディは、戦争から利得している者全員を敵に回すことになったのである。

未来の世代は、自分の親世代が作り出した問題を解決することができるだろうか。そして、彼らは、核戦争という恐怖のない、平和で自由な世界を自分の子ども世代へ引き継《つ》ぐことができるだろうか。

謝辞

本書は、以下に掲《かか》げるすばらしい人々の忍耐力と励まし、アドバイスと学識なしには執筆することはできなかった。

最初に、近藤紘子《こうこ》（旧姓谷本）さんの、反核運動への情熱と変わらぬ友情に感謝したい。彼女にインスピレーションをえて、本書は書かれた。

ウィルミントン・カレッジ平和資源センター、オールソウルズ教会、アメリカン大学核文化研究所、ポール・ボイヤー、エレイン・タイラー・メイ、ローラ・マケナニー、ロバート・J・リフトン、グレッグ・ミッチェル、ジョン・ハーシー、ノーマン・カズンズ、谷本清、ポール・ロブソン、デイヴィッド・グラン、ジャック・ニーデンタール、デイヴィッド・ヴァイン、A・パウエル・デイヴィス、ケネス・ローズ、ガイ・オークス、ブルース・カミングス、ステファン・キンザー、ピーター・チャップマン、シムキ・カズニック、インディラ・フリートとジム・ラシェンバーガー。こうした団体や個人の調査資料や著作物、飛び抜けた功績や才能なしでは本書は完成できなかった。

また、優秀な編集者ルータ・リマスとニコール・フィオリカの忍耐力と献身、助言があったからこそ、本書は日の目を見ることができた。

以下の人々にも永遠の感謝を捧《ささ》げたい。両親シャロンとジェフリー・シンガーは、私をこの世に生み出し、最良を目指すようにつねに鼓舞《こぶ》してくれた。妻レイチェルと娘イーヴィは、本書を書き上げるまでの長期間、私を支え、励まし、元気づけてくれた。

アブラハムとエステル・シンガー、アイダとシドニー・パッツ、シェイラとアラン・フリードマン、ナンシーとアラン・カーソン、アイザック・ボーメル、ジョー・〝ヤケル〟・ボーメル、フローレンス・リット、トム・ホクストラ、ジーン・リルクウィスト、スティーヴ・〝ゴールディ〟・ゴールドスミス、キャシー・バターフィールド、レナード・シュタインホーンとロバート・グリフィス、ロビン・ホワイト、そして推薦《すいせん》の言葉を寄せてくれた正真正銘《しょうめい》の天才D・ワトキンス。彼らは私の偉大なロールモデルである。歴史への興味を抱かせ、人権擁護《ようご》運動への情熱を育て、私の知的、精神的な向上を促してくれた。

最後に、知性と人間的魅力で世界をインスパイアしつづける二人の原著者ピーター・カズニックとオリバー・ストーンの名前を掲《かか》げたい。彼らは、私を信じ、支え、不可能にしか思えなかったゴールに到達させてくれた。彼らとともに仕事ができたことは私の名誉であり、特別な恩恵《おんけい》である。

エリック・シンガー

訳者あとがき

本書は、新進気鋭《きえい》の歴史家エリック・シンガーによる、オリバー・ストーンとピーター・カズニック著『オリバー・ストーンが語るもうひとつのアメリカ史2』（早川書房刊）のリライト版である。第二次世界大戦終結後から一九六二年までの冷戦期が語られているが、親版とはまったく異なる、聞いたこともない事実がてんこ盛りで、大きな反響《はんきょう》を呼びそうだ。

アメリカン大学歴史学部教授カズニックは本シリーズで、学校教科書に書かれていない歴史事実と、埋《う》もれてしまった英雄を再発見することに主眼を置いたと言っているが、シンガーが新たに掘《ほ》り起こした「語られなかった歴史」の数々には啞然《あぜん》とさせられる。たとえば、この時代、アメリカの軍人たちはキノコ雲をかたどったケーキで核実験成功を祝い、政府高官は原爆を月面で爆発させてソ連を威嚇《いかく》することを夢見、水爆で新港を建造したりハリケーンの進路を変えたりすることを真剣に検討していた。かたや、子どもたちは放射性物質を使った玩具《がんぐ》を与えられ、学校では、原爆の閃光《せんこう》を見たら伏せて頭を隠しなさいと教えられ、大人たちは爆心地にいても生き残れると信じて原爆避難訓練に参加し、あるいは核戦争になった時、自宅の地下核シェルターに入ってきたら撃《う》ち殺すと、隣人に宣言していたというのだ。
核爆弾の破壊力と放射能の恐ろしさは、戦後しばらく経《た》っても専門家にさえ明確に認識されていなかった。とはいえ、原爆を投下された国に住む私たちには、にわかには信じがたい事実が次々《つぎつぎ》と明らかにされていく。

さらに、シンガーは埋《う》もれてしまったヒーローたちも、歳月の流れから丹念《たんねん》にすくいあげてみせた。それは、原爆が投下された後、白血病と闘った佐々木禎子《さだこ》という少女であり、顔にケロイドを負いながらも前向きに生きた「原爆乙女《おとめ》」たちであり、反核を唱える、水爆実験で「死の灰」を浴びた第五福竜丸の乗員たちだ。あるいは、石油利権を奪回しようと大英帝国に挑《いど》んだイラン首相ムハンマド・モサッデク、強欲《ごうよく》なアメリカ企業から祖国を守ろうとしたグアテマラ大統領ハコボ・アルベンス、そしてすんでのところで核戦争を回避させたソ連の軍人ヴァシリー・アルヒーポフでもあった。

美しいサンゴ礁《しょう》の島々で核実験を繰《く》り返し、ハイスピードで核兵器の備蓄数をふやしていたアイゼンハワー政権時に、核兵器は最終兵器から通常兵器になったと言われている。しかし、当のアイゼンハワーが退任演説で懸念《けねん》を表明する頃には、「軍産複合体」という存在はすでに制御不能になっていた。このことを大統領や軍人からの視点ではなく、シンガーのように一般市民の立場から考えてみると、問題の深刻さが一層よくわかってくる。巨大な軍需企業は多数のアメリカ人が働いて生活の糧《かて》をえる場として、この時期にアメリカ社会にがっちりと組み込まれたのである。

同様に、市民の立場からキューバ危機を振り返ってみよう。いつ核爆弾が降ってくるかわからない状況下で、アメリカの人々、ソ連の人々、そして日本人は、その時、何を思いどう行動したのだろう。誰《だれ》とどこへ逃げようとしていたのだろうか。それを考えると、核戦争、ひいては人と人が争うことの言いようのない愚《おろ》かさと本当の怖《こわ》さが見えてくる。

なお、訳出にあたっては、法政大学出版局刊のジョン・ハーシー著『ヒロシマ　増補版』、朝日新聞出版刊の中条一雄《かずお》著『原爆乙女《おとめ》』を参考にさせていただいた。

二〇二〇年二月

鳥見真生《とりみまさを》

Photo Credits

第1部 広島と長崎、ビキニ環礁

1：『ヒロシマ』、そして禎子の物語
p.24：Library of Congress

3：ビキニ環礁
p.60：US Department of Defense

第2部 冷戦が家までやってきた

5：赤狩りの時代
p.75：Library of Congress
p.81：Library of Congress
p.89：Library of Congress

6：セミパラチンスク
p.99：Central Russian Film and Photo

7：原爆避難訓練
p.108：Library of Congress

8：オペレーション・アラート
p.114：Department of Energy
p.117：Library of Congress
p.119：Library of Congress
p.124：Library of Congress

第3部 戦争好きな体質

11：勝てなかったアメリカ
p.153：Library of Congress

13：スプートニク・ショック
p.182：NASA
p.187：US Bureau of Engraving and Printing

14：人類最後の日
p.192：Library of Congress

第4部 世界をアメリカ化せよ

16：CIAの秘密作戦：グアテマラ
p.222：Library of Congress
p.226：Library of Congress
p.235：Associated Press

17：キューバのチョコレート帝国
p.239：Hershey Community Archive
p.245：State Historical Society of Colorado,Library of Congress
p.252：Library of Congress
p.256：Library of Congress

18：キューバ革命
p.270：Library of Congress

第5部 人類史上もっとも危険な瞬間

19：ジョン・F・ケネディ
p.279：Library of Congress
p.287：Associated Press
p.290：Associated Press

21：コチノス湾侵攻
p.309：Getty Images

22：ベルリン危機
p.327：National Archives and Records Administration

23：人類史上もっとも危険な瞬間
p.335：Public domain
p.341：Library of Congress

オリバー・ストーン

映画監督。1946年、ニューヨーク州に生まれる。イエール大学中退。アメリカ陸軍に従軍し、ベトナム戦争を経験。除隊後、ニューヨーク大学で映画制作を学ぶ。「プラトーン」「7月4日に生まれて」の2作品でアカデミー監督賞を2度受賞。ピーター・カズニックとの共作に『オリバー・ストーンが語るもうひとつのアメリカ史1〜3』（早川書房）、『よし、戦争について話をしよう。戦争の本質について話をしようじゃないか！』（金曜日）がある。

ピーター・カズニック

アメリカン大学歴史学教授。1948年、ニューヨーク州に生まれる。1984年、ラトガース大学で歴史学の博士号を取得。アメリカン大学で核問題研究所を主宰。著書に『原発とヒロシマ「原子力平和利用」の真相』（田中利幸との共著、岩波ブックレット）など。

エリック・シンガー

歴史ライター。バーモント大学で教育課程学修士号、アメリカン大学で歴史学博士号取得。『オリバー・ストーンが語るもうひとつのアメリカ史　テレビドキュメンタリー版』では首席調査員を務めた。

鳥見真生（とりみ まさを）

東北大学法学部卒業。訳書に『学校では教えてくれない本当のアメリカの歴史（上・下）』（あすなろ書房）、『神々の捏造』（東京書籍）など。

語られなかったアメリカ史 ❸人類史上もっとも危険な瞬間

2020年3月30日　初版発行

著者／オリバー・ストーン
　　　ピーター・カズニック
編著者／エリック・シンガー
訳者／鳥見真生

発行者／山浦真一
発行所／あすなろ書房
〒162-0041 東京都新宿区早稲田鶴巻町551-4
電話 03-3203-3350（代表）
装丁／城所潤＋大谷浩介（ジュン・キドコロ・デザイン）
印刷所／佐久印刷所
製本所／ナショナル製本

 ISBN978-4-7515-2946-1　NDC253　Printed in Japan